10
18

12, AVENUE D'ITALIE. PARIS XIIIe

Sur l'auteur

Diplomate, historien, Jean-François Parot vit aujourd'hui en Bretagne. Pour écrire les aventures de Nicolas Le Floch, commissaire au Châtelet dans la France de Louis XV et de Louis XVI, il s'est appuyé sur sa solide connaissance du Paris du XVIIIe siècle. Il a reçu le prix de l'Académie de Bretagne pour *Le Sang des farines*. *L'Honneur de Sartine* est le neuvième volume de cette série au succès sans cesse grandissant. Son œuvre est traduite dans de nombreux pays. Sa série est à l'origine du grand feuilleton de France 2. *L'Enquête russe*, son nouveau roman, paraît aux Éditions Jean-Claude Lattès en janvier 2012.

Site web de l'auteur : www.nicolaslefloch.fr

JEAN-FRANÇOIS PAROT

L'HONNEUR
DE SARTINE

« Grands Détectives »

créé par Jean-Claude Zylberstein

JC LATTÈS

© Éditions Jean-Claude Lattès, 2010.
ISBN 978-2-264-05433-3

À Pascale Arizmendi et Miquèl Ruquet

LISTE DES PERSONNAGES

NICOLAS LE FLOCH : commissaire de police au Châtelet
LOUIS DE RANREUIL : son fils, page de la Grande Écurie
AIMÉ DE NOBLECOURT : ancien procureur
MARION : sa cuisinière
POITEVIN : son valet
CATHERINE GAUSS : sa cuisinière
PIERRE BOURDEAU : inspecteur de police
PÈRE MARIE : huissier au Châtelet
TIREPOT : mouche
RABOUINE : mouche
GUILLAUME SEMACGUS : chirurgien de marine
AWA : sa cuisinière
CHARLES HENRI SANSON : bourreau de Paris
NAGANDA : chef micmac
LA PAULET : tenancière de maison galante et devineresse
SARTINE : secrétaire d'État, ministre de la Marine
LE NOIR : lieutenant général de police
AMIRAL D'ARRANET : lieutenant général des armées navales
AIMÉE D'ARRANET : sa fille
TRIBORD : leur majordome
LA BORDE : fermier général, ancien premier valet de chambre du roi

THIERRY DE VILLE D'AVRAY : son successeur
NECKER : directeur général des finances
SAINTE-JAMES : trésorier général des colonies
JACQUES BOUGARD DE RAVILLOIS : fermier général
SOPHIE BOUGARD : sa mère veuve
CHARLOTTE DE RAVILLOIS : sa femme
ARMAND BOUGARD DE RAVILLOIS : son fils aîné
CHARLES BOUGARD DE RAVILLOIS : son fils cadet
RICHARD MELOT : son commis
M. EDME DE CHAMBERLIN : ancien contrôleur général de la Marine, oncle de Charlotte
TIBURCE MAURAS : son valet de chambre
LA LOFAQUE : fille galante, protégée de ce dernier
JACQUES MEULIÈRE : garçon tabletier, son amant
MAÎTRE GONDRILLARD : notaire
ANDRÉ PATAY : commis à la Trésorerie générale de la Marine
COMTE DE BESENVAL : colonel des gardes suisses
MADAME LOUISE : fille de Louis XV, mère Thérèse de Saint-Augustin, prieure du carmel de Saint-Denis
SÉBASTIEN MERCIER : écrivain
BAPTISTE GREMILLON : sergent à la compagnie du guet
M. DE GÉVIGLAND : médecin
M. RODOLLET : écrivain public

PROLOGUE

« Quel mortel reste juste s'il ne redoute rien ? »

Eschyle

Paris, lundi 5 juin 1780

La sourde rumeur du souper montait jusqu'à lui.
Parfois, malgré sa mauvaise oreille et ses bourdon-
nements, il percevait le tintement des cristaux et
les éclats de rire. Il soupira. Encore une de ces soirées dispendieuses qu'affectionnait son neveu. Il
réprouvait ces réunions de sociétés mêlées. Avant
que sa santé ne se détériore, il y avait pris part
davantage par curiosité que par goût. Il en avait été
puni par le scandale ressenti. La vie se chargerait-
elle de mettre du plomb dans cette tête légère ? Ce
n'était pas faute d'avoir sermonné, d'avoir répété à
satiété que l'opulence d'une famille ne s'édifiait
pas en un jour. Volonté, rigueur, prudence et modestie avaient longtemps présidé à l'irrésistible montée de la leur. Enfin… La leur ? C'était de la
sienne qu'il parlait. Ce neveu ne l'était que par
alliance, le fâcheux résultat d'un marché qu'alors
il avait condamné.

À l'époque, par une de ces clairvoyances particulières qui sont quelquefois départies par le destin, il avait déchiffré dans cet événement une sorte de mésalliance, un alliage de métaux disparates. Oh ! certes, sa nièce ne possédait rien qui pût aimablement attirer, sinon sa bonté et sa douceur, qualités qui pesaient peu dans le siècle. Il la tenait en affection, elle demeurait dans le tendre d'un cœur que la vie avait desséché. Il la considérait comme sa fille. À y bien réfléchir, elle avait été vendue, ou plutôt offerte en gage d'un traité dans lequel seuls les intérêts des parties en présence importaient. Comment en était-on arrivé là ! La faillite, puis la suppression, de la Compagnie des Indes avaient contraint Gaspard de Ravillois, son beau-frère, le père de Charlotte, à de cruels ajustements. Sans réussir à sauver sa fortune, il avait pourtant tenu à honneur de rembourser tous ceux qui lui avaient confié des fonds. Charlotte avait été sacrifiée sur le temple de la vertu. Sans dot, elle avait apporté le nom d'une famille ancienne que l'événement n'avait pas fait démériter, bien au contraire. En y songeant, il en éprouvait encore une sorte de fureur. Il y décelait un acte honteux, une trahison.

De cette union deux fils étaient nés qui assuraient la pérennité mâle des Bougard, désormais Bougard de Ravillois. Qu'il fût porté par un fermier général n'anoblissait pas pour autant un patronyme qui sentait sa roture d'une lieue. Sa rancune l'égarait, il oubliait l'origine lointaine des Chamberlin, sa propre branche. Il en était ainsi de nombre de familles de robe et de finance. C'était l'honneur, la manière de se comporter et la modestie d'un rang qui insensiblement faisaient coïncider la noblesse des charges et des offices, ces *savonnettes à vilain*, avec la qualité des cœurs et des talents. Il eut un sourire amer ; il y fallait beaucoup de volonté… et d'honnêteté.

Avait-il, lui-même, toujours observé ces règles qu'il eût aimé voir révérer par son neveu ? Nul n'était parfait et à l'âge auquel il était parvenu et dans son état, rien ne servait de se leurrer. Quelques sombres épisodes déparaient une vie en apparence lisse aux yeux du monde. Longtemps il avait tenté de les oublier ou de les justifier de bonnes raisons, en vain. Un craquement le fit sursauter. Encore ces parquets qui travaillaient sans cesse, comme aussi les boiseries. Pourtant cela semblait bien proche... Toujours cette mauvaise oreille ! L'hôtel de Bougard sentait encore le neuf, comme son maître parvenu ! On œuvrait trop vite aujourd'hui dans ces faubourgs nouveaux sans laisser aux artisans le temps de peaufiner les choses. Toute la maison semblait soucieuse de prendre ses aises en étirant ses articulations. Il eût aimé en faire autant.

Il sentait monter cette oppression, cette douleur insistante, qui se répétait trop souvent. Allons, il ferait mieux de cesser de réfléchir. Il avait noté cette tendance à la rumination des pensées, marque sans doute de sa décrépitude. Les craquements se multipliaient. Ah ! Ce bois trop jeune. Et dire qu'il avait eu la faiblesse d'apporter des fonds à cette folie sous le fallacieux prétexte qu'il serait accueilli en famille ! Il avait cédé à sa nièce et loué sa maison sur l'île de la Cité. Combien il la regrettait ; ce changement l'avait achevé ! Folie était bien le mot. Un instant il s'amusa du double sens du mot. Dans son esprit il s'agissait de démesure, de celle dont les dieux affligeaient les humains qu'ils voulaient perdre. Amer, il ricana. Il n'aurait plus manqué que son neveu en vînt à s'enticher de ces constructions fastueuses dont le comte d'Artois avait offert l'exemple à Bagatelle, où son voisin Sainte-James bâtissait à son tour, à grands frais, demeure, jardins et fabriques et même un gigantesque rocher. Pour le coup Bougard s'était limité à un hôtel particulier, encore bien trop opulent... De nouveau il respirait avec peine. En bas on paraissait s'amuser ferme.

Il songea soudain à ses petits-neveux. Armand, l'aîné, suivait les traces de son père. Fiancé à une fille de bonne noblesse, il continuait à mener une vie de roué. Se reprendrait-il en main ? N'était-ce que gourme jetée au vent ? C'était douteux, l'animal était vicieux. Enfin, il allait le serrer comme une proie... Et plutôt deux fois qu'une. Charles, le cadet à peine sorti de la prime enfance, tenait de sa mère et surprenait déjà par son sérieux. On était en droit de faire fond sur ses qualités. Son cœur saignait en pensant à cet enfant charmant, adoré en secret par sa mère, mais souffre-douleur du reste de la famille, et cela pour des raisons qu'il n'avait jamais réussi à démêler. Bien sûr une hanche déformée qui le faisait boiter lui était portée à tort, mais enfin était-ce une raison ?... Son père demeurait indifférent, mais ne lui passait rien... Son frère le méprisait ouvertement. En butte à la vindicte quotidienne de sa grand-mère, souvent il se réfugiait chez lui, son parrain, où personne ne se serait hasardé à le quérir. De longues heures il lisait, assis sur un carreau contre le grand fauteuil du vieillard, le fixant parfois de ses grands yeux noirs empreints de mélancolie.

Il soupira ; il ne verrait pas l'avenir. Il allait mourir, et bientôt. Il le savait en dépit des paroles rassurantes de M. de Gévigland, son médecin. Ses accès d'étouffement se multipliaient. Il songea derechef au mariage de sa nièce. Des fonds contre un nom ! Une infamie que son frère, pris au piège, n'avait su ni pu éviter. Lui, on ne l'avait pas même consulté, connaissant à l'avance les arguments qu'il opposerait au traité. Maintenant il se reprochait de n'avoir point tout entrepris pour sauver de la débâcle un frère chéri. Il en avait pourtant les moyens. Ses remords ne répareraient rien. Sur le moment, il avait estimé ne pas devoir se mêler d'un mariage arrangé, comme il y en avait tant, qui finirait par construire tant bien que mal une union acceptable. Plus tard son frère et sa belle-sœur avaient péri des fièvres de retour des Indes, après avoir reconstitué leur fortune au service d'un radjah.

Certes, au début de cette union, Jacques Bougard de Ravillois l'avait séduit par l'apparent respect porté à sa femme et par la déférence qu'il manifestait à son propre égard. Mais les échos parvenus jusqu'à lui des frasques du personnage et les demandes de plus en plus pressantes d'aide financière, qui avaient suivi, l'avaient rapidement désabusé. Au début il avait cédé. La vieille Bougard, cette gaupe, pressait son fils dans le sens d'une avide rapacité. Non contente de cette conduite indigne, elle exerçait sur sa bru une cruelle sujétion et se plaisait sans relâche à martyriser son petit-fils.

L'affection du vieil homme s'était reportée sur Charlotte, sa seule parente, désormais riche à millions. Hélas ! En un éclair, le goujat, arguant brutalement de sa mise en fonds initiale, avait fondu sur sa proie. Au pharaon, aux courses, cette nouvelle mode insensée, avec les filles ou en achats somptuaires, le mari avait dilapidé ce pactole dont ne subsistaient que quelques pierres précieuses. Un soir, il avait, quasiment de force, arraché ces joyaux à l'épouse éplorée. Longtemps après, il les avait secrètement confiés à son petit-neveu qui avait écouté ses instructions, son conseil de les dissimuler au mitan de ses jouets, avec ses billes par exemple. En outre, il lui avait remis un papier dont lui-même souhaitait ignorer l'endroit où Charles le dissimulerait. Mille recommandations avaient suivi sur son importance, et de n'en user que dans un péril extrême. Il s'en remettait à sa sagesse et à son bon sens pour déterminer à qui il pourrait faire confiance. Encore faudrait-il que le destin s'en mêle... Il éprouva une ultime jouissance du bon tour qu'il faisait. À bien y réfléchir cette incertitude lui plaisait. L'enfant, les yeux dans ceux de son parrain, avait juré.

Le samedi, après avoir pris sa résolution, il avait dépêché Tiburce, son vieux valet, dûment prévenu de l'importance de sa mission, porter un pli convoquant mardi, à trois heures de relevée, maître Gondrillard, son notaire. Il avait décidé, c'était devenu une idée fixe, de modifier ses dernières volontés et de refaire son premier testament établi au bénéfice de sa nièce. Le texte manuscrit en était prêt et même signé. Il jugeait désormais Charlotte sous influence, aveuglée par une bonté qui tournait à la bêtise, ignorant être trompée et s'en remettant à son mari pour toutes choses. Elle ne saurait défendre son hoirie[1]. Il ne s'en était ouvert à quiconque ; Tiburce devait s'en douter, mais c'était un autre lui-même. La totalité de son bien, plus imposant que ses proches ne le supposaient, irait à son petit-neveu Charles. Toutefois l'enfant étant encore trop jeune pour gérer une telle fortune, il entendait confirmer un exécuteur testamentaire qui écarterait les convoitises prévisibles autant que de besoin. Jadis, son choix avait été longuement médité et il n'y avait aucune raison de le modifier. Certes, personne ne régnait sur l'avenir, mais... Il chassa une pensée importune. Avec peine il se leva et gagna la grande table de chêne pour écrire un court message avec un nom dont il fit un double qu'il dissimula dans le tiroir secret de l'un des deux cabinets d'Augsbourg qui lui venaient de son bisaïeul. Il posa l'original sur la tablette de la cheminée à côté du nouveau testament. Il étouffa les chandelles d'un flambeau, puis épuisé par l'effort, le souffle court mais satisfait de toutes ces précautions, il regagna sa couche.

Au bout d'un moment, il se sentit mieux et décida de demander sa tisane. Il n'était pas assuré qu'elle lui ouvrirait les portes du sommeil, mais s'il ne la prenait pas il était sûr du contraire. Dans l'obscurité à peine dissipée par la lueur d'une veilleuse, il chercha le cordon de la sonnette. Il avait tenu, en dépit des vives protestations de la vieille Bougard, à conserver ce lit à baldaquin dans lequel il était né. On ne pouvait passer outre à sa volonté. Sans son aide, son neveu le savait bien, l'hôtel en serait resté aux fondations. Il tâtonna, n'y voyant presque plus. Il parvint à saisir le cordon le long des courtines. Les forces lui manquaient. Il s'y cramponna. Il lui semblait qu'un obstacle s'opposait à ses efforts. Il se retourna sur lui-même pour tirer avec la force de tout son corps affaibli. Diable ! pensait-il, le cordon est bel et bien coincé. Parfois la femme de chambre qui assurait le ménage de ses appartements accrochait le lien à l'une des colonnes tourneboulées du lit. Essoufflé, il redoubla ses tentatives. Une sorte de poudre tomba sur son visage, il éternua en s'étranglant. Dans un dernier craquement, le ciel de lit chut, les courtines entraînées par le lourd châssis se plaquèrent sur son visage sans qu'il parvienne à les soulever. Son cœur lui faisait mal, il étouffait. Enfin, après quelques soubresauts, sa main crispée se détendit alors qu'en bas la fête battait son plein.

I

DANSE MACABRE

« C'étaient trois morts de vers mangés
Laids et défigurés de corps. »

Baudouin de Condé

Mardi 6 juin 1780

Qu'on vînt d'aussi bon matin le chercher en toute
hâte de la part du lieutenant général de police marquait la gravité de l'affaire qui justifiait ce traitement.
Et de surcroît le carrosse de M. Le Noir ! Peste !
Voilà qui changeait de la routine et de la monotonie
des semaines précédentes. Sûreté de la famille royale,
traque habituelle et vaine des libelles dont le nombre
ne faisait que croître, surveillance des étrangers et
poursuites contre les menées des espions anglais,
avaient également partagé son temps. Il est vrai qu'il
sortait d'une enquête qui avait défrayé la longue
séquelle des services ordinaires.

Depuis 1778, un étranger, jeune encore qu'on
ignorât son âge réel, alimentait les conjectures. À la

ville et à la cour, il était l'objet de toutes les conversations. Pour les uns, c'était un intrigant, laissant volontairement planer le doute sur ses origines illustres, pour les autres un bâtard d'un comte de Paradès, grand d'Espagne mort au service de la France. Il avait surgi à Versailles et, on ne savait par quel entregent, était entré dans la confiance de Sartine. Chargé de recueillir des informations concernant les mouvements des ports, il s'était rendu à plusieurs reprises en Angleterre et en Irlande. Depuis il bataillait dans les conseils de guerre, soutenant l'idée d'une descente sur Plymouth présenté comme le port le plus vulnérable à une attaque française.

Pour confiant qu'il fût dans la rectitude du personnage à qui il avait confié des sommes considérables au détriment du budget de son département, le ministre, méfiant par nature, avait, malgré cet enthousiasme, chargé Nicolas d'enquêter secrètement sur le héros du jour. Par les voies détournées, en fait des navires de commerce hollandais, Nicolas maintenait ses contacts avec Antoinette[1]* dont la mission essentielle était de renseigner Sartine sur les mouvements de la croisière anglaise. Ce qui transpira de son enquête ne laissa pas d'inquiéter le roi à qui ces informations navales étaient portées chaque semaine par son premier valet de chambre et homme de confiance. Une conférence dans son cabinet réunit Sartine, Nicolas et Thierry de Ville d'Avray.

À leur grande surprise et bientôt inquiétude, il apparut que les renseignements fournis par le comte de Paradès ne correspondaient d'aucune manière à ceux procurés par la vaillante Antoinette. Elle en fut dûment informée et, bien placée auprès de lord Aschbury, chef des services anglais, finit par décou-

* Voir les notes, en fin de volume, page 469.

vrir que l'intéressé jouait double jeu dans l'unique sens des intérêts ennemis dont il était l'instrument docile chargé d'engager les Français dans des voies erronées et périlleuses pour leurs armées.

La révélation fut amère et malaisée à avaler. Non seulement l'homme bénéficiait de l'appui de Sartine, mais il venait d'être nommé colonel, avait été présenté au roi et montait dans les voitures de la cour. Il avait captivé à tel point le comte d'Aranda, ambassadeur d'Espagne, que celui-ci ne jurait que par lui et envisageait de le pousser à la grandesse. S'entretenant avec le prince de Croÿ, connu au chevet de Louis XV à l'agonie, Nicolas avait été édifié de son enthousiasme pour l'intrigant. Paradès, disait-il, avait du charme, s'exprimait avec modestie et netteté. Un panégyrique en règle avait suivi sur *un homme extraordinaire qui excitait la plus grande curiosité et presque la haine publique parce qu'il prônait des expéditions hardies auxquelles la Marine ne répondait pas.*

Nicolas poussa son enquête et constata que le comte avait monté une maison immense et qu'il se mettait sur le pied d'acheter une terre. De surcroît il s'avérait être le fils d'un pâtissier de Phalsbourg. Les messages de plus en plus pressants et circonstanciés d'Antoinette se multipliant, il était temps de conclure une comédie qui menaçait les intérêts du royaume. Comment démasquer le traître ? Sur la proposition de Nicolas, la teneur fausse d'un secret d'État serait confiée au comte de Paradès. Il suffisait d'attendre. Une interception de paquets confirma le bien-fondé des soupçons. Informé, le roi s'exclama, s'adressant à Sartine : *Il n'y a que moi, vous, Thierry et Ranreuil qui avons pu le laisser transpirer, autant dire les muets du sérail !* Les conséquences étaient aisées à tirer.

Début avril, accompagné du prévôt de l'Hôtel, Nicolas, en robe de magistrat, arrêtait M. de Paradès à son domicile rue de l'Estrapade et le conduisait aussitôt à la Bastille. La perquisition qui suivit permit de mettre la main sur plus d'un million de livres d'argent et d'effets. M. Le Noir vint longuement l'interroger. Criant à l'injustice[2], Paradès s'en tint à un système de dénégations. Soupçonné d'avoir trahi l'État, il fut mis au secret. Sur la demande de Sartine, marri de la confiance accordée au *héros* et soucieux d'éviter les rumeurs qui ne manqueraient pas de rejaillir sur sa réputation, les *ténèbres* les plus épaisses environnèrent le dénouement de cette affaire. Le ministre plaça son espoir dans la légèreté d'une opinion chez qui un événement chassait l'autre. En vain, comme une traînée de poudre la nouvelle courut Paris et Versailles. Trop de situations étaient intéressées à son maintien ou à sa disgrâce. Cela le contrista étrangement, d'autant plus que sa gestion de la Marine continuait à faire l'objet des suspicions et des critiques de Necker, directeur général des finances.

Le carrosse entra en fracas dans la cour de l'hôtel de police, rue Neuve-des-Capucines. Nicolas gagna quatre à quatre le cabinet du lieutenant général. Avant qu'il y pénètre, le vieux valet de connaissance avec qui il entretenait une cordiale connivence lui fit un signe éloquent de la main.

— Oh ! Monsieur Nicolas, monseigneur ne sait plus où donner de la tête ! Faites court avec lui. Il m'inquiète. Vous savez son âme sensible et l'aménité de son esprit, le caractère le plus doux et le plus aimable qu'on puisse trouver. Il se tue à la tâche. Je redoute pour sa santé tout ce qui le contrarie.

Prévenu, Nicolas se vit ouvrir la porte. Au premier coup d'œil il jugea la situation. M. Le Noir en chemise, le foulard de cravate dénoué, disparaissait derrière des piles de papier qu'il parcourait agacé et signait d'une plume crissante, avant de les jeter à terre pour désencombrer son bureau. La perruque de travers, son bon visage empourpré et presque violacé, tout en lui trahissait une humeur bouleversée. Les yeux qu'il jeta enfin sur son visiteur étaient injectés de sommeil en retard ou de lectures trop prolongées à la faible lueur des bougies.

— Ah ! C'est vous, mon cher. Voyez l'état où j'en suis. Tout s'accumule.

— Il faut, monseigneur, prendre le temps de la relâche. Les affaires paraissent ensuite plus aisées. Vos amis vous le conseillent, le service du roi l'exige !

Le Noir hocha la tête d'un air farouche.

— Nous sommes en guerre, chacun se doit de monter à la tranchée. Et puis je serais bien ingrat si je ne consacrais pas chaque instant de ma vie à servir et soulager ce pauvre peuple qui me témoigne tant d'affection et de confiance. Qu'on me donne le temps d'agir et son sort sera amélioré comme jamais ! Hélas ! Outre mille papiers soumis à ma judiciaire, ceux que je dois signer, ceux que je dois lire, les rapports de la cour, ceux de la ville, la nécessité de tout savoir à tout moment et les allées et venues de Paris à Versailles, tout m'obsède et tout me nuit… Parfois le labeur m'excède.

Nicolas songea que tout Le Noir se résumait dans ces quelques plaintes. Ses scrupules, son côté laborieux et parfois son incapacité, par souci de perfection, d'aller à l'essentiel. Ce qu'à cette même place savait si bien faire Sartine avec sa légèreté affichée, son ironie et aussi son cynisme. Pourtant l'un et l'autre remplissaient leurs charges par des voies différentes. Seulement Le Noir avait souci par tempérament d'écarter de son ministère toute rigueur excessive, à la dissemblance de son prédécesseur que nul état d'âme ne tempérait.

— Monseigneur m'a fait chercher…, murmura Nicolas, rappelant à propos que tout laissait supposer qu'une question urgente était pendante.

— Certes, certes, et pour du mauvais… Tout Paris va me tomber sur le dos. Imaginez-vous que tout s'effondre au cimetière des Innocents ! Vous connaissez mieux que d'autres une situation que vous m'avez souvent rapportée. Les chats-fourrés du Parlement vont sortir leurs griffes. Il ne manquera plus qu'eux. L'auguste assemblée a par trois fois dans le siècle appelé à des mesures de suppression des cimetières et de l'inhumation dans les églises. À raison !

— Où l'on respire un air méphitique, en particulier l'été.

— La Reynie, mon plus illustre prédécesseur, avait demandé par testament n'être point inhumé à l'intérieur d'aucune chapelle pour éviter, disait-il, de continuer par la pourriture de son corps à la corruption et infection dans les lieux où les Saints Mystères sont célébrés et où les serviteurs du Seigneur passent la plus grande partie de leur vie.

— D'aucuns moins scrupuleux continuent à s'opposer à cet assainissement.

— Pardi ! Et pour cause. Pensez-vous que ce progrès arrangera les prêtres, qui ne sont pas moins avides que les financiers ? L'honneur de pourrir dans leurs églises leur rapporte des sommes considérables. Mais je m'égare. Il se passe d'étranges choses aux Innocents.

— Il y règne en permanence une atmosphère irrespirable. J'ai peine à imaginer comment les écrivains publics qui travaillent dans les galeries, avec au-dessus d'eux les greniers où pourrissent des milliers de têtes, peuvent y tenir.

— Et où nos coquettes vont prendre la mesure de leurs pompons et autres colifichets.

— Et donc ?

— Justement il y a apparence que les morts ensevelis envahissent une maison du côté de la rue de la Lingerie. Le lait se gâte, le bouillon tourne, tout s'aigrit en peu d'heures dans les rues voisines du cimetière. Soutiré, le vin même se couvre de *mères* ! Que sais-je encore ? Bref le peuple gronde, on s'assemble, on jacasse. Le Parlement va y ajouter son tracassin, je le pressens. Je veux le rapport d'un homme froid sur la question. Allez, mon ami, courez et revenez vite m'informer. Gardez ma voiture.

La bénignité du ton ne démentait pas l'énergie de l'exorde. Nicolas sourit, salua. M. Le Noir se replongea dans ses papiers en soupirant.

Le carrosse rejoignit la rue Saint-Honoré, voie la plus directe pour gagner le cimetière des Innocents. À l'angle des rues de la Ferronnerie et de la Lingerie, l'équipage fut arrêté par une foule bruyante. Des femmes de la halle voisine, véritables harpies, l'interpellèrent, le verbe haut. Les propos tenus étaient rudes, haineux. Nicolas savait à quel point le peuple le plus policé de l'univers pouvait l'instant d'après faire faillir sa réputation et se transformer en une masse cruelle et vociférante. Des êtres d'habitude aimables et bénins n'entendaient plus que leurs fureurs et frénésies. Ces sentiments extrêmes pouvaient conduire à d'insupportables violences. Nicolas enfila sa robe noire de magistrat et, brandissant sa baguette d'ivoire, symbole de son autorité, se campa sur le marchepied du carrosse.

Il fallait sans barguigner reprendre les choses en main et ne laisser paraître aucune faiblesse. Par expérience, il savait que pour se faire entendre, sinon écouter, il devait dans cette foule choisir à qui il s'adresserait. Sa force de conviction s'appuierait sur un visage. On suivrait leur dialogue et la tension baisserait. Il eut vite fait son choix. Une gaguie, son visage replet plissé par les glapissements qu'elle poussait à l'unisson, lui sembla la proie favorable à son dessein.

Combien de fois n'avait-il pas affronté de pareilles émotions ? Restait qu'elles se multipliaient au fur et à mesure que grandissait l'afflux des désœuvrés venus des provinces pour chercher meilleur sort dans la capitale du royaume. La richesse côtoyait la plus atroce misère. La ville tentatrice aspirait une population attirée par la rumeur qu'on y engageait sans compter des domestiques. Le prestige de la livrée et les perspectives d'une vie oisive entraînaient une foule de paysans ou d'ouvriers des provinces. Le cruel tourniquet de la chance en décevait beaucoup. Le nombre de ceux qui cherchaient à se placer en condition excédait la demande tant la hausse des prix, notamment des subsistances, engageait les maîtres à réduire leur train domestique.

La foule continuait à gronder, grand fauve incertain. Chacun mêlait sa parole à celle des autres. Expressions du scandale, conseils hurlés, interrogations répétées de ceux qui, venant d'arriver, s'inquiétaient du tumulte, tout concourait à cette cacophonie. Parfois le cri d'une femme, comme prise de folie, ou celui d'un nourrisson que le bruit et la poussière soulevée par cette foule piétinante effrayaient, s'élevaient stridents. Chacun voulait se faire entendre, vociférait des paroles, haussant son registre dans l'espoir de dominer celui des autres et d'attirer l'attention. Les injures, les questions, les exclamations fusaient de toutes parts. Parfois, sans que rien ne les justifiât, des appels au meurtre éclataient dont on ne savait qui les prononçait.

Impassible, Nicolas contemplait la cohue sans perdre de vue la femme à qui il allait s'adresser. Il leva sa baguette d'ivoire et en frappa plusieurs coups sur la portière du carrosse. Son geste, plus que le son qui en émana, fut perçu par la masse hurlante. D'abord les premiers rangs se turent, ce qui entraîna, de proche en proche, les suivants à faire silence. Un calme relatif s'établit. Il ôta son tricorne et lentement salua à la ronde, geste dont la courtoisie fut ressentie et qu'un murmure flatteur approuva. Il désigna la grosse femme choisie pour entamer le dialogue avec le peuple. L'expérience lui avait appris à toujours répondre aux questions informulées que toute émotion populaire signifiait.

— Allons, ma commère, pourquoi tant de bruit ? Vous me paraissez femme de sens rassis. Expliquez-moi, je vous en prie, le pourquoi de ce désordre.

La foule s'écarta d'elle et, attentive, fit cercle. Elle rougit, esquissa une révérence gauche et, l'émotion lui coupant le souffle, répondit à Nicolas.

— Sauf vot'respect, monsieur le commissaire, y a point d'années qu'on n'a houspillé pour voir cesser cette infection. On souffre, on est malade, nos enfants crèvent. On a crié sous le feu roi, on nous a point répondu. On nous oublie !

Le tumulte reprit avec des cris d'approbation.

— Foutu gueux ! Coquin ! On te va casser les reins ! cria une voix lointaine.

— Mes amis, mes amis, reprit Nicolas, ignorant les menaces, pourquoi croyez-vous que je suis devant vous ? C'est votre magistrat, M. Le Noir, lieutenant général de police de Sa Majesté, qui m'a chargé moi, commissaire au Châtelet, de venir enquêter et vous entendre. Allons, vous savez quel souci il a du bonheur du peuple.

Des vivats éclatèrent, les visages s'éclairèrent. Comme ce peuple était versatile, qu'une parole dont il éprouvait la sincérité et le respect l'apaisât. Nicolas l'avait souvent constaté. Le contraire, hélas, était aussi vrai.

— Nous soyons bien aise de vos bonnes paroles, reprit la commère, mais...

— Oui, oui ! cria une voix d'homme. Tu te fais baiser par la pousse, grosse vache ! C'te pourrie, c'te raccrocheuse !

Furieuse elle se retourna, se rebéquant les mains sur les hanches.

— C'est point malin de baliverner ainsi et de se gausser d'une pauvre femme qui cause pour vous et vos petiots. Moi je dis que notre commissaire a l'air bien honnête et que nous avons tout lieu d'être content de ce qu'il jase.

Et elle ajouta, méprisante :

— Encore un qu'a trop chopiné ! Et ça fait du carillon ? Jaboteur, va !

Il y eut des rires et des battements de mains. Nicolas saisit l'occasion d'assener son message.

— Je vais de ce pas visiter la maison concernée. Je constaterai les faits, j'en rendrai compte à M. Le Noir. Des médecins, des architectes, des physiciens seront consultés et je vous rends parole que tout le nécessaire sera fait tant Sa Majesté entend qu'il soit mis fin aux incommodités qui assaillent les peuples de Sa bonne ville de Paris.

— Vive le roi ! Vive monsieur Le Noir ! Vive le commissaire ! cria la foule.

— Qu'ils n'aient garde d'y manquer ! hurla une gagne-denier dépoitraillée dont la sombre physionomie au premier rang avait frappé Nicolas. Il fut surpris de sa manière de parler qui ne correspondait en rien à son apparence.

Il descendit du carrosse. On s'écarta avec respect devant lui. Chacun le félicitait, lui tapait dans le dos. Il nota bien çà et là des regards menaçants, mais dans l'ensemble l'émotion se calmait. On le conduisit en cortège rue de la Lingerie jusqu'à l'échoppe d'un cordonnier où la catastrophe s'était produite. Le maître, Luc Cotinet, conta son affaire au commissaire. Travaillant fort tôt en cette fin de printemps, il était descendu chercher du cuir dans sa cave. Une horrible puanteur l'avait saisi au point de n'avoir pu dépasser le pied de son échelle. Affolé, il s'était précipité chez ses voisins pour les éveiller. L'un d'eux, un cabaretier, plus hardi que d'autres ou plus animé de courage par l'eau-de-vie, s'était aventuré au milieu de la cave et avait découvert avec horreur que le mur mitoyen avec le cimetière des Innocents avait cédé sous la pression des terres et que des cadavres infects avaient envahi le sous-sol. Il n'y avait là rien d'étonnant. Une de ses voisines, Mme Gravelot, était tombée gravement malade. Des tonneliers qui s'étaient hasardés dans un cellier proche avaient éprouvé d'étranges malaises, tremblements, vertiges et suffocations. Nicolas décida d'aller constater la chose de visu. Le cordonnier tenta de l'en dissuader et, faute d'y réussir, le persuada d'user d'un chiffon imprégné d'esprit-de-vin pour se protéger, en lui recommandant de remonter bien vite au moindre désordre ressenti.

En dépit de cette précaution, une épouvantable odeur saisit Nicolas à l'ouverture de la trappe qui donnait accès à la cave. Il descendit l'échelle de meunier. Quand il se retourna et que la lumière de sa lanterne balaya le fond de la pièce, ce qu'il vit le fit frémir jusqu'au tréfonds de lui-même. Pourtant, depuis son entrée dans la police du roi, il avait contemplé de terribles spectacles, mais jamais aussi effrayants que celui qu'il avait sous les yeux.

L'observateur en lui résistait, maîtrisant l'émotion ressentie. Il se raccrochait à une question, savoir ce qui était le plus effarant, l'ensemble ou les détails qui le composaient. Le premier présentait – il se murmurait des termes neutres pour banaliser l'épouvante qui en émanait – un pan de muraille écroulé dont les débris couverts de plâtre gisaient à terre. Il laissait paraître des tranches de terre dans lesquelles se distinguaient des têtes et des corps écrasés entre des traces de chaux. Cependant le mouvement du terrain effondré avait compressé cette masse de telle sorte que les cadavres décomposés ou, pour certains, presque intacts, semblaient vouloir s'échapper. Des mains et des pieds jaillissaient et des crânes aux mâchoires décrochées lançaient à pleins gosiers des hurlements silencieux. Une tête aux traits encore conservés le frappa ; elle le fixait, semblant ricaner. Nul sentiment de repos dans ce théâtre de corruption, mais plutôt, figés dans l'horreur d'un irrémédiable délabrement, des écrasements en déséquilibre qu'il craignait de voir poursuivre leur mouvement. Des miasmes putrides atteignaient Nicolas qui crut un moment suffoquer. Il s'empressa de remonter. Des visages effarés le dévisageaient et des bras tremblants l'aidèrent à reprendre pied dans l'échoppe. La trappe fut vivement rabattue. Un verre de vin tendu fut bu d'un trait au risque de s'étouffer. On le força à s'asseoir ; il reprit souffle. Il se sentait souillé, demanda de l'eau, se lava dans un seau et se sécha le visage et les mains d'un vieux chiffon. Il n'avait pourtant rien frôlé des pourritures du dessous.

— Que faire ? dit Cotinet, l'air hagard.

— Monsieur, ne vous mettez pas martel en tête. Je vais suggérer au Magistrat d'immédiates mesures. D'abord condamner votre cave. C'est malheureusement nécessaire.

— Et mes cuirs ? se lamenta l'artisan, qui me les paiera ?

— Retirez-les sur-le-champ, avec précaution, avant que tout soit bouché.

» Ensuite, ainsi que je l'ai déjà promis, des savants seront commis pour étudier la question. J'ose dire dès à présent que si nous ne voulons pas voir le drame se développer, il faut arrêter les inhumations, fermer le cimetière et désinfecter l'enclos et les sous-sols contaminés.

Les assistants approuvèrent ses propos d'un long murmure. Il sortit dans la rue, suivi d'une cohorte révérencieuse et satisfaite. Il entra dans plusieurs maisons voisines, descendit dans les caves, constata partout les mêmes émanations. Il y avait urgence à sauver tous ces pauvres gens de cet air empoisonné et de ces effondrements. La foule entre-temps s'était dispersée, heureuse d'avoir grondé, hurlé, applaudi et, au bout du compte, assurée d'avoir été entendue.

Nicolas se dirigea vers l'enclos des Innocents, le contempla un long moment. Du côté du charnier où travaillaient toujours les écrivains publics on apercevait en surplomb les croisées des maisons voisines. Il se demanda combien de corps avaient trouvé là leur dernière demeure depuis tant de siècles. Le fossoyeur, interrogé un jour par curiosité, lui avait affirmé en avoir enterré quatre-vingt-dix mille depuis le jour, une trentaine d'années auparavant, où il était entré en fonction. À main gauche du charnier, au-dessus des fosses communes, il reconnut les murs aveugles qui marquaient les demeures de la rue de la

Lingerie. Le sol du cimetière était exhaussé d'au moins huit pieds au-dessus du niveau des rues voisines. Il approcha du charnier dont les combles sous la toiture servaient d'abri à des milliers de crânes. Au-dessous, dans le passage derrière les stalles des écrivains, on décelait encore la fresque de la vieille danse macabre du XVe siècle où les morts serraient les vivants, n'épargnant ni les puissants ni les misérables. Une vieille sentence le rappelait : *Telz comme vous un temps nous fumes, telz serès-vous comme nous sommes.*

Il médita un moment ces phrases qui, devant la catastrophe du jour, résonnaient comme un menaçant écho. Leur froide constatation valait sagesse. Le moyen de lutter contre tant d'arguments, sinon n'y point penser ? Son regard soucieux fixait sans les voir les monuments, les chapelles, les pierres tombales, les croix et les lanternes des morts qui parsemaient le champ du repos, la plupart à moitié écroulés. Il rejoignit son carrosse et se divertit un instant à la vue de gamins qui jouaient aux billes sous la caisse. Il montait dans la voiture quand un homme s'approcha, tira son chapeau et le salua.

— Monsieur, dit-il en s'inclinant.

— Monsieur le commissaire, vous ne me connaissez point et pourtant moi je sais qui vous êtes. Nous avons un ami commun.

— Vraiment ?

Il n'appréciait guère ces mystérieuses entrées en matière. Pourtant l'inconnu n'était pas déplaisant. De belles proportions, il portait la tête avec dignité, les joues pleines, le nez spirituel, l'œil vif et le regard doucement incisif. La grâce et l'ironie paraient son visage. L'abord inspirait confiance. Nicolas qui aimait collectionner les âmes le rangea dans la catégorie des curieux bienveillants. L'homme ne manquait en tout cas pas de sagacité, car il lui sembla qu'il devinait le chemin emprunté par sa réflexion.

— Ah ! Il semble à vous voir que le policier ne dort que d'un œil. Rassurez-vous, je suis un ami de M. Restif, le *Hibou*, qui vous tient en grande estime.

— Je le tiens aussi…, murmura Nicolas avec un rire contenu.

— Nous sommes deux piétons de Paris, lui de nuit, moi de jour ! Je marche, observe, écoute, interroge, note, jubile, rage, approuve, m'indigne - et j'en passe.

— Bigre, monsieur, comme vous y allez ! Cependant, je ne vous connais point comme mouche. Où cela nous mène-t-il ?

— Monsieur le commissaire, je dois avouer…

— C'est sagesse, il vous en sera tenu compte.

— Plaisantez ! Un jour peut-être vous m'arrêterez.

Nicolas fronça les sourcils, le regard interrogateur.

— Je me suis engagé dans une grande entreprise.

— Une sédition ?

— Que non point ! Ce n'est pas aussi grave, encore que cela pourrait donner des idées à certains.

— Allons, si vous m'en parlez c'est que vous brûlez de me découvrir la chose et qu'elle n'est pas si pendable.

— En effet, parce que tout ce que Restif m'a rapporté sur vous appelle de ma part la plus confiante et la plus totale ouverture.

Oh, oh ! songeait Nicolas, le *Hibou* s'est bien gardé de tout dire.

— Si vous conservez le moindre regret, renoncez.

— Non… Plus tard vous pourrez témoigner… Voyez-vous, je suis un vieux Parisien né quai de l'École. Mon père était marchand fourbisseur d'épées. J'ai tâté de tout, poésie, lettres, discours, contes moraux, romans à la mode orientale et même des drames. J'ai commis un écrit qu'on ne saurait baptiser de quelque genre que ce soit ; il préfigure en prémonition tout ce que Paris sera en 2440.

— C'est bien loin ! Il est peu probable que nous puissions vérifier vos dires.

— Ce que je vais dire dans mon prochain ouvrage sera contemporain. Le temps présent est gros de l'avenir et les vérités, surtout si elles s'accompagnent des commentaires conséquents, ne sont pas toujours bonnes à publier. Monsieur le commissaire, si j'osais un compliment. Vous avez su haranguer la foule avec autorité et bienveillance, j'ajouterais habileté. Et pour cela vous avez même choisi avec soin votre vis-à-vis, cette grosse réjouie.

— Monsieur, vous me percez à jour. Quelle perspicacité !

— C'est délicat le peuple, un rien le retourne. Cependant, on voit bien que tous ces pauvres gens sont des pièces égarées qui ne forment pas un tout.

— Ce qui signifie ?

— Que le maintien de cette situation impose à l'État une main de fer.

— À savoir ?

— Qu'un jour cette diversité fera corps et alors…

— Alors ? Le propos est-il si hardi qu'il me faille vous tirer les vers du nez ? plaisanta Nicolas, attentif.

— Alors, alors, Paris en 2440… J'avoue que c'est une utopie et que nous ne verrons rien de tout cela, quoique… Le *Hibou* dit souvent : « *Souvenez-vous de la guerre des Jacques, la partie basse de la population fermente quand les autorités ne font que s'agiter en vain.* » Il s'étonne, ce voyeur de l'avenir, qu'il n'en sorte pas de ces dévastations qui vous renversent et qui fassent marcher tête en bas et les pieds en haut !

— Belles et heureuses perspectives, j'en suis, à mon tour, tout renversé. J'en réclamerai à l'occasion quelques détails à Restif.

— Il demeure que vous avez su lui chanter l'air qu'il souhaitait entendre, à ce peuple-là !

— Je ne m'y suis guère efforcé. C'est le reflet de mon caractère, de ma conviction et de mon souci de magistrat au service des sujets du roi. Ce sont ses enfants, et des plus malheureux.

— Voilà bien, on les considère comme des enfants ! Quand on est marquis, la chose est méritoire à défendre !

— Puisque vous paraissez tout savoir sur moi, apprenez que je suis Le Floch tout autant que Ranreuil.

— Mon intention était tout autre.

— J'ai visité les lieux, quelle horreur !

— Votre courage de descendre dans cet enfer ! Cela aussi c'est Paris, dit l'homme avec une sorte de fièvre. Il y a des spectacles qu'on n'imagine pas. Comment peut-on rester dans ce sale repaire de tous les vices et de tous les maux, entassés les uns sur les autres, au milieu d'un air empoisonné, de mille vapeurs putrides, parmi les cimetières, les hôpitaux, les boucheries et les égouts ? Dans cette continuelle fumée, ce bois brûlé en quantité incroyable, ces vapeurs arsenicales, sulfureuses, bitumeuses qui s'exhalent sans cesse des ateliers où l'on tourmente le cuivre et les métaux ? Oui, comment peut-on vivre dans ce gouffre dont l'air lourd et fétide est si épais qu'on le voit et qu'on le sent à plus de trois lieues à la ronde ?

— Quelle passion ! Monsieur, dit Nicolas souriant, je comprends votre certitude d'être arrêté. Si tout est de la même veine, la censure royale…

— Monsieur, dit l'homme en soulevant son tricorne. Si je dois être poursuivi, j'ose espérer que ce ne sera pas par vous. Serviteur.

Du bras, Nicolas le retint.

— À qui ai-je l'honneur, Monsieur ?

— Sébastien Mercier. Pour vous servir.

Dans sa voiture, Nicolas s'interrogeait sur cette curieuse rencontre. Sa première impression était plutôt favorable, cette apparence bonhomme, cette franchise mêlée d'ironie... Ainsi donc ce personnage s'apprêtait à écrire un ouvrage sur Paris, un tableau de la capitale, à ce qu'il avait cru comprendre. Toutefois ces guides destinés aux voyageurs ne manquaient pas. Ils se multipliaient au contraire, décrivant par le menu les curiosités de la capitale et tout ce qu'un honnête visiteur recherchait dans les commerces, les spectacles, avec un éventail d'offres pour le logis et la table.

Pourtant l'ouvrage dont parlait ce Mercier semblait d'une nature très différente, plus politique. Dans le cas contraire il se serait gardé d'évoquer, avec légèreté certes, les risques encourus en le publiant. Il serait dommage... Restif, dont il paraissait être l'intime, devait en savoir plus long et il serait bien forcé de tout dévider... Au reste, d'autres moyens permettraient d'affiner la connaissance de l'homme, ce qu'il était vraiment et ce qu'on pouvait craindre de lui.

Plusieurs fois il avait eu recours aux archives secrètes de l'hôtel de police, ces registres que seuls les initiés connaissaient et dans lesquels étaient consignées par ordre du roi toutes les personnes suspectes, lorsqu'on ne pouvait inculper, faute de preuves. Le tout avec le temps était devenu un pot-pourri où l'on trouvait de tout : assassins présumés, voleurs, sodomites, mal pensants, perturbateurs de l'ordre public, rédacteurs ou distributeurs de libelles et autres cas de police. Même les prisonniers d'État au civil et au criminel y apparaissaient afin de leur faire subir la rigueur des lois s'ils étaient accusés une seconde ou troisième fois. Ces registres étaient brûlés après trente années accomplies.

Nicolas répugnait à consulter cette source dont il savait les pièces souvent erronées et sans aucun contrôle. On y trouvait aussi le vrai et le faux sur une même ligne. Ces parchemins sales menaçaient même les innocents. Il fallait prendre garde dans ces conditions à ce que l'injustice ne s'insinue pas dans une procédure confortée par de fausses informations. Il s'interrogea. Son devoir n'impliquait-il pas de faire surveiller ce Mercier ? Il faudrait y songer, encore que l'idée de profiter de confidences librement exprimées ne lui convînt guère, pour peu conforme à l'honneur tout simplement. Il repassait dans sa mémoire les propos tenus. Il y trouvait des propositions bien hardies, mais pas plus que celles que, plus souvent qu'à son tour, professait Bourdeau, pourtant fidèle serviteur du roi.

Il fit retour sur lui-même. De par ses fonctions, il était sans doute le mieux à même de pénétrer l'esprit du peuple, de mesurer la misère qui l'accablait, les injustices que l'ordre immuable de la société imposait. Témoin convaincu des souffrances du siècle, il n'en tirait pourtant nulle conclusion extrême, toujours assuré, et espérant, que le roi, les ministres, tous ceux qui détenaient le pouvoir, quelque médiocrité qu'on trouvât chez eux, fraieraient les voies à des améliorations nécessaires. Tel qu'il était, il ne pouvait imaginer autre chose et certainement pas cette vision utopique, pour lui bien floue, dont avait fait mention son interlocuteur. Au fond de lui, une petite voix lui murmurait cependant que la vie des pauvres devait être plus sacrée qu'une partie de la propriété des riches. Quelque fraternité qu'il éprouvât envers les plus humbles qui d'ailleurs le ressentaient, elle ne venait pas à bout d'une espèce de résistance à des idées nouvelles dont la logique lui paraissait bouleverser le système qu'il servait.

Pourtant, que de changements avait-il observés depuis que, vingt ans auparavant, il était entré dans la police. Le peuple était semblable et pourtant différent. Déjà à la fin du règne du feu roi, les signes en étaient apparents. Chaque coup de sang populaire voyait surgir des mines sombres, des silhouettes patibulaires qui par leurs attitude et propos attisaient la fermentation des esprits. Les femmes, toujours actives dans l'invective, étaient aussi de plus en plus nombreuses dans ces conflits, tout en demeurant la partie la plus aisée à apaiser. Leur émotion l'emportait sur la colère dès qu'on paraissait entendre avec un peu d'humaine attention les doléances présentées. Certains, on pouvait le redouter, viendraient à utiliser en la dévoyant la force particulière des épouses et des mères, alors... Alors il serait malaisé sinon impossible de faire face à la marée déchaînée qui déferlerait. Dernier signe qu'il avait relevé, la multiplication des placards séditieux qu'on avait la précaution d'appliquer avec de la colle forte sur des planches clouées aux murailles. Et si abominables, sur la reine en particulier, que les exempts qui en faisaient la levée se croyaient obligés de les faire couvrir de linges afin qu'on ne pût les lire plus longtemps.

Le nez à la portière, vitre descendue, il observait la rue et respirait les odeurs. Il regardait défiler les boutiques, les étals, ce mélange inouï d'opulence et de misère. Paris était à la fois un cloaque et un paradis. La mort demeurait dans ses rues, étrangement obsé-

dante. Draperies funèbres, convois mortuaires, charrettes des croque-morts de l'Hôtel-Dieu, cadavres
portés à la basse-geôle, mendiants morts la nuit
gisant dans la rue sous le regard insensible des chalands, tout ce grand théâtre où le sang, la bouse, le
crottin, les déjections, les ordures et la poussière se
mêlaient à la terre et portaient l'infection. Il considérait les Parisiens et, parmi eux, il décelait à d'imper-
ceptibles indices les mouches innombrables. Çà et là
elles surgissaient déguisées de diverses manières, en
mitrons, gagne-deniers, garçons perruquiers, innocents bourgeois, enfants même. Au vol il saisissait
aussi des regards haineux montrant que d'autres
n'étaient pas dupes et décelaient sous ces apparences
ordinaires la main de fer qui corsetait Paris. Pourtant
le peuple appréciait sa police à laquelle il faisait souvent appel. Les mouches, c'était une autre affaire,
le peuple trahissant le peuple. Parfois des injures
fusaient, une bagarre éclatait, la boisson jouant son
rôle. Aussi fallait-il bien tenir, contenir, cet immense
rassemblement d'habitants alors qu'une marée de
misérables disposés à tous les débordements venait
des provinces en accroître la masse désespérée.

Par hasard Nicolas était un jour tombé sur un
mémoire de réformation de la sécurité d'un certain
Jean-Jacques Guilloté, exempt de police. Il résumait
bien la question. Il décrivait les forces de l'ordre
d'une ville comme la surveillance d'un amas infini de
petits objets. Pour subjuguer le peuple, il convenait
de diviser et de commander. Le magistrat se devait
d'être partout. Le froid libelle prônait le quadrillage
de la ville en vingt quartiers, de vingt sections, de
vingt maisons numérotées rue par rue, chaque étage
désigné par un chiffre, chaque logement par une
lettre. La police contrôlerait l'ensemble. Chaque
habitant muni d'un certificat serait connu par le fisc,

la voirie, la police. Une banque centrale équipée de fichiers rotatifs, que Nicolas découvrit avec amusement dessinée en style rocaille par Gabriel de Saint-Aubin[3], rassemblait l'ensemble des informations. En un simple mouvement, douze commis obtiendraient l'information nécessaire à l'action. Tout ainsi était réglé, connu, compté, contrôlé, les arrivées et les départs, les bons citoyens et les méchants. Il n'y aurait de sûreté pour les indociles que dans les forêts et hors du royaume. Ce projet avait empli Nicolas de terreur. Se pouvait-il qu'un jour la société parvînt à un point tel qu'elle s'abandonnerait à être réglée comme un gigantesque mécanisme d'horlogerie, dans lequel chaque individu serait traité comme un rouage ? Ce dessein glacial et inhumain l'avait fait frissonner de dégoût.

L'aiguille de sa montre piquait onze heures quand son carrosse entra dans la cour de l'hôtel de police. À l'étage la pile des dossiers s'était encore augmentée et le signataire offrait les signes de la plus extrême fébrilité.

— Ah ! Nicolas, je vous attendais. Imaginez qu'à peine m'aviez-vous quitté… Enfin un événement qui tombe à un moment… au pire moment ! Il importe d'agir avec célérité et prudence… Oui… circonspection même. Il faut prendre en compte les circonstances et je m'attends sous peu à ce que… Aussi faut-il aller à l'essentiel.

Le flux de propos décousus s'arrêta faute de souffle.

— Monseigneur, le nécessaire a été fait pour parer au plus pressé. Cependant ne nous leurrons pas ; la situation aux Innocents est d'autant plus grave que…

— Peuh ! Il est bien question de cela ! Vous y avez sans doute pourvu avec l'habileté qui vous est coutumière. Nous convoquerons M. Cadet de Vaux[4], ce pharmacien apothicaire dont les travaux à ce sujet ont attiré notre attention. Il avisera et nous soumettra...

— Le peuple...

— ... est apaisé, sinon vous ne seriez pas là, rétorqua Le Noir avec une inhabituelle autorité. Il ne me plaît pas d'en entendre plus sur le sujet, ainsi donc, prêtez-moi l'oreille et chassez pour le moment cette affaire de votre esprit au profit d'une autre dont les éléments me paraissent davantage correspondre à vos talents. Une délicate question se pose à nous.

Que s'était-il donc passé en son absence pour émouvoir à ce point le lieutenant général de police ?

— Au reste, ce monsieur que vous connaissez – il fit un geste de la main vers un fauteuil dont le dossier dissimulait l'occupant – va vous dresser le récit de ce qui me préoccupe autant.

Nicolas reconnut avec surprise le visage bienveillant du visiteur.

— Monsieur de Gévigland ! Si je pouvais m'attendre...

— Eh, oui ! Monsieur, nous nous retrouvons, mais ce n'est pas la première fois depuis notre rencontre à Bicêtre !

— Au fait, au fait ! s'écria M. Le Noir que la fatigue rendait rogue et impatient. Foin de politesses ! Expliquez à notre ami ce qui justifie votre venue.

— Monseigneur, j'ai scrupule à distraire les autorités pour une impression peut-être fausse, établie sur ma seule expérience de médecin et l'acuité d'un regard auquel rien n'échappe, dit-on, capacité que je partage avec mon ami Nicolas. Or donc, ce matin, un peu après l'aube...

— C'est-à-dire ?

— Le soleil se lève à quatre heures[5]. Il était donc sur les cinq heures. Un jeune valet venu à cheval m'a demandé de me rendre sur-le-champ rue des Mathurins dans le nouveau faubourg qui s'étend du boulevard aux Porcherons. Un décès accidentel venait de s'y produire.

— Une question, je vous prie. C'est bien éloigné de votre cabinet et domicile ?

— Certes ! Mais il s'agit d'une famille dont je suis le médecin habituel. M. Jacques Bougard de Ravillois, fermier général, vient de faire édifier un hôtel où il demeure avec sa famille. Bref, après avoir éveillé mon cocher pour qu'il attelle et m'être apprêté, j'ai quitté le faubourg Saint-Honoré vers cinq heures trente.

— Et vous êtes arrivé à ?

— Les rues étaient désertes. Je crois vers six heures dix. Rue des Mathurins, j'ai trouvé une famille éplorée de l'événement de la nuit, enfin presque... M. de Ravillois m'a conduit au premier à l'appartement qu'occupe l'oncle de sa femme, M. de Chamberlin. Un vieux valet suspicieux m'y fit entrer et quelle ne fut pas ma surprise devant la scène qui s'offrait à mes yeux.

À ce moment Le Noir se mit à grogner indistinctement, sans doute excédé de devoir entendre à nouveau un récit qui venait de lui être dévidé.

— Et de ce théâtre, reprit Nicolas, pouvez-vous me décrire les éléments marquants et les détails, même s'ils vous paraissent de prime indifférents ?

— Un grand désordre et beaucoup de poussière répandue. En fait le ciel du lit s'était effondré, les quatre colonnes torses qui le soutenaient rompues. Le corps gisait sous les débris de bois, de courtine et de tapisseries. Après avoir soulevé une partie de cet amas, j'ai découvert M. de Chamberlin. Il avait saigné d'une plaie superficielle à la tête. Pour le reste, il m'est apparu qu'il devait avoir succombé à un étouffement et à un arrêt du cœur.

— Comment ceux qui ont découvert le corps ont-ils constaté qu'il était mort, étant recouvert de débris ?

— Son valet ? La main pendait à laquelle le pouls a été pris.

— Bien, j'écoute votre récit, mon ami.

— J'étais en droit de supposer légitimement un accident. Bois vermoulu qui se rompt et ciel qui s'effondre, entraînant toute sa garniture. Un vieil homme à bout de forces y a trouvé la mort.

— Il était votre patient ?

— Je le soignais depuis l'emménagement de la famille rue des Mathurins. Je l'avais averti qu'il ne disposait que de peu à vivre et qu'il eût à prendre ses dispositions s'il en avait à parfaire. Le cœur était faible, le souffle court et la goutte menaçait de remonter à tout moment.

— Reste ?

— À vous dire vrai, la scène m'est apparue... Comment le dire ?

— Suspecte ?

— Non point ! Et pourtant... un peu surprenante. A-t-on jamais vu un lit taillé en plein chêne du temps de nos rois Valois s'effondrer de la sorte ?

— Les horlogères de la mort ?

Interloqué, Le Noir suspendit un moment son travail.

— Que dites-vous là, Nicolas ?

— Des insectes, monseigneur, qui rongent le bois, le dévorent et l'affaiblissent. Elles tirent leur surnom des bruits réguliers qu'elles produisent.

— C'est à considérer, dit Gévigland, sceptique, mais ce qui ajoute surtout à mon désarroi, c'est l'attitude du vieux valet de chambre du défunt. Il m'a confié redouter qu'on ait voulu attenter à la vie de son maître. Sur quoi se fondait cette assertion ? Je l'ignore. Dans l'expectative, j'ai refusé mon aval, le neveu s'est résigné. J'ai fermé la porte de la chambre et empoché la clef en dépit des cris de la famille, enfin de la famille… et me suis fait conduire à l'hôtel de police.

Plongé dans une profonde méditation, Nicolas ne paraissait plus rien entendre.

— Je pensais, poursuivit Gévigland, que monseigneur saurait prendre en compte mes inquiétudes et ordonner en conséquence les mesures appropriées.

— Et vous en avez agi avec raison, monsieur ! lança Le Noir, émergeant soudain de ses papiers. Rien ne nous est indifférent de tout cela et, pour tout vous dire, la nature même…

— Ainsi, dit Nicolas qui poursuivait une idée, activité qu'il savait dangereuse d'interrompre, une femme, sans doute âgée, est intervenue pour critiquer votre décision. Je puis sans doute en déduire qu'il s'agit de la mère de M. de Ravillois. Ai-je tort ?

— Mais… enfin ! balbutia Gévigland stupéfait. Comment est-ce possible ? Vous avez un don de double vue ! C'est vrai, la mère de M. de Ravillois, Mme Bougard…

— Bougard ?

— Oui, Bougard, Ravillois est le nom de famille de sa bru. Le mariage a permis au mari d'en user. Elle m'a donc très méchamment accablé, tenant des propos insultants sur le désordre que j'apportais dans une famille honorable qu'il convenait de laisser à son deuil.

— Laissez-moi, mon ami, vous éclairer la voie, car rien n'est plus simple. Il suffit d'écouter avec la plus extrême attention le menu de vos propos. Il y a des mots et des inflexions qui ne trompent pas. À deux reprises, vous avez laissé échapper des réticences. La première suggérait que toute la famille n'éprouvait pas la même appréciation de la mort subite de M. de Chamberlin, la seconde, qu'une personne s'était élevée contre vos propositions raisonnables.

— Je vous suis, mais de là à désigner...

— Prêtez-moi attention. Vous avez affirmé être le médecin de M. de Ravillois et de sa famille. J'ai supposé que des enfants encore jeunes vivent à demeure. Ils ne sont pas d'âge à manifester leur opinion dans une affaire aussi grave. Qui restait-il ? Le domestique[6] se tient coi. L'épouse, nièce du défunt, aussi ; elle suit l'opinion de son mari. Pouvait-elle s'y opposer ? Ce n'est pas impossible, mais peu probable. M. de Ravillois vient de faire édifier cet hôtel, son père doit être mort. Donc sa mère me paraît la seule personne susceptible – et capable – de parler avec autorité.

— C'est en effet d'elle qu'il s'agit. Je suis...

— Il est ainsi, dit Le Noir avec un air d'orgueil contenu. Il nous surprend toujours, notre Nicolas !

— Ce n'est rien d'autre qu'application d'une logique raisonnée à partir de l'observation des faits. Le reste vient de suite sans effort. Ainsi, mon ami... ?

— C'est vrai, la mère de M. de Ravillois m'a tympanisé de belle façon et...

— Le temps presse ! s'écria soudain le lieutenant général de police. Pour des raisons que je ne puis vous dévoiler maintenant, vous prendrez, Nicolas, toutes dispositions pour déterminer les conditions de la mort de M. de Chamberlin. Lequel n'était rien de moins...

Il lui tendit l'*Almanach royal* ouvert.

— ... qu'un contrôleur général de la Marine et des colonies avec tout ce que cela sous-entend... J'ajoute que vous pratiquerez une perquisition minutieuse des papiers qu'il avait pu conserver et que, dans le cas où vous en découvririez – et vous en trouverez – qui tiendraient aux intérêts de l'État, vous les saisirez au nom du roi aux fins de me les remettre. L'inspecteur Bourdeau, que j'ai fait appeler, vous attend dans une voiture. Quant à vous, monsieur de Gévigland, poursuivez avec nous ce que vous avez si bien commencé et accompagnez nos amis.

Alors qu'ils franchissaient la porte, Le Noir appela Nicolas près de lui.

— Nicolas, dit-il à mi-voix, je ne doute pas de la discrétion de votre ami. Il vous sera de grande utilité pour confirmer les causes de la mort de M. de Chamberlin. Toutefois, je dois vous préciser en confidence que cette affaire, si l'intention criminelle prend corps, n'est pas banale...

Laquelle des enquêtes traitées par lui depuis vingt ans l'était ? songea Nicolas. Ce n'était pas pour rien qu'il était commissaire aux affaires extraordinaires.

— ... L'homme a occupé naguère des fonctions très particulières à la Trésorerie générale de la Marine. Elles l'ont conduit à connaître des questions plus que secrètes, à voir passer dans ses mains des pièces qui seraient de nature à compromettre bien des gens, et des plus huppés. De fait, il est probable que sa mort rassurerait ceux dont un mot de lui ou la publication d'un papier pourrait ruiner la réputation sinon l'honneur. Ainsi Maurepas m'avait ordonné naguère d'intercepter les papiers d'un courtisan qui venait de mourir. Cet homme avait tenté de s'insinuer auprès de la personne du roi et ensuite de prendre crédit sur son esprit, d'où une correspondance suivie. Ses cartons furent saisis et présentés à Sa Majesté qui enleva lui-même les scellés avant de détruire les lettres en question. Veillez donc avec la plus grande circonspection à tout ce que vous pourrez découvrir qui s'avérerait sortir de l'ordinaire. Me suis-je bien fait entendre ?

— Certes, monseigneur.

— M. de Chamberlin appartient à cette catégorie d'hommes que leurs responsabilités… Mais je n'en ai que trop dit et je retarde une mission des plus urgentes.

Nicolas, pensif, rejoignit Gévigland, méditant les réflexions que lui inspiraient les recommandations du lieutenant général de police. Bourdeau les accueillit dans la voiture. Pour susceptible qu'il fût quant aux amitiés de Nicolas, le docteur de Gévigland parut lui plaire. Il est vrai que l'inspecteur, révérencieux de tous les talents et déférent envers les hommes de science, leur réservait toujours son abord le plus obligeant. Même en Sanson, le bourreau, il avait toujours privilégié l'honnête homme, à la culture et aux connaissances étendues. Nicolas le mit succinctement au fait du cas qui les réunissait.

Le fiacre de service – on avait rendu son carrosse à M. Le Noir – cahotait, suivi de près par la voiture du docteur. Ils quittèrent la rue Neuve-des-Capucines, traversèrent le boulevard de la Madeleine et s'engagèrent dans la rue de la Chaussée-d'Antin.

— Combien cette banlieue a changé ! murmura Nicolas. Je l'ai connue quasi campagnarde avec des bois, des jardins maraîchers et des marais. J'y ai joyeusement chassé le canard et la sarcelle avec le feu roi !

— Hors les murs, ou plutôt au-delà des barrières, c'est partout ainsi, dit Gévigland. Depuis la paix de 1763, l'essor des constructions n'a pas cessé. De nouveaux quartiers surgissent comme champignons à l'automne, à l'ouest et au nord-ouest de notre capitale.

— Il y a du grain à moudre et certains y font leur farine, ricana Bourdeau. Aux Champs-Élysées, le surintendant des finances du comte d'Artois, Radix de Sainte-Foix, a spéculé en prête-nom avec des sous-mains. Il a acquis pour le prince, et pour lui-même, cela s'entend, d'immenses terrains. Habilement lotis, ils ont été ensuite revendus à hauts prix ; le total de l'opération n'étant pas la somme des parties...

Nicolas qui ne goûtait guère le tour que prenait la conversation ne relança pas, mais Gévigland sembla approuver les propos de Bourdeau.

— L'inspecteur parle vrai. Il y a plus d'un an que cette spéculation a débuté. Elle s'étend aussi du côté de Clichy où le prince s'est adjoint son frère Provence, des banquiers et des fermiers généraux. Je crois bien que M. de Ravillois fait partie du lot. Les sites libérés par la vente des biens monastiques, notamment ceux des Mathurins, entrent dans des combinaisons identiques. De tout cela la transformation des lieux que vous avez si justement observée, mon cher Nicolas. Les profits ont été considérables. Reste que M. de Ravillois mène grand train.

— Mais que ses revenus, comme ceux de ses semblables, ont sans doute diminué depuis qu'ont été instaurées des régies royales qui perçoivent les impôts. Le particulier le cède à l'agent du roi !

— Ne pleurez pas sur eux, dit Gévigland. Il leur reste les impôts indirects, la douane, les boissons et les droits domaniaux. Et leur influence s'étend bien au-delà de leurs dernières prérogatives.

— Et pardi ! Faites régler vos affaires par un tiers, il vous prélève sa part, grassement. Le royaume s'endette-t-il ? Il se trouve contraint d'affermer de nouveaux revenus pour obtenir de l'argent frais. Les trois coups sont frappés : le déficit entre en scène !

— Je sens dans cette voiture un vent aigre de critiques où la faculté se ligue avec le Grand Châtelet ! Mais nous voilà arrivés, je crois.

Il était un peu choqué de la glose de M. de Gévigland sur l'une de ses pratiques, tout en faisant la part des circonstances et de la confiance qui existait entre eux.

Sur les indications du médecin, le fiacre s'était arrêté à l'entrée de la rue des Mathurins devant une propriété close de hauts murs de pierre. Tout autour, la campagne d'antan disparaissait sous les gravats, les terrassements et la trace des charrois. Ils descendirent et approchèrent d'une monumentale porte cochère aux cadres et panneaux d'une irréprochable symétrie. Ses piédroits[7] étaient protégés des injures des roues par des bornes et des plaques métalliques. Au-dessus de la porte, un cartouche aux deux tiers déroulés déployait des armoiries que Nicolas supposa être celles des Ravillois. Rien, pensa t il, n'était plus convaincant que l'ostentation gravée dans la pierre, surtout d'aussi récente extraction. L'absence de heurtoir signalait la présence d'un portier dont la loge apparaissait à gauche. Ils n'eurent qu'à pousser le guichet qui permettait d'entrer dans la cour sans avoir à en ouvrir les battants.

Au-delà, des plates-bandes peinaient à verdir dans une terre mêlée de débris au milieu desquels se dressait un vieux cerisier solitaire déjà chargé de fruits. Un chemin dallé les conduisit jusqu'au degré. La demeure de trois étages sur entresol éclatait de blancheur au soleil de mai. Les hautes croisées du rez-de-chaussée scintillaient entre leurs pilastres curvilignes. L'ensemble offrait un exemple harmonieux du nouveau goût que déployaient les architectes dans les quartiers récents. Leur arrivée déclencha une certaine agitation. Un valet les accueillit. Apprenant qu'ils souhaitaient rencontrer son maître, il leur fit franchir un vaste vestibule de travertin au plafond de caissons crème ton sur ton, seulement meublé de dessertes portant des flambeaux. On passait de cette élégante simplicité à une antichambre puis à un salon dans lesquels insensiblement croissaient le luxe et la splendeur. Un peu trop au goût de Nicolas que frappaient le clinquant et l'excès des dorures, impression encore accentuée par le neuf du mobilier et l'odeur persistante des vernis et des peintures. La lumière de la pièce où ils attendaient était adoucie par des volets intérieurs en bois de Hollande qui, *brisés*, se repliaient pour être rangés, invisibles, dans les embrasures des croisées. Ainsi étaient protégées des rayons du soleil les couleurs des meubles, des tentures et des peintures. Il parut à Nicolas que la demeure s'appliquait en tous ces détails à respecter les règles nouvellement édictées de la convenance et de la bienséance pour l'arrangement proportionné des masses et des décorations.

L'apparition du maître de maison par une porte dissimulée dans un panneau confirma cette constatation. La mode de ces nouvelles bâtisses était de privilégier les passages de dégagement, de ménager des couloirs discrets et des escaliers dérobés, permettant de circuler et traverser d'un bout à l'autre le logis sans paraître dans une seule des pièces principales. Les serviteurs comme les maîtres les utilisaient à bon escient. Seuls les moralistes sévères et certains prédicateurs dénonçaient ces dérobements secrets et obscurs, fausses entrées qui masquaient les vraies sorties, labyrinthes où l'on se dissimulait pour mieux se perdre. Nicolas avait sur la question une idée personnelle ; il lui semblait que, peu à peu, la bonne société ou plutôt, la plus riche, imitait en réduction les dispositions des demeures royales qui privilégiaient ces passages parallèles aux pièces d'apparat.

M. Bougard de Ravillois portait beau. Il était vêtu d'un habit gris, gilet noir et bas blancs, la chevelure soigneusement frisée et poudrée. Un peu de carmin aux pommettes rehaussait un visage blême, aux traits délicats et à l'abord sévère. Restait que les rides autour des yeux et d'autres, plus amères autour d'une bouche mince, tempéraient l'impression de jeunesse. Elles étaient éloquentes pour Nicolas qui aimait scruter les visages afin d'y lire ce que la vie n'avait cessé d'y inscrire. Collectionneur d'âmes, les visages pour lui en étaient les reflets. Les premières impressions, même s'il s'efforçait d'en diminuer l'empire, lui enseignaient beaucoup. L'homme, autour de la cinquantaine, était de ceux qui ne pouvaient plus s'exonérer le jour des stigmates de la nuit. Son élégance, le soin porté à sa tenue, cette attitude redressée qui ne lui faisait perdre aucun pouce de hauteur, tout concourait à ne point se fier à l'image de lui-même que souhaitait imposer M. de Ravillois. Sa main droite, torturant les breloques de sa montre, démentait son impassibilité affichée. Il toisa Bourdeau, jeta un œil sans aménité sur Gévigland, fixa Nicolas et s'assit dans une bergère jonquille. Il croisa les jambes et ses mains étreignirent fortement les accoudoirs.

— Messieurs, si j'en crois la manière péremptoire dont M. de Gévigland nous a quittés après avoir constaté le décès de mon oncle, vous...

— Par alliance, je crois ? dit Nicolas.

— Si le terme ajoute à la chose et vous convient, oui, monsieur, par alliance. Monsieur ?

— Nicolas Le Floch, commissaire de police au Châtelet.

— Tiens ! La police aurait-elle donc à voir avec ce deuil familial ? Quel conte vous a rapporté M. de Gévigland que sa longue familiarité avec cette famille aurait dû incliner à plus de discrétion ?

— Y aurait-il des choses à dissimuler ?

— Vous vous méprenez sur mes propos. Je serais aise, monsieur, que vous m'indiquiez les raisons de votre visite.

— Oh ! Bien normale et habituelle dans ces circonstances. Que voulez-vous ! C'est le tribut des familles engagées dans les affaires du roi.

M. de Ravillois releva la tête et l'agita de droite à gauche comme s'il niait ce qui venait d'être avancé.

— M. de Chamberlin, oncle de votre épouse, n'a-t-il pas longtemps occupé des fonctions importantes dont d'ailleurs il n'était pas déchargé, détenteur de son office ?

— Certes ! Cela est notoire. Mais je ne vois pas ce qui justifie une démarche aussi extraordinaire que celle que vous imposez.

— Justement, monsieur, justement. Extraordinaire, vous avez mis le doigt dessus. Car c'est bien d'extraordinaire qu'il s'agit !

Les jambes se décroisèrent et l'on s'agita.

— Je suis au désespoir, monsieur, d'avoir à vous rappeler que M. de Chamberlin était contrôleur général de la Marine, des galères, fortifications et réparations des ports, havres et places maritimes, et des colonies françaises dans l'Amérique. Même si son état ne lui permettait plus d'exercer, il demeurait en fonction d'une charge sans survivance.

— Je sais tout cela mieux que quiconque, monsieur le commissaire, mais je n'entends toujours pas le lien qui existe entre l'état de mon oncle, sa mort et votre présence.

— Oh ! Rien d'autre que le souci des deniers royaux. Les documents et liasses que détenait votre oncle sont propriétés de la Couronne. Nul doute qu'ils renferment des pièces particulières qui doivent faire retour dans les archives de Sa Majesté. J'ai donc mission d'en examiner le détail et de retirer des papiers de votre oncle par alliance ceux qui me paraîtraient appartenir à la catégorie en cause.

— Et pour cela vous avez besoin d'affidés, de comparses ?

Du regard il mesurait Bourdeau de bas en haut.

— Monsieur est mon adjoint, qui me prêtera son aide.

— Et M. de Gévigland ?

— M. de Gévigland ? Il a été désigné par le lieutenant général de police comme témoin de la perquisition. Il n'a en effet nul intérêt direct ou personnel.

Il prenait sur lui cette entorse nécessaire à la vérité. Ravillois ferma les yeux et soupira. Ces précisions lui paraissaient-elles incongrues ?

— Je constate, monsieur le commissaire, que vous avez réponse à tout.

— Pouvait-on s'attendre à un trépas si soudain ?

— Il était fort souffrant et depuis longtemps. Mais c'est un accident qui n'a que préludé à une fin que chacun pensait proche.

— Quand l'avez-vous vu pour la dernière fois ?

Une moue, dissimulée aussitôt par un accès de toux, déforma le visage du fermier général. Il toisa Nicolas.

— Cette question a-t-elle une relation, je n'en vois guère, avec les papiers que vous prétendez examiner ?

— Les questions ne répondent pas aux questions. Mais à ce jour je vous demanderais si pour une raison particulière celle-ci vous dérange.

— Certes non ! Simplement elle me déplaît, ne la trouvant pas en accord avec les justifications avancées de votre présence ici. Soit, je vous dirai que je n'ai pas vu M. de Chamberlin depuis plusieurs jours. Malade et atrabilaire en diable, son commerce ne m'était guère agréable. Il ne sortait presque plus de ses appartements. De fait nos relations étaient très refroidies, comme d'aucuns vous le confirmeront si vous grattez un peu dans ce sens.

Nicolas nota le sourire ironique qui soulignait un propos un rien provocant. Au moins il ne dissimulait rien de ses sentiments à l'égard de son oncle. Soudain un piétinement de talons se fit entendre. Une femme âgée en robe de soie grise, avec une traîne ourlée d'un ruché, large jupe rembourrée aux hanches et manteau de soie noire orné d'une bordure mouchetée, entra dans la pièce appuyée sur une haute canne. D'où sortait-elle ? Les gants qu'elle portait laissaient supposer qu'elle rentrait de promenade. Cependant elle devait écouter la conversation depuis un moment ; l'irritation marquée d'un visage ridé, que ne dissimulait nul fard, ne pouvait avoir d'autre cause.

— Ne dites rien, mon fils, que vous pourriez ensuite regretter. Ceux-là...

Elle désigna de sa canne les visiteurs.

— ... n'ont aucune autorité ici. Ne savent-ils pas que...

Ravillois leva la main. Était-ce pour la faire taire ?

— Ma mère, votre passion vous égare. Veuillez, messieurs, lui pardonner. Elle a toujours eu le sang vif et la patience un peu courte.

— Taisez-vous, malheureux ! Comment osez-vous ? Ainsi vous tolérez qu'on pénètre votre intérieur, que ceux-là s'autorisent à faire injure au deuil qui frappe cette famille ? Quel sang, mon fils, coule dans vos veines ? Que lui avez-vous concédé ?

Nicolas en conclut que la bonne dame était un peu sourde ou qu'elle n'avait pas tout entendu de leur échange. M. de Ravillois prit avec fermeté le bras de sa mère dont la fureur avait dérangé la coiffure sous le grand nœud de taffetas noir, et l'entraîna.

— Elle ne s'améliore pas avec l'âge, dit Gévigland, et multiplie les esclandres. C'est une harpie que je veille à éviter.

Ravillois reparut qui se confondit en regrets.

— Nous sommes accoutumés à ces sortes de crises, remarqua Nicolas, dès que nous paraissons sur le théâtre d'un... d'une enquête.

Son hésitation était volontaire, mais son interlocuteur ne releva pas.

— M. de Gévigland va nous mener à la chambre de votre oncle et nous procéderons. Il serait utile, si vous y consentez, de nous réunir à l'issue de notre travail. Quelques questions encore à vous poser, sans doute.

Ils traversèrent à nouveau l'enfilade des pièces alors qu'un domestique s'évertuait à voiler les miroirs. Dans l'antichambre, un enfant d'une dizaine d'années s'enfuit à leur vue en clopinant. Écoutait il lui aussi la conversation ? Cette maison était décidément pleine d'inattendus. Ce n'était pas cet aspect qui oppressait Nicolas, mais son atmosphère. Où avait-il ressenti cette même impression ? Il se revit enfant, descendu dans l'obscurité d'un dolmen au lieu dit la Fosse-aux-loups. Un malaise l'avait saisi, le sentiment d'une menace qui lui avait fait prendre les jambes à son cou. Était-ce ici l'odeur écœurante des peintures, du plâtre et des vernis encore frais, cette humidité de l'air des bâtisses récentes, ou plutôt ce recul toujours ressenti dans les édifices trop neufs ? Son enfance s'était déroulée dans l'antique maison du chanoine Le Floch, son tuteur, et au château de Ranreuil, motte féodale, à peine mise au goût du siècle par le marquis son père. À Rennes, clerc de notaire, il avait occupé la soupente d'une vieille maison à colombages. Et que dire de l'hôtel de Noblecourt aux murailles pentues et aux planchers inégaux. Pour lui une demeure était un être vivant qui devait posséder son histoire, un passé, des ombres et des lumières. L'éclatante blancheur de l'hôtel de Ravillois, son éclat artificiel et son ostentation aggravaient encore cette défavorable impression.

Un vieux valet qu'il supposa être celui du défunt les conduisit à sa chambre. Gévigland ouvrit la porte avec la clé qu'il avait conservée. La surprise du commissaire fut grande de découvrir le décor dans lequel avait choisi de vivre M. de Chamberlin. Il arrêta ses compagnons sur le seuil. Bourdeau sourit, habitué aux pratiques de son chef qui aimait toujours prendre une vue générale d'un lieu avant de se consacrer à l'examen des détails. La chambre, de grandes dimensions, s'étendait devant eux. De la porte on envisageait à gauche une double croisée dont les volets intérieurs étaient à demi dépliés, laissant pénétrer suffisamment de lumière pour distinguer tous les éléments de la pièce. Devant cette croisée, il découvrit un fauteuil à haut dossier recouvert de cuir gaufré et une grande table de bois massif tenant lieu de bureau, à en juger par les papiers qui s'y amoncelaient. Au fond, face à la porte d'entrée, une cheminée de marbre de Rance, rouge mêlé de veines bleues et blanches, montrait un âtre encore propre. De chaque côté, de hautes bibliothèques croulaient sous les livres, les tablettes les plus basses alignaient les in-folio. Nicolas avança d'un pas pour élargir sa vision. À sa droite, il aperçut le lit à baldaquin. Ce n'était plus que désordre et effondrement. Le ciel tombé recouvrait de guingois un entremêlement de bois rompus et de draperies. Seul un bras, pendant du linge d'une manche, signalait la présence du cadavre.

II

L'HÔTEL DE RAVILLOIS

« Car des chiens nombreux m'environnent,
une troupe de scélérats m'assiège. »

Psaume XXII

Nicolas foulait maintenant un tapis d'Orient élimé aux motifs compliqués et aux bords effrangés. Quel contraste avec les lambris rechampis en gris-blanc et leurs baguettes dorées ! À droite et à gauche de la porte, le long des murs, deux cabinets en bois précieux marqueté reposaient sur des bâtis d'essence commune. Ils étaient semblables en tous points avec leurs motifs de rinceaux encadrés de filets, volutes, feuillages, fleurs et figures grotesques. Chacun comprenait une vingtaine de tiroirs encore plus ornés. Ces cabinets étaient de facture ancienne et détonnaient avec le style général de l'hôtel de Ravillois. La surprise du commissaire était si visible que le vieux valet qui les avait suivis intervint.

— Ah, oui ! Monsieur aimait ses vieux meubles. Il disait que ces *antiques* lui dissimulaient toutes ces crèmes et ces dorures qui l'écœuraient.

— Qui êtes-vous ? demanda Nicolas en lui posant la main sur le bras.

— Tiburce, Tiburce Mauras, monsieur, le valet de M. de Chamberlin. Nous étions frères de lait et élevés ensemble. Je ne l'ai jamais quitté.

Une larme roulait sur sa joue affaissée. Il baissa une tête couronnée de quelques cheveux blancs.

— Demeurez avec nous, vous pourrez nous être utile.

Il s'approcha du lit pour en faire lentement le tour. Il s'agenouilla et regarda dessous, tendit une main, s'allongea pour saisir quelque chose qu'il mit dans sa poche sans un mot. Il se releva et parcourut la pièce, s'arrêtant pour regarder tel ou tel objet. Il demeura un long moment devant la cheminée, à l'arrêt, l'air intrigué, avant de passer ses doigts sur la tablette. Il nota quelque chose dans son petit carnet noir. Il défila à pas lents devant les bibliothèques et se pencha pour contempler avec attention la ligne des in-folio. Il se porta devant la croisée pour contempler la perspective de la chambre.

— De cette déambulation, dit Bourdeau, que déduisez-vous ?

Le vouvoiement redevenait presque toujours de rigueur devant des étrangers, y compris Gévigland, ami du deuxième cercle.

— Quelques constatations et en conséquence quelques questions. Et un objet.

Il sortit de sa poche une petite bille de verre.

— Oh ! Une agate ! s'écria le valet. Elle doit appartenir à M. Charles.

— M. Charles ?

— Oui, le petit-neveu de monsieur. Il venait souvent jouer ou lire ici. Monsieur l'aimait beaucoup.

— Voici un premier mystère éclairci, encore que…

— Que voulez-vous dire ?

— La bille a-t-elle roulé sous le lit ? L'a-t-on lancée ? A-t-elle été oubliée, égarée, est-elle tombée de la poche d'un enfant qui se dissimulait sous le lit ? Il pourrait y tenir, vu la taille du meuble.

— Ce détail me paraît bien innocent, mon ami, dit Gévigland.

— Pour lui, goguenarda Bourdeau, il n'y a pas de détail innocent. Jamais ! Ils sont tous coupables d'exister !

— Allons ! Aidez-moi plutôt à dégager le corps.

Ils saisirent à eux quatre le ciel du lit et le soulevèrent après avoir replié dessus les courtines. C'est à cet instant, juste avant de déposer l'ensemble sur le plancher, que Bourdeau signala que le cordon de la sonnette constitué d'une bande d'épaisse tapisserie n'était pas relié à l'ouverture dans le mur par lequel un mécanisme transmettait l'appel au service, mais avait été fortement attaché au châssis du ciel. Ainsi, c'est en tirant sur le cordon que M. de Chamberlin avait exercé la traction verticale qui avait déclenché la chute fatale.

— Bourdeau, ma foi, tu as raison, dit Nicolas, alors que le corps aux yeux encore ouverts apparaissait, le visage meurtri, offrant l'image d'une douloureuse surprise. Considérez la main gauche pendante et la droite levée vers la tête, sans doute après avoir sonné.

Nicolas, derechef à genoux, examina l'appareillage du baldaquin et l'endroit où les montants avaient cédé.

— Les meubles attaqués par les insectes, murmura-t-il comme pour lui-même, le sont par les parties inférieures ou latérales. Et d'ailleurs il n'y a point de traces de leurs dégâts. Ce n'est donc pas le cas. Pourtant quelque chose m'intrigue.

Il sortit de sa poche un petit canif argenté et considéra les vestiges des colonnes torses qui tenaient au ciel du lit. Il gratta avec une lame les endroits de la rupture et recueillit de petits fragments marron qu'il renifla, puis plaça dans un petit cornet fait avec une page empruntée à son carnet noir.

— Quelles conclusions à tout ceci ? demanda l'inspecteur.

— Les montants, d'évidence, ont été sciés et recollés à la colle d'ébéniste. Le travail a été dissimulé par un enduit composé de sciure et teinté au brou de noix. Cela pouvait tenir tant qu'on ne tirait pas trop fort dessus. Avec le cordon relié à l'ensemble, c'était une affaire assurée ! Ajoutons à cela qu'on a tranché en biseau pour faciliter la chute de l'ensemble vers la tête et non vers les pieds. Cela fleure une action bien pourpensée, et cela de longue main.

— Le piège pouvait échouer. Songez que le défunt aurait pu tirer la sonnette debout.

— Point, dit le valet. Il y en avait une autre dans l'angle près de la croisée. C'est celle-ci dont Monsieur usait lorsqu'il n'était pas couché. Notez qu'il était de nature fort impatient, se pendant au cordon avec force et plusieurs fois, sachant, par ailleurs, que je suis un peu sourd, surtout à cette musique-là.

— Nous voici édifiés ! Docteur, voulez-vous procéder à un examen plus complet du corps.

Il se retourna vers le valet.

— Il se trouve que nous vous avons laissé entendre bien des constatations qui se doivent de rester secrètes. Je vous demande d'en conserver avec scrupule la confidence. Puis-je compter sur votre discrétion ?

— Monsieur le commissaire, je ferai tout pour aider à découvrir celui qui a assassiné mon maître.

M. de Gévigland s'était mis au travail. Veste tombée, en gilet, il se penchait sur le corps du vieillard. Il observa les meurtrissures de la face, réfléchit un long moment avant d'examiner à nouveau le cadavre. Il se redressa, réfléchit encore un instant les bras croisés, puis se tourna vers Nicolas.

— Je puis vous apporter une certitude. Mon patient est mort d'une rupture interne, comme le prouve un épanchement sanguin abdominal dont le gonflement est perceptible au toucher. Sans aucun doute, étouffement dû au saisissement occasionné par la chute du baldaquin, panique, terreur, accélération du rythme du cœur et crise fatale.

— À vous en croire, il n'y a pas lieu à ouverture ?

— Ce serait supplicier un pauvre corps qui a droit désormais au repos.

— Je vous en laisse juge. Ainsi vous confirmez la nature accidentelle d'un trépas s'il n'avait pas été provoqué par une main criminelle ?

— Je l'affirme en effet. Il n'y aurait pas la position du bras droit et la torsion du buste, on pourrait supposer qu'un tiers a tiré sur le cordon de la sonnette. Mais ce n'est pas le cas.

— Donc…

— Donc, mort par arrêt du cœur consécutive à une émotion à la suite d'un piège diabolique installé pour tuer.

— Bon ! dit Bourdeau. Voilà une étape importante de franchie.

— Reste à déterminer, poursuivit Nicolas, l'heure approximative de la mort.

Le docteur de Gévigland médita un instant, consulta sa montre et compta sur ses doigts. Il revint au cadavre qu'il retourna. Il souleva la robe de nuit pour constater l'état du dos. Enfin il remit tout en ordre.

— Je puis vous donner des indications à ce sujet sans entrer dans des détails de peu d'intérêt. La *rigor mortis* est déjà très sensible. Durant cette période de l'année la température est douce. Or vous savez que la rigidité est d'autant plus rapide que la chaleur est élevée. D'autres effets interviennent, âge du patient, efforts avant le trépas ou hémorragie. Il y a conjugaison de tous ces facteurs. Je dirais que le décès pourrait être intervenu dans un laps de temps situé entre dix heures et minuit.

— Voilà qui est bel et bon, mais dégage une marge considérable qui ne nous facilitera guère la tâche.

Le vieux valet leva la main comme pour attirer l'attention.

— Hier, contrairement à ses habitudes, mon maître n'a pas sonné pour demander son infusion. J'en fus très étonné, attendant son appel à l'office. J'ai pensé que, fatigué, il s'était endormi.

— À quelle heure vous sonnait-il d'habitude ?

— Oh ! Entre neuf et dix heures. Jamais au-delà.

— Qu'importe, remarqua Bourdeau, puisque autant le vieux monsieur a lui-même déclenché sa mort !

— Les choses, mon ami, ne sont pas aussi simples et évidentes qu'il y paraît. Car entre le moment où nous sommes entrés et hier soir, il s'est passé beaucoup de choses dans cette chambre. Et en particulier, entre l'instant de la mort et le moment où le docteur de Gévigland a paru ce matin.

Il marcha vers la cheminée et se pencha à hauteur de sa tablette. Il appela ses compagnons à le rejoindre.

— Considérez à contre-jour la surface de cette tablette. Voyez-vous se dessiner deux rectangles ? Sur l'un des côtés, la ligne est effacée car on a enlevé les deux objets qui empêchaient la poussière de se déposer. De la poussière au point de laisser des traces très nettes. Pourquoi ? Monsieur Tiburce, le ménage n'est-il pas fait chaque jour ?

— Sans faute, monsieur le commissaire. Monsieur ne supportait pas la moindre poussière qui, disait-il, lui donnait des quintes de toux. Et cette demeure neuve en est emplie ! Vous savez, le plâtre…

— Voilà ! La chute du baldaquin et des courtines a levé un nuage de particules qui se sont déposées. Vous pouvez encore en relever les couches sur tout le mobilier…

— Pas partout, murmura Bourdeau, le bureau en est indemne. Il porte juste une coulure de chandelle.

— Peut-être un courant d'air venant de la croisée ? Ainsi, entre le moment où M. de Chamberlin a péri écrasé et celui où M. de Gévigland a pénétré ce matin dans l'appartement, il y a eu soustraction de deux objets déposés sur la cheminée. Compte tenu des traces laissées par la poussière, il devait s'agir de lettres. Monsieur Tiburce, auriez-vous quelques lumières à ce sujet ?

— Monsieur le commissaire, une certitude. Hier soir, vers six heures, j'ai vu mon maître vivant pour la dernière fois. J'ai remarqué sur la cheminée, car de loin je vois très bien, un pli cacheté et peut-être…

— Peut-être ?

— … l'exemplaire du nouveau testament dont j'ai tout lieu de croire que Monsieur venait de l'écrire de sa main, m'ayant chargé la veille de porter à son notaire un pli urgent qui semblait lui tenir à cœur. Il ne me dissimula pas son importance, me répétant mille recommandations au sujet de cette *convocation*. Ce fut le mot qu'il employa.

— Un soupçon sur le contenu de ce nouveau testament ?

— Point ! Mais qu'il voulût modifier ses dernières volontés, cela était, semble-t-il, clair dans son esprit.

— Qui est son notaire ?

— Maître Gondrillard, place Dauphine.

— Vous êtes certain qu'à six heures hier soir il n'y avait qu'un pli sur la cheminée ? Rien d'autre ?

— Rien d'autre.

— Aussi peut-on imaginer que votre maître a rédigé une seconde lettre entre six heures et sa mort. Comment le savoir ?

— C'est fort aisé, monsieur le commissaire.

Tiburce se dirigea vers la grande table et d'un petit vase céladon monté sur bronze sortit une des plumes qui y étaient fichées. Il la saisit à tâtons et en examina l'extrémité après avoir chaussé ses besicles.

— Monsieur le commissaire, je puis vous affirmer que mon maître a bien écrit après six heures du soir, hier. Il y a soixante ans que je taille ses plumes et il ne se sert jamais deux fois de la même. Hier, avant de le quitter, j'ai taillé celles-ci au canif et celle-là en particulier.

Il la tendit à Nicolas.

— Voyez vous-même…

Il passa son doigt sur l'extrémité noircie.

— Elle a servi. Elle est tachée d'encre et ses pointes sont émoussées. Ce que je dis est avéré.

— Ainsi donc, reprit Bourdeau, une certitude : deux documents reposaient sur cette cheminée, l'un pouvait être le testament nouveau et l'autre une pièce inconnue.

Nicolas soudain envisagea dans la muraille à gauche de la tête du lit une porte dissimulée dans la boiserie. Il la désigna au vieux valet.

— C'est le cabinet de toilette auquel succède une garde-robe.

Il poussa la porte et les invita à pénétrer dans une pièce étroite éclairée par une haute fenêtre. Elle contenait une table avec une cuvette alimentée par une petite fontaine. On y distinguait un bol, un rasoir, des brosses et des flacons de cristal. Une autre porte que Tiburce leur ouvrit donnait sur un petit réduit éclairé d'un œil-de-bœuf où s'alignaient deux meubles que Nicolas fut surpris de rencontrer côte à côte : une chaise percée et des lieux *à l'angloise*. La première était de bois avec un couvercle de velours rouge, les seconds consistaient en une auge de marbre munie d'une bonde portant soupape.

— Un réservoir disposé dans le plafond au-dessus, précisa Tiburce, permet de jeter l'eau qui chasse les matières et alimente une petite fontaine pour se laver les mains. Oh ! Je mesure votre étonnement de la présence de la chaise. Il se trouve que mon maître appréciait peu les nouveautés à la mode et entendait toujours user de son vieux meuble de famille ! Il n'y avait plus pour le service qu'à transvaser !

De retour dans la chambre, Tiburce et le docteur de Gévigland s'évertuèrent à dégager sur le palier les vestiges du baldaquin, excepté la partie à laquelle demeurait attaché le cordon de la sonnette et un élément de colonne torse scié que le commissaire souhaitait conserver. Puis ils se consacrèrent à la toilette funèbre du défunt. Nicolas et Bourdeau se mirent en mesure de trier les papiers qui pouvaient correspondre par leur nature à ceux que souhaitait récupérer le lieutenant général de police. Nicolas mesura vite la difficulté du choix. Certains documents dataient de plusieurs dizaines d'années alors que la plupart intéressaient des comptes de la Marine et des colonies en voie d'examen. Dans l'impossibilité de trancher, il prit ses dispositions pour tout rassembler.

La fouille des deux cabinets fut aussi entreprise. Nombre de tiroirs ne contenaient que des papiers personnels indifférents, mémoires de fournisseurs, objets brisés, besicles inutilisables et souvenirs de famille. Nicolas avait en mémoire un cabinet rapporté d'une campagne militaire en Allemagne par le marquis son père. Enfant, il aimait jouer avec les multiples tiroirs et avait fini par en découvrir le secret. Il suffisait de chercher. Se fondant sur son expérience limitée, il retira chaque tiroir de son logement, plongeant la main dans les profondeurs du meuble. Au bout d'un quart d'heure de recherches infructueuses sur le premier cabinet, un faux mouvement déclencha le mécanisme espéré : un montant vertical s'ouvrit et un étroit tiroir surgit. Hélas, il était vide. La seconde tentative sur l'autre meuble, encore plus longue, fut couronnée de succès. Le visage de l'une des figures grotesques s'enfonça, ouvrant un tiroir identique, mais disposé à un endroit différent.

Il y préleva un petit pli cacheté qu'il alla aussitôt comparer à l'une des empreintes de la cheminée. Le petit rectangle coïncidait exactement. Le mystère s'épaississait. Mille pensées contradictoires l'agitaient. Comment ce pli, dont tout semblait prouver qu'il avait été déposé sur la tablette, pouvait-il réapparaître dans le tiroir secret d'un cabinet ? Son contenu offrirait-il un début d'explication ? Il appela Bourdeau, l'entraîna vers la croisée, décacheta le pli et se mit à le lire à voix basse :

Moi, Edme, Charles, Louis, Henri, de Chamberlin, contrôleur général de la Marine, demeurant rue des Mathurins en l'hôtel de Ravillois, désigne comme exécuteur testamentaire de mon dernier testament, signé et scellé ce jour, que conserve Maître Gondrillard, mon notaire, place Dauphine à Paris, Sieur André Marie Patay, commis à la trésorerie générale de la Marine, demeurant au coin de la rue Plâtrière. Ce codicille complète la teneur du susdit testament établissant mes volontés dernières remis au dit notaire le mardi sixième de juin mille sept cent quatre-vingt.

Une signature, tremblée comme l'écriture de la notule, suivait.

— Voilà un papier que l'intéressé a curieusement antidaté. Et c'est aujourd'hui qu'il devait recevoir son notaire.

Nicolas tambourinait des doigts sur la vitre.

— Ou alors…

— Alors ?

— Tout indique qu'il y avait deux plis. Or nous ignorons ce que le plus petit contenait. Le grand était vraisemblablement le testament : mais l'autre ?

Bourdeau secoua la tête.

— Imaginons que M. de Chamberlin ait voulu prendre des précautions.

— Lesquelles ? Et pourquoi ? Je t'écoute.

— Il décide de modifier son testament. Que savons-nous de ses sentiments ? Quelle en est la cause ? Craint-il pour sa sûreté ? Soupçonne-t-il de méchants desseins contre lui ? Il est malade. Pressent-il une fin prochaine ? Il rédige alors ses nouvelles volontés, s'abstenant d'y faire figurer le nom de l'exécuteur testamentaire. Si celui-ci disparaît, l'autre pièce fera preuve qu'un second testament existe. Ainsi par cette tentative de sauvegarde il s'assure que, dans le cas où ses dernières volontés ne seraient pas connues, du moins saura-t-on qu'elles ont été soustraites.

— Compliment pour l'imagination ! Et comment aurait-on découvert le petit pli ?

— Tu l'as bien trouvé, toi !

— C'est le fait de mon expérience, dit Nicolas riant, qui est peu commune en la matière. Une bien piètre assurance ! Comment M. de Chamberlin était-il assuré que le papier resurgirait et, j'ajouterai, dans de bonnes mains ? Il y a là quelque chose qui nous échappe.

— Peut-être a-t-il dissimulé un autre exemplaire du testament ? La logique de tout cela conduirait à le penser.

— Il y a des occurrences particulières dans lesquelles la logique est loin de diriger nos actions. Il éprouvait sans doute des difficultés à écrire. Établir une seconde version d'une pièce d'autant plus longue que les legs, on peut le supposer, sont nombreux, est une tâche ardue dans ces conditions.

— Certes ! Les pauvres font plus court, eux qui n'ont rien à léguer !

Nicolas paraissait à nouveau plongé dans ses réflexions.

— Quelle conjoncture et quelles circonstances ? Elles sont à l'événement comme deux cercles concentriques. La conjoncture emprisonne les circonstances. La conjoncture influe sur l'événement. Elle incite à l'action sur l'événement, au choix, à la décision... Les deux cercles se recoupent, agissant l'un sur l'autre...

— Hum, dit Bourdeau goguenard, M. le marquis de Ranreuil me semble *noblecouriser*.

— Point du tout ! Apprends que dans les actions humaines ressort toujours une logique naturelle dont il est furieusement risqué de s'éloigner. Il faut remettre en place cette logique-là. Je crois que tu l'as approchée, mais trop d'éléments nous font encore défaut.

La ruse la mieux ourdie
Peut nuire à son auteur.

Nicolas maintenant considérait en soupirant les deux bibliothèques symétriques.

— Je crois, Pierre, qu'un travail fastidieux nous attend. Nous devons examiner tous ces volumes un par un. Tu prends celle de gauche, je me charge de celle de droite.

— Nous n'aurons garde d'y manquer, monseigneur !

Chaque volume fut posément saisi, ouvert, examiné et replacé avec soin. Nicolas, tout comme Bourdeau, vénérait les livres et rien n'aurait pu le conduire à les manier brutalement. Leur travail prit une bonne heure, sans résultat.

— Tu parais intrigué, dit Bourdeau, frappé de l'attitude de son ami, campé devant la bibliothèque qui lui était échue, le menton dans une main, les yeux fermés.

— Il y a quelque chose que je ne comprends pas.

— Aveu rare s'il en fut !

Nicolas fit quelques pas pour considérer la bibliothèque de gauche.

— Considère ces deux meubles semblables. Partout où l'œil se porte, les ouvrages sont précisément classés selon un ordre alphabétique rigoureux. Je pressens qu'il ne s'agit pas ici d'une exposition ostentatoire de belles reliures qui témoignent parfois chez certaines gens d'un orgueil de rang ou de fortune... Tout montre que M. de Chamberlin pratiquait ses livres quotidiennement. On y rencontre des signets, de petits papiers de sa main avec des extraits. Bref, nous sommes devant un rassemblement de connaissances qui servait au plaisir d'un honnête homme. Alors dis-moi, que signifie le désordre de cette rangée ?

Il s'était déplacé vers la bibliothèque de droite et désignait la deuxième tablette à partir du sol. Bourdeau chaussa ses besicles et considéra la chose avec un intérêt croissant.

— Tu as raison. Quel désordre inattendu ! Il y a même des volumes à l'envers.

— Monsieur Tiburce ! appela Nicolas.

— Monsieur le commissaire ?

— Vous semble-t-il habituel que des ouvrages soient disposés dans un tel désordre ?

— Cela n'arrive jamais. Mon maître ne tolère pas, ne *tolérait* pas, hélas !…

La respiration soudain lui manqua.

— Il ne supportait pas le moindre désordre dans ses livres. D'ailleurs personne n'avait le droit d'y porter la main. M. Charles, son petit-neveu, peut-être, et encore sous la surveillance de son grand-oncle.

— Avez-vous constaté l'état de cette rangée ?

— Non ! Si Monsieur avait vu cela !

Nicolas entreprit de relever dans son petit carnet noir ce qu'il venait d'apprendre.

— Quelqu'un, avança Bourdeau, nous aura précédés comme déjà pour les plis déposés sur la cheminée. Surpris, il aura en hâte replacé les volumes sans en respecter le classement. Voilà qui semble le plus probable.

— C'est une hypothèse qui a du corps. Je vais tout de même noter l'ordre ou le désordre constaté.

Il se mit à marmonner.

— Un livre retourné. Scarron, Érasme, Lesage, un Breton…

— Breton ! Lesage ?

— Oui, monsieur de Chinon, et de Sarzeau encore ! Près de chez moi. Regnard, un dictionnaire de l'Académie qui n'est pas à sa place vu son format. Hamilton, les *Mémoires*. Condillac. Un livre retourné, Euripide, Defoe, en anglais, Épicure, Salluste, Sénèque, Oresme, qui est-ce[1] ? Piron. Encore un livre retourné. Leibniz, Anacréon, Nithard.

— Nithard ? Jamais entendu parler de ce coquin-là !

— Qui a écrit une *Vie des fils de Louis le pieux.*

— Quelle science !

Nicolas pouffa.

— Ah ! Je lisais seulement le titre. *L'Imitation*, Garnier, Ignace de Loyola…

— Ah ! Ton ami.

— Je ne réponds point. Rabelais, Ovide et, enfin, l'*Odyssée*. Ce désordonné ramas d'auteurs me semble bien étrange. Tu as sans doute raison. Quelqu'un a fouillé la bibliothèque et, surpris ou pressé par le temps, n'a pas eu le temps de remettre tout en ordre.

M. de Chamberlin, coiffé d'une grande perruque, dissimulant son crâne chauve, reposait maintenant sur une couche à l'ordonnance tant bien que mal restaurée. Deux chandeliers allumés avaient été posés sur chacune des tables de nuit. Ce mort aurait pu paraître paisible n'eussent été les yeux vitreux au travers des paupières entrouvertes qui fixaient maintenant le néant avec un effrayant rictus de la bouche. Une sorte d'appel à la vengeance, songea Nicolas qui revit à cet instant la cascade macabre des caves des Saints-Innocents.

— Tiburce, une question. Qui s'est chargé du transport du mobilier de votre maître depuis la Cité jusqu'à la rue des Mathurins ?

— Monsieur n'avait point le loisir ni la force de régler la chose. Mon service auprès de lui m'empêchait d'y pourvoir. C'est donc sa nièce qui a pris toutes les dispositions.

— De quelle manière ?

— Elle a fait quérir des crocheteurs. On en trouve toujours en maraude au coin de la Samaritaine et du quai de l'École. Une fois le prix discuté, ils ont appelé des charretiers avec lesquels ils sont en cheville.

— C'est vrai, dit Bourdeau, que dans cette ville les mutations sont perpétuelles. On déménage désormais aussi souvent que les filles de joie et l'on saute de rue en rue comme l'oiseau sur la branche.

— Et ce charretier, l'avez-vous vu au moment du transfert ?

— Certes. Monsieur ne souhaitait quitter son appartement qu'une fois ses effets enlevés. Et nous avons suivi le convoi dans sa voiture.

— Donc vous avez remarqué tout à loisir les plaques de fer peintes en jaune, attachées au collier des chevaux, sur lesquelles on peut lire, en lettres et en chiffres noirs d'un pouce de hauteur, les numéros mais encore les noms et surnoms des propriétaires ?

— Bigre, lui murmura Bourdeau, je ne te savais pas si savant sur la réglementation ! D'où sors-tu tout cela ?

— Ah ! Consulte l'ordonnance de 1734. Vois-tu, j'ai fait ma bible du *Traité de la Police* de Delamare. Je m'y réfère chaque jour, rencontrant mille détails curieux et la mémoire de la ville.

— Monsieur le commissaire, répondit Tiburce, je vous assure que ce n'était pas le cas. J'aurais remarqué le fait, surtout que je suis descendu plusieurs fois du fait des embarras et pour jeter de l'eau... Je n'ai rien vu de tel. Des charrettes avec pancartes ? Aux chevaux... Ah, non !

— Les ordonnances de police sont faites pour être ignorées, commenta Bourdeau avec philosophie.

— Et comment, poursuivit Nicolas, a-t-on transporté ce monument à baldaquin ?

— Il se démonte fort aisément. Tout un jeu de chevilles de bois qui n'ont guère joué. Du beau travail des siècles passés. Le baldaquin, les quatre colonnes, le bâti, le sommier. Rien n'est plus facile.

— Démonté et remonté par les crocheteurs ?

— Ces bougres ont une grande dextérité dans ce maniement-là. Au reste un enfant s'en débrouillerait, seule la force lui manquerait.

— Comment avez-vous appris que Mme de Ravillois avait pris soin de ce déménagement ?

Un silence suivit qui pouvait passer pour un commentaire éloquent.

— Madame, bien qu'elle ait peu d'autorité au logis, se voit trop souvent contrainte de décider à la place de son époux retenu à la ville... Elle y pourvoit donc en dépit des agaceries de sa belle-mère qui... Enfin, des agaceries, le mot est faible.

— Qui ?

— Je m'entends, et vous constaterez par vous-même et assez vite ce que je me garde de préciser.

— Encore un point. Votre maître était-il satisfait de sa nouvelle installation ?

— Il en souffrait beaucoup. Cela ajoutait à ses maux. Il regrettait la Cité où il avait ses habitudes, le monde du Palais, des amis... Cet appartement ne lui convenait pas du tout. Il déplorait la hauteur des plafonds qui, disait-il, lui donnait le vertige, il s'y sentait étranger. Il regrettait les poutres basses et tortues de son logis sur l'Isle. Il ne cessait de répéter que tout craquait autour de lui. Sa seule satisfaction résidait dans la familiarité avec sa nièce et son petit-neveu, le seul qui de son vivant lui complût et qui lui manifestât de l'affection.

— Il y en a d'autres ?

— Oui, Armand, l'aîné. Vingt ans. Tout le portrait de son père. Plein de morgue, déjà débauché. Fiancé à une riche héritière, Mlle de Malairie...

Il se parlait à lui-même.

— … qui aura le même destin que celui de sa future belle-mère. Oh, oui ! Celui-là, il détestait le vieil homme, lequel d'ailleurs ne ratait jamais une occasion de tympaniser son caractère.

— Vous avez confié au docteur de Gévigland avoir craint qu'on n'attente à la vie de M. de Chamberlin. Voilà une bien grave accusation. À quoi songiez-vous en affirmant cela ?

— Je ne sais si je dois… J'ai surpris une querelle très violente entre Monsieur et son neveu Bougard. Il s'agissait de fait du prochain mariage d'Armand. C'est peu de dire que leurs avis divergeaient.

— En quoi ?

— Monsieur menaçait d'informer le père de Mlle de Malairie de l'état de fortune véridique de M. de Ravillois. Il soutenait que c'était insupportable fausseté et trahison de lui en conter aussi malhonnêtement à ce sujet. Qu'il y avait là manière de se comporter inacceptable et que, pour l'honneur d'un nom qui lui était précieux, il ne consentirait jamais à le tolérer, qu'il préviendrait M. de Malairie de cette situation. Cela finit par se conclure : il laissait à son neveu par alliance deux semaines pour prendre les dispositions nécessaires et rétablir la vérité.

— Et qu'a répondu M. de Ravillois devant cette sévère mise en garde ?

— Qu'il aviserait et rendrait compte de sa réflexion à Monsieur. Je l'ai croisé quittant cette pièce blême et les mâchoires serrées. Il détalait comme un égaré !

— À quand, dit Bourdeau, remonte cette prise de bec ?

— Une dizaine de jours.

On frappait à la porte. À pas menus, Tiburce alla s'enquérir, puis revint vers Nicolas.

— C'est maître Gondrillard, le notaire de Monsieur. Souvenez-vous qu'il était convoqué.

Nicolas consulta sa montre. Dieu que le temps passait vite, il était déjà quatre heures.

— Je vais le recevoir. A-t-il rencontré M. Bougard ?

— Je le crois, monsieur le commissaire, il est au fait de la mort de monsieur.

Le personnage qui entra dans la chambre surprit Nicolas. Son image ne correspondait pas à l'idée qu'il se faisait d'un notaire, espèce qu'il avait jadis beaucoup côtoyée. En habit gorge-de-pigeon, le col entouré d'une éblouissante cravate de dentelle, la chevelure frisée et poudrée à frimas, maître Gondrillard portait la coquetterie jusqu'à user avec un rien d'excès de la céruse et du carmin. Une certaine raideur trahissait une nature de vieux galantin. Sous la poudre, les fards, le satin, la dentelle et la soie, une cinquantaine bien sonnée perçait. Nicolas essayait d'imaginer les relations du vieillard et du tabellion. Il faudrait trouver une explication à cet appariement entre des individus si éloignés en apparence. Était-il établi sur des connivences, sur des bases communes ? Que fondait cette alliance ? Le vice ou la vertu ? Le notaire piétinait sur place, s'éventant de son tricorne et jetant des regards effarés sur le cadavre de M. de Chamberlin. Nicolas laissa se prolonger le silence qui autorisait un premier examen de l'homme à qui le défunt avait confié ses intérêts. Toujours cette première impression…

— Mon Dieu ! Monsieur… Monsieur ?

— Le lieutenant général de police a cru bon, au su des fonctions particulières de l'office de feu M. de Chamberlin, de m'envoyer relever les archives qu'il détenait et qui intéressent les intérêts de Sa Majesté.

Puis-je apprendre à mon tour ce qui vous conduit ici, monsieur ? Monsieur ?

— Gondrillard, notaire de M. de Chamberlin. Mon client m'avait prié de venir le rencontrer cet après-midi.

— Et le pourquoi de cette invitation ?

L'intéressé jeta un regard de bas en haut sur les assistants d'un air tel que Nicolas en frémit d'irritation.

— Alors ?

— Permettez, permettez ! Quel ton, monsieur ! De quel droit vous avisez-vous d'interroger ainsi les gens ? Les usages de ma charge, le respect des familles et la discrétion qu'il impose... Bref, je n'ai rien à vous dire et vais de ce pas me retirer, puisque mon client n'est malheureusement plus en état de m'entendre.

— Ce serait par trop déraisonnable de votre part. Je serais vous, j'y renoncerais. Votre client est mort...

— Certes, je le sais et le vois, d'un malheureux accident.

— C'est en effet ce qui ressort. Je suis commissaire de police au Châtelet, magistrat, et voici mon adjoint et le médecin qui a constaté le décès. Je répète ma question.

Maître Gondrillard fit demi-tour et se porta d'un pas décidé vers la porte. Bourdeau, plus rapide, bondit devant lui, l'air résolu et les bras croisés.

— À votre place, dit Nicolas ironique, je ne me risquerais pas à irriter l'inspecteur. J'ai tout pouvoir pour vous contraindre, sachez-le. Toutefois, je vous crois raisonnable et j'attends patiemment votre réponse.

— Monsieur, je me plaindrai. Mes relations sont puissantes.

— Chanson connue et sans effet, mais libre à vous. Je me nomme Nicolas Le Floch, marquis de Ranreuil, commissaire aux affaires extraordinaires. Alors, j'attends et pour commencer remettez-moi le portefeuille que vous tenez sous votre bras. Sur-le-champ !

Le ton était tel qu'après une velléité de résistance le notaire obtempéra.

— Alors, monsieur, l'objet de cette convocation ?

— Évoquer la situation des placements de mon client.

Nicolas ouvrit le portefeuille. Il sut aussitôt qu'il contenait le premier testament de M. de Chamberlin, daté de septembre 1776.

— Vous n'avez pas fait entrer votre clerc ?

Gondrillard ne dissimula pas sa surprise.

— Comment savez-vous qu'il est là ? Il attend en bas...

— Ah ! Monsieur, ce serait une trop longue histoire, mais je connais les usages d'une étude. Un notaire qui vient dresser une minute, un nouveau testament par exemple, est toujours accompagné par son clerc, avec l'écritoire, l'encrier portatif, le papier, les plumes, le canif et la poudre à sécher. Et peut-être du ruban pour relier l'acte.

— Je vois que monsieur a sans doute pratiqué ?

Cela fut dit avec une hauteur méprisante.

— Je le reconnais bien volontiers, il n'y a pas de sot métier.

— Et il ne déroge point, dit Bourdeau, sardonique.

— Allons, monsieur, éclairez-nous. Quelle est la substance de ce document ?

— Que voulez-vous signifier par là ?

— Rien d'autre que ce que j'ai dit.

Le tabellion hésita un moment, puis céda.

— Bien… Mon client avait établi comme hoir universel de tout son bien sa nièce, Charlotte, née Ravillois.

— Le document est bien épais.

— C'est qu'en effet la fortune de M. de Chamberlin est considérable.

— Et le détail ?

Après avoir chaussé des besicles, le notaire feuilleta le testament.

— La richesse vient de loin dans cette famille. À l'origine, des offices en province, en Champagne notamment. Un trisaïeul sous les rois Valois, maître des eaux et forêts. Des opérations fructueuses avec des traitants durant la guerre de succession d'Espagne. Un grand-père trésorier général de la Marine. Enfant, M. de Chamberlin avait hérité cette charge à la mort de son père. Plus tard, il fit un échange fructueux et obtint le contrôle général. Une honnête administration, un patrimoine lentement amassé sans prodigalité et des alliances favorables ont fait le reste.

— Aussi ?

— Aussi, de l'argent sonnant en quantité chez différentes maisons de la place et à l'étranger, plusieurs immeubles à Paris, quartier Notre-Dame, place Maubert et au Gros-Caillou. Deux terrains rue de la Ville-l'Évêque et une petite maison à Choisy. Des terres en Champagne avec des bâtiments à Sézanne, Sompuy et Chapelaine. Enfin des rentes sur l'hôtel de ville, sur les aides et gabelles, le prévôt des marchands et sur plusieurs maisons à Troyes et Melun. Enfin des traites souscrites par Armand de Ravillois, l'aîné des petits-neveux, pour un montant de deux mille livres.

— Le menu des legs et libéralités ?

— Rentes viagères à tout son domestique de la maison de l'Isle de la Cité, portier, cocher, laveuse, cuisinière, pour le jardinier et le valet à Choisy. Et puis surtout…

Il jeta un coup d'œil sur Tiburce qui, près du lit, veillait son maître.

— … à son valet Tiburce Mauras, pour sa fidélité, sa maison de Choisy et cinq mille livres de rentes viagères, ainsi que toutes ses hardes.

On entendit Tiburce qui pleurait.

— Peste ! Voilà une faveur considérable, commenta Nicolas.

— En effet, et de plus en plus rare de nos jours. L'équité et l'ordre ne dominent pas toujours les volontés de nos contemporains. Tout va donc à Charlotte de Ravillois, excepté trois mille livres pour les pauvres de la paroisse de Choisy dont auront à disposer les messieurs de l'assemblée de Charité.

— Un exécuteur testamentaire est-il désigné ?

Le notaire consulta à nouveau le testament. Ne le connaissait-il point ?

— Je lis qu'il s'agit de Sieur André Marie Patay, commis à la Trésorerie générale de la Marine, demeurant rue du Plâtre. En outre le testateur lui lègue sa montre, un diamant monté en bague estimé à quatre mille cinq cents livres, son carrosse, ses chevaux et la totalité de sa bibliothèque.

— Le tout est, là aussi, considérable ! Mais je suppose qu'il ne fait qu'écorner le principal. Vous semblez étonné de ces stipulations ?

— C'est que, monsieur, je les découvre, n'ayant pas moi-même dressé cet acte. C'était mon père, décédé peu après, qui avait officié. M. de Chamberlin avait bien voulu selon l'usage me conserver sa pratique.

Tout s'éclairait. Bourdeau, qui avait dû éprouver le même sentiment que Nicolas, lui lança un regard entendu.

— C'est donc vous, monsieur, qui procéderiez à l'inventaire après décès en présence de M. Patay ?

— En effet. Je pense qu'il n'y a plus rien à vous apprendre. Puis-je me retirer ?

— Certes. Mais auparavant, une dernière formalité. Nous allons placer des scellés sur les deux cabinets et les tiroirs de la grande table, en précaution.

L'opération prit un certain temps. On trouva de la cire dans le tiroir de la table, des bandes de papier furent collées un peu partout, dûment scellées par les chevalières du notaire et du commissaire.

— Encore une chose, s'il vous plaît. Il va de soi que, pour le moment et jusqu'à la lecture du testament à la famille, cette conversation doit demeurer confidentielle.

Maître Gondrillard s'inclina sans que son geste puisse être interprété comme un assentiment ou un salut. Sans illusions, Nicolas se garda d'insister.

— Nicolas, dit M. de Gévigland. M'autorisez-vous à mon tour à prendre congé ? Mes malades m'attendent.

— Mon ami, j'ai grand scrupule de vous avoir ainsi retenu. Je vous libère en vous remerciant de votre si décisive intervention. Oserais-je vous prier de coucher par écrit vos conclusions concernant le décès de M. de Chamberlin ?

— Assurément. Et sachez que ma femme et moi vous espérons toujours à souper, vous et... M. Bourdeau.

Une fois le médecin sorti, Nicolas s'adressa à Tiburce.

— Tiburce, dit Nicolas, vous sentez-vous capable de conserver le secret sur tout ceci ? J'apprécierais aussi que dans les heures et les jours qui viennent, vous consentiez à être mes yeux et mes oreilles dans cette maison. Je suis assuré qu'il vous tient à cœur de découvrir qui a assassiné votre maître. J'enverrai un de mes gens surveiller la maison. Vous pourrez le cas échéant lui transmettre un message pour moi ou l'inspecteur Bourdeau.

— Et comment reconnaîtrai-je votre homme ?

— Point de souci, il paraît quand on le siffle. Un petit *vas-y-dire* l'accompagne souvent. J'y songe, encore quelques questions. *Primo*, qui est entré dans la chambre de votre maître dans la journée d'hier et lui-même a-t-il quitté son appartement ? *Secundo*, existe-t-il une échelle dans cette maison et où la range-t-on ? Des étrangers à la famille ou au service ont-ils pénétré dans l'hôtel dans la journée ? *Tertio*, quand M. de Chamberlin vous a-t-il sonné pour sa tisane la dernière fois ?

Tiburce se prit la tête à deux mains et exhala comme un gémissement de lassitude.

— Oh ! Je n'y survivrai pas… Pour répondre à vos premières questions, je suis assuré que personne n'a pénétré chez mon maître hier hors la femme de service en ma présence et le petit Charles. Monsieur, de plus en plus souffrant, n'est pas sorti sauf à se rendre dans son cabinet de toilette et sa garde-robe. Quant à l'échelle, il n'y en a pas, même qu'on doit en acheter une. Celles dont on a pu se servir ici appartenaient aux divers corps de métiers qui ont travaillé dans cet hôtel. Pour les étrangers, plusieurs invités étaient conviés hier soir au souper qu'offraient le maître de maison et Mme de Ravillois. J'ignore leur nombre et leurs noms. M. de Ravillois souhaitait que j'aide au service, mais mon maître s'en est irrité et me l'a interdit. Quant à la tisane, il m'a sonné pour la dernière fois avant-hier soir.

— Ainsi pas d'appel de service tout au long de la journée d'hier ?

— Non, je n'affirme pas cela ! Il m'a sonné à plusieurs reprises, mais chaque fois je l'ai trouvé dans son fauteuil, d'où on peut conclure qu'il avait usé du cordon placé près de la croisée.

— Je vous remercie, tout cela est fort clair.

Nicolas se tourna vers Bourdeau.

— Reste cet amas de papiers à remettre à Le Noir.

Bourdeau sourit.

— N'y prends garde, j'ai tout prévu. Deux exempts sont à tes ordres en bas avec une voiture. Ils se chargeront de tout jusqu'à l'hôtel de police.

Nicolas reconnut le souci habituel de son adjoint, qui savait toujours prévenir les nécessités du service. Depuis vingt ans à ses côtés, il incarnait l'image de la fidélité, de la compétence et souvent du salut. Il nota au passage que le lieutenant général de police, dans son débordement, avait tout organisé avant même qu'il entre dans son cabinet. Bourdeau descendit et revint avec deux hommes en noir qui sans un mot se saisirent des documents empilés. Les éléments du baldaquin leur furent aussi confiés avec recommandation de les remettre au père Marie, huissier du Grand Châtelet.

Tiburce ferma les contrevents, plongeant la chambre dans une obscurité seulement trouée par la lumière des deux chandelles. Après un dernier coup d'œil, les deux policiers quittèrent l'appartement de M. de Chamberlin. Alors qu'ils s'apprêtaient à rejoindre le rez-de-chaussée, un homme grand, la chevelure brune mêlée de gris, en habit feuille morte, les arrêta. Le commissaire fut frappé par son regard.

— Monsieur, je suis Richard Melot. Je suis commis à la ferme et bras droit de M. de Ravillois. Son épouse souhaiterait vous parler. Si vous voulez bien me suivre.

L'appartement de Mme de Ravillois se trouvait à l'opposé de la chambre de son oncle. Nicolas et Bourdeau furent introduits dans un boudoir très clair aux murs tendus de cotonnades fleuries. D'un coup d'œil ils envisagèrent la scène qui se présentait. Une femme était assise dans un canapé couleur jonquille. Elle semblait menue et comme bossue dans l'abandon de son attitude. Elle présentait un visage très pâle aux joues un peu trop rebondies avec de grands yeux sombres profondément espacés. La bouche, sur des dents serrées, ne s'abandonnait pas. Elle donnait l'impression de fixer un spectacle invisible perdu dans le vide. En l'absence de fard, son teint éblouissant ressortait d'autant. Aucun bijou ne la parait, sinon un collier et des bracelets de tissus. Sa robe de soie ruchée vert sombre, et son manteau léger de soie noire dont la capuche en mantille glissait sur des cheveux tressés à l'ancienne, ajoutaient encore à l'étrangeté de cette figure de madone. Près d'elle, un enfant lui tenait la taille comme pour la protéger, les jambes à demi fléchies, en culotte et justaucorps de velours noir. La famille portait-elle déjà le deuil ? Le groupe ainsi formé frappa Nicolas comme un tableau. Cette femme était-elle belle ? Aucune réponse ne s'imposait tant son apparence était surprenante. Il s'approcha et s'inclina. La statue hocha la tête.

— Madame, vous avez souhaité me parler.

— Oui, dit le commis. Elle apprécierait de vous entendre sur les circonstances.

Nicolas n'aimait pas qu'on se substitue ainsi à son interlocuteur.

— Monsieur, je suis au désespoir d'apprendre que mon oncle est supposé avoir été assassiné.

Ah ! songea Nicolas. On pouvait remercier le notaire. À peine sorti de l'appartement de M. de Chamberlin il avait dû se mettre à gloser.

— Madame, j'ai le regret de confirmer qu'il y a apparence que la mort accidentelle de votre oncle ait été provoquée par malignité.

Elle se tamponna les yeux un long moment et enfin regarda le commissaire. Ce faisant, le mouchoir tomba, que Nicolas ramassa. Elle le remercia et en se relevant Nicolas fut frappé par l'attitude de l'enfant. Un page protégeant sa reine.

— Et quelles conséquences cette affirmation recèle-t-elle ?

— L'ouverture d'une enquête. Le corps de votre oncle a été examiné par son médecin.

— Est-il bien fondé à en juger ? dit M. Melot. Ne serait-il pas plus avisé d'en consulter d'autres ? En ces matières les erreurs abondent et, pour le coup, sont de conséquence.

— Monsieur, je ne doute pas de votre expérience dans ce domaine, ce n'est pas l'examen du cadavre qui a établi notre certitude. Madame, notre conviction ressort d'une autre constatation.

— Et quelle est-elle ? De quel ordre ?

— Elle sera présentée au Magistrat et soumise aux juges qui auront à évoquer la cause.

Elle ne manifesta rien à cette absence de réponse. L'enfant se serra contre elle, caressant sa chevelure contre la joue de sa mère.

— Et le corps de mon cher oncle ?

Elle s'essuya à nouveau les yeux.

— La famille pourra en disposer et organiser ses funérailles. La dépouille ne peut en rien aider la justice. Madame, hier soir vous receviez. Puis-je connaître les noms des invités conviés ?

— Ces détails sont-ils vraiment nécessaires ? intervint derechef le commis.

— Madame…

— Laissez, Richard, puisqu'il le faut… Étaient présents mon époux, moi-même, Armand mon fils aîné, M. Melot ici présent, le comte de Besenval et M. de Sainte-James.

— Votre belle-mère ?

Le regard se fit lointain.

— Mme Bougard s'abstient de paraître aux soupers conviés.

— Le comte de Besenval est-il de vos intimes ?

— Il est en affaires avec mon époux.

— Dans quel domaine, je vous prie ?

— Les objets de curiosité, les porcelaines des Indes orientales. M. de Ravillois envisage de se séparer de pièces rares.

— Fait-il lui-même collection ? Un cabinet de curiosités ?

— Non, monsieur, dit Melot, il s'agit d'objets provenant de la succession des parents de Mme de Ravillois.

— Madame, qui pouvait selon vous en vouloir à votre oncle ?

Elle soupira en remuant la tête comme si elle entendait écarter de fâcheuses visions.

— Monsieur, j'aurai garde d'accuser quiconque. Mon oncle était parfois d'un caractère difficile... Il lui échappait des mots cruels dont il ne faisait pas mystère. Par ses fonctions de contrôleur général au cours desquelles il a eu à traiter d'affaires... délicates, bien des réputations ont été ruinées et il a dû s'attirer des haines. On vous dira aussi que des questions d'intérêt l'ont opposé à mon époux et surtout à ma belle-mère, dont l'acrimonie est sans pareille... Mais de tout cela rien qui ne sorte de l'ordinaire d'une famille.

Certes, pensa Nicolas, mais la chose était dite. Elle se moucha et lui jeta un regard à nouveau perdu dans le vide.

— Madame, je me retire sans prolonger un entretien qui accroît votre peine. Nous nous reverrons à loisir. Ah !...

Il s'approcha de l'enfant, sortit de sa poche la bille d'agate, et la lui tendit.

— Cet objet, Charles je crois, vous appartient. Vous l'aviez sans doute perdu dans la chambre de votre grand-oncle.

L'enfant dissimula sa tête dans les étoffes de sa mère sans répondre. Nicolas déposa l'objet sur le guéridon.

Ils sortirent. En bas de l'escalier, M. de Ravillois les attendait.

— Ainsi, vous en avez achevé !

Feignait-il de croire que la thèse de l'accident prévalait ?

— J'ose avancer que l'écho vous a sans doute averti que vous pouviez disposer du corps du défunt. Cependant, des scellés ont été apposés sur ses meubles. Sachez que l'enquête va se poursuivre afin de déterminer comment et par qui votre oncle par alliance a été assassiné. Jusqu'à sa conclusion, et par égard pour votre famille et sa réputation, nous entourerons nos nécessaires recherches de la plus totale discrétion. En contrepartie, vous voudrez vous livrer sans opposition aux investigations qui vont se poursuivre ici et ailleurs.

M. de Ravillois opposa un front serein à ces propos. Il les salua sans les commenter. Son léger sourire déplut fort à Nicolas. Dans la rue des Mathurins, il consulta sa montre ; il était déjà six heures. La faim soudain le tenailla. Il regarda Bourdeau qui, devant sa mine, éclata de rire.

— Oh ! La belle figure de loup affamé. Si j'en crois mon propre cas, il convient d'envisager au plus vite. J'ai bien une idée... Si nous allions chez Ramponeau ?

— Ramponeau ? À la Courtille ?

— Non, aux Porcherons.

— C'est vrai qu'il est maître de deux établissements. L'idée est bonne. J'espère seulement qu'il n'y aura pas trop de presse. Tu sais que le lundi tout un peuple prolonge le dimanche, et du plus agité.

— Il n'en est pas de plus querelleur que dans ces faubourgs.

— Tiens donc, te voici critiquant le peuple !

— On ne doit lui disputer ses droits, mais il doit respecter ses devoirs. Sinon il faut les lui imposer.

— Que voilà une bien romaine sentence ! Quelle différence avec le pouvoir monarchique ?

— Que dans mon esprit, c'est le peuple qui est souverain et impose la force de la loi. La violer, c'est se dresser contre la volonté souveraine.

Ils empruntèrent la rue de la Chaussée d'Antin, pénétrant plus avant dans le faubourg, puis, à main droite, la rue Saint-Lazare. Au moment où ils parvenaient près de Notre-Dame de Lorette pour remonter la rue des Martyrs, leur voiture ralentit et se vit soudain environnée d'une foule grondante et gesticulante. Elle s'arrêta au milieu d'une troupe de mendiants, chiffonniers, revendeurs, qui parlaient et criaient. Nicolas baissa la glace pour voir ce qui se passait. Il nota la présence d'ouvriers et de beaucoup d'hommes et de femmes pris de boisson. Il repéra aussi sous le porche d'une maison une mouche qu'il connaissait et qui surveillait la scène. Un homme en tablier de savetier qui braillait s'approcha.

— Mon ami, dit Nicolas, quelle est l'origine de ce tumulte ? La voie est-elle bloquée ?

— Est-ce que j'ai une tête à être ton ami, mon bourgeois ? Tu vas passer ton chemin et vite, sinon…

Une vieille femme toute de noir vêtue s'approcha et à mi-voix s'adressa à Nicolas, l'air effrayé.

— Faites détour, monsieur, je vous en supplie. Il y a du danger à poursuivre, je vous l'assure.

— Mais enfin, qu'y a-t-il ? demanda Bourdeau.

— Ce sont deux frères qui ont été exécutés ce matin par le bourreau à la grève. Le plus âgé n'avait pas vingt ans. Ils ont été rompus par jugement de la chambre criminelle, à ce qu'on dit.

— Et quel était leur crime ?

— Ils avaient dépouillé avec menaces de mort un marchand revendeur qui rentrait chez lui de nuit.

L'homme écoutait leur dialogue et montra le poing.

— Et dire qu'ils n'ont volé que quinze livres et que le revendeur n'a même pas crevé !

— Il faut bien dire, messieurs, reprit la vieille, que la foule ce matin gémissait en les voyant si jeunes, implorant jusqu'au bout la clémence. Qu'on raconte qu'ils ont excité la pitié du peuple, tant jeunes et beaux qu'ils étaient, et pleurant dans les bras l'un de l'autre que c'était misère. Leurs corps sont exposés à l'endroit de leur crime et la foule gronde à faire frémir.

Soudain l'ouvrier qui leur avait intimé de déguerpir se mit à désigner la voiture en hurlant.

— C'est un fiacre de la pousse ! Je le reconnais !

« À bas la pousse ! À mort ! À mort !

Aussitôt la caisse fut bombardée de pierres, de bouteilles et de crottin et les glaces furent brisées. N'eût été l'esprit de décision de leur cocher qui distribua de droite et de gauche de cinglants coups de fouet et poussa l'attelage pour les dégager, nul doute que cette populace irritée leur aurait fait un mauvais parti.

— Le faubourg tient ses promesses, commenta Nicolas en époussetant les débris de verre qui le couvraient. Quelle journée !

— Le peuple devrait se maîtriser, mais il y a sans doute une erreur à le provoquer ainsi.

— La justice se doit de donner l'exemple.

— À condition que ses jugements soient exemplaires. On ne gradue pas assez les peines. La victime aurait été tuée, quelle sanction leur était impartie ?

— La même, hélas !

— Quel est le meilleur médecin, celui qui guérit la maladie ou celui qui la prévient ? On ne corrige pas celui qu'on punit, on espère corriger les autres à travers lui. Le droit est une science faite pour les puissants ; il leur apprend jusqu'à quel point ils peuvent violer la loi sans choquer leurs intérêts.

Nicolas ne souhaitait pas s'engager dans un tel débat, même s'il ressentait au fond de lui le bien-fondé des remarques de Bourdeau.

— Notre Ramponeau ne s'est donc pas contenté de son *Tambour royal*.

— C'est un fieffé malin, comme certains qui savent comment changer le sujet de la conversation…

— Mille reparties me viennent à l'esprit plus spirituelles les unes que les autres, mais va. Donc ton fieffé ?

— … a voulu multiplier son profit et a ouvert, il y a dix ans, cette deuxième guinguette au pied de la butte aux Martyrs[2] après avoir décuplé ses propriétés en vignobles autour de la ville. Il a fait florès en vendant des vins.

— Non grevés de taxes.

— Connais-tu les tarifs dans les cabarets hors les murs ?

— Non.

— Trois sols, alors qu'en ville rien au-dessous de six sols la pinte !

— Et de surcroît, le lieu est bien choisi. Sais-tu que les recruteurs opèrent désormais dans ce nouveau quartier ?

— Dès lors que la multiplication des guinguettes et l'afflux des chalands favorisent leur entreprise, il n'est pas étonnant qu'ils aient presque abandonné le quai de la Ferraille.

Soudain Bourdeau fut frappé par l'attitude pensive de Nicolas.

— Ce sont ces deux petits massacrés ? Tu as vu trop de cadavres depuis ce matin.

— Non pas, ils font partie de la même danse à laquelle nous serons un jour invités. *On ne voit point deux fois le rivage des morts...* Pour s'apprivoiser à la camarde, rien de mieux que de s'en avoisiner. Plusieurs faits m'obsèdent, une échelle qui n'existe pas, une bille trop évidente et encore autre chose dont je ne me souviens pas.

III

SINGULARITÉS

> « Est-ce quelque dédale où ta raison
> perdue ne se retrouve pas ? »
>
> Malherbe

À *La Grande Pinte*, qui ressemblait à s'y méprendre au *Tambour royal*, Ramponeau les accueillit comme de vieilles connaissances. La salle était comble, mais il fit installer un petit guéridon autour duquel ils s'installèrent. Il prit aussitôt la parole avec sa gouaille coutumière.

— Quel bon vent vous conduit ici ? J'avais l'habitude de vous traiter à la Courtille. En fait on ne m'y voit plus guère, c'est mon fils qui tient le *Tambour royal*. Mais j'ai repris ici. À tout commerce nouveau il faut donner l'éclat, pas vrai ? Et quoi de plus éclatant que Ramponeau ? Pour sûr, le *Tambour* ça avait été toute une histoire. À vous je peux bien le dire, du mauvais vin, du ginguet à petit prix. Enfin, mauvais, point pour tout le monde. On réservait, n'est-ce pas, la qualité pour les amis. C'est qu'j'avais du beau monde et du plus relevé. Grandes dames, hauts seigneurs, la cour et la ville affluaient chez moi.

Il s'adressa soudain à une serveuse en cotte rouge qui passait près d'eux, portant des plats fumants.

— Hé, la Mariette, un grand pichet de vin de Suresnes de ma réserve, hein ! Pour des amis. Et vite, il fait soif. Où en étais-je ? Et quoi de mieux qu'un beau petit scandale pour vous mettre au premier plan ? Y a déjà vingt ans, un certain Gaudon, qui me prenait pour une quille, ne v'là-t-y pas qui m'veut faire monter sur une scène comme à la foire Saint-Laurent ! Au début je calcule que ça me ramènera de la pratique, puis je réfléchis qu'il fera rire de moi. J'avais tout à risquer dans cette aventure qui m'abandonnerait aux moqueries du parterre. Pommes pourries et trognons de choux ! Vous me direz que j'avais signé un marché, mais comme j'le jugeais injuste, pas de raison de l'honorer. M'produire ainsi sur le rempart du boulevert¹ comme Arlequin ? Suis-je-t-y une bête curieuse ? Le bougre a vite senti ce que l'on doit à un cabaretier. Un comme *ego* qui donne à boire à petit prix à un peuple très inflammable pour le calmer. La police devrait me remercier !

Il eut un clin d'œil éloquent vers les policiers.

— Ces brocardeurs que vous voyez tout autour de nous viennent chez moi sanctifier les jours de salut et de miséricorde. S'empiffrent comme des gorets et s'arrosent en proportion. Pour sûr, je donne à travailler aux médecins de ceux qui abusent et ruinent leur santé. J'avions ma part aux progrès du siècle. J'participe à la prospérité du royaume. Le vieux Fritz à Berlin gargouille, selon la Gazette, qu'un royaume est tant riche que par les hommes. Ici c'est-y-pas un temple de la fécondité heureuse ? Les filles qui en veulent, et même les autres, peuvent-elles pas y trouver le plus grand choix de vigoureux gaillards ?

C'que Bacchus détruit d'un côté, Vénus l'rétablit de l'autre, et hop ! Grâce à qui ? À Ramponeau, un vrai *fil en trop* !

— J'ai toujours considéré que vous étiez en effet un *philanthrope*, dit Nicolas, écrasant le pied de l'inspecteur écarlate de rire contenu. Et êtes-vous satisfait de *La Grande Pinte* ?

— Peuh ! C'est selon, ça bat d'une aile. *La Grande Pinte,* j'en voulais faire un autre *Tambour*, mais les temps et la clientèle ont changé. Des beuveries le dimanche et même le lundi, des goûters de commis, des soupers de petits marchands et quelques parties carrées, quelques festins de noces, c'est bien le bout ! La concurrence est rude ; désormais la recette du Ramponeau est connue. J'ai donné le *la* et les mauvais crincrins ont vite compris la musique. Les boutiques de marchands de vins s'multiplient. J'vas encore être obligé de baisser les prix et, ma foi, la qualité s'en ressentira… Reste la matelote, ma reine ! Là, j'ai point de rivaux.

Il agitait une chevelure léonine et empoissée. Son visage violacé à la bouche de travers et aux petits yeux sans cesse en mouvement ne plaidait pas en faveur de l'aménité de son caractère. Avant de s'éloigner, il cingla de la main le haut de la jupe de la servante accourue avec la boisson.

— Grouille, ma jolie garce, tu vois ces beaux messieurs, ce sont des amis. Le meilleur pour eux. Je vous laisse, la pratique veut me parler. Ramponeau n'est pas comédien, mais toujours sous les feux de la rampe !

— Que nous proposez-vous, jeune fille ? dit Nicolas souriant.

— Ben, en v'là un qu'est honnête au moins, et joli garçon en plus ! dit-elle, se campant les mains sur les hanches en lorgnant le commissaire. J'vas vous faire une faveur ; l'lundi faut prendre garde, on sert les restes du dimanche. Comme y fait bien lourd, ils tournent ! Aussi comme vous êtes, à c'qui paraît, des amis du Jean et bien aimables de surcroît, j'vous conseille la matelote de cervelle de bœuf et une flopée de mauviettes à la broche avec une salade de pissenlits. Y a point de risques avec cette mangeaille-là !

— Détaille-nous un peu la chose, on aime le *déconfit* des plats, demanda Bourdeau, l'œil émerillonné de convoitise.

— Bon, v'là aut'chose ! Dieu merci, sont pas tous comme vous. La cervelle bien dégorgée et *désaignée* et un peu marinée dans l'vin blanc. Une fois blanchie dans l'eau bouillante, tu la langes comme un poupon de bardes de lard avec sel, poivre, persil, ciboules, tranches de citron, thym, laurier, basilic et gousses d'ail. Tu fais dorer à la braise blanche. Pour la sauce, reste à faire cuire de petits oignons grelots dans du vin blanc et du coulis, à réduction. La cervelle toute grésillante s'ra coupée en tranches et arrosée.

— Les matelotes de Ramponeau tiennent leurs promesses ! Et les mauviettes ?

— Oh ! Il attige, çui-là ! J'te dirais une belle nichée d'oisillons, eux aussi bardés, à la broche. La sauce, combinée de leur dégout[2] et du verjus à la bigarade, mouille des rôties. Et la salade d'pissenlits à l'ail pour vous rafraîchir la *dalle*. Plus de questions, car j'n'y répondrions point. J'entends le vieux qui me quérit.

Le vin était frais, clair et léger ; l'hôte ne les avait pas trompés.

— M. de Gévigland est bien aimable, remarqua Bourdeau.

— Et sans lui, ce crime risquait fort de passer inaperçu. Comment envisager la suite ?

— M'est avis que cette famille dissimule bien des choses. Les haines et les trames s'y entrecroisent.

— De fait ils sont tous suspects, car ils ont tous sans exception intérêt à la mort de M. de Chamberlin. La nièce hérite de sa fortune, le mari mettra ascendant à tout, le fils aîné verra sans doute ses dettes éteintes, et la belle-mère de Mme de Ravillois détestait le vieil homme.

— Tu oublies Tiburce, le valet.

Nicolas eut un triste sourire.

— J'ai du mal à l'imaginer en assassin ; il ressemble trop au chanoine Le Floch.

— Foin du sentiment ! Il bénéficie largement du testament. Et tu omets l'exécuteur testamentaire ; son profit n'est point négligeable.

Un vielleux entama une allègre ritournelle. Un groupe de jeunes gens se mit à danser en mesure, puis l'homme passa dans les rangées de tables tendant son chapeau où les liards[3] tombaient peu à peu. Nicolas avait souvent croisé cette figure parisienne qui arpentait les quartiers sans relâche.

— Je ne l'oublie pas. Mais si je reprends point par point ce que nous avons relevé jusqu'à présent, une impression d'inachevé me submerge.

— Mon maître disait…

— Ton maître ? Tu as un maître ? Toi !

— Jean-Jacques[4]. Il prétendait que l'art d'interroger n'est pas si facile qu'on pense. Il faut avoir déjà beaucoup appris pour savoir demander ce qu'on ne sait pas.

— Il m'ôte les mots de la bouche. Rabouine doit être envoyé rue des Mathurins. Qu'il consulte le voisinage et fasse parler les domestiques. Il faut découvrir les dessous cachés et ce qu'on s'évertue à nous celer. Nous verrons l'exécuteur testamentaire et les invités…

— Le marquis de Ranreuil les connaît-il ?

— Le comte de Besenval, je l'ai croisé plusieurs fois chez la reine. Il fait partie de la petite bande de Trianon. Proche de Choiseul, il fut naguère inspecteur général des Suisses et des Grisons. Fort riche au demeurant. Quant à Sainte-James, il est célèbre par la *folie* fastueuse qu'il édifie au bois de Boulogne.

— Cela me revient : n'est-ce pas lui qui a fait venir de Fontainebleau des pierres titanesques par des charrois de quarante chevaux ?

— Si fait. Le roi, quand on l'évoque devant lui, l'appelle *l'homme au rocher*.

La servante déposa sur le guéridon le plat de matelote tout fumant. Ils s'empressèrent d'y faire honneur et pour un temps le silence prévalut.

— J'adore les bardes de lard grillé qui croustillent et préparent au moelleux des abats.

— Et ces épices et cet arrière-goût de marinade qui relèvent ce que le plat pourrait avoir de fade.

Ramponeau surgit, l'air inquiet.

— Alors, cette matelote ? Elle convient à messeigneurs ?

— C'est d'anthologie, laissa échapper Nicolas non sans arrière-pensées.

— Dante ? Au logis ? Quès aco ? J'connais point ce particulier-là. S'aviserait-il de faire la matelote mieux que Ramponeau ?

— Point du tout, Maître Jean. Je signifie par là que la vôtre mériterait de paraître en bonne place dans un de ces manuels de cuisine qui se multiplient et rassemblent les meilleures recettes du temps.

— Ah ! J'aimions mieux cela ! À la bonne santé, messieurs. Je vous fais porter sur mon compte un petit vin de ma vigne sur le mont des Martyrs, vous en clabauderez de bonheur ! Quant aux *cloupiaux* que vous allez croquer, j'les garantis plumés ce matin même de ma main. C'est dire !

Il s'éloigna bougonnant, *Dante au logis, a-t-on idée* !

— Tu te paies sa tête, dit Bourdeau.

— Je parfais juste son éducation. Pour revenir à notre affaire. Pléthore de suspects et de points obscurs. Ces plis qui ont disparu. Tu as observé que je ne m'en suis pas enquis dans les interrogatoires.

— Tu ne voulais pas donner l'éveil.

— D'autant plus que les précautions prises par M. de Chamberlin indiquaient qu'il soupçonnait des menées. Lesquelles ?

— Il ne mesurait pas sa confiance à l'exécuteur testamentaire pour ne le point changer dans son deuxième testament. Pourquoi tous ces plis dispersés ?

Nicolas paraissait méditer. On apporta les mauviettes et le vin annoncé. D'enthousiasme ils se jetèrent sur les volatiles.

— Attention, dit Nicolas amusé de la voracité de Bourdeau qui les croquait à belles dents, Semacgus m'a souvent conseillé de prendre garde aux petits os de ces oiseaux. Ils se brisent en esquilles comme ceux du conin[5] et risquent de se ficher dans les intestins. Il les répute plus dangereux que les arêtes.

— Oh ! J'ai presque toutes mes dents et je veille à bien mâcher.

— Pourquoi s'emparer de plis sur la tablette de la cheminée et ne pas dissimuler le piège du baldaquin en replaçant le cordon à son attache habituelle ? Hein ! Peux-tu me le dire ?

— Tu veux suggérer que celui, ou celle, qui a dérobé les plis, ignorait que la mort de M. de Chamberlin était machinée ?

— C'est une première hypothèse.

— Tu en as une autre ?

— Réfléchis. Rétablir le cordon c'est confirmer, prouver même que le voleur de plis est aussi l'assassin. Or la mort a été découverte au petit matin, donc le coupable, pour les plis, ne peut être qu'un membre de la famille ou du domestique. Là, un doute subsiste car on a pu faire le même raisonnement pour mieux fausser la piste. Je tourne en rond. Enfin, j'en reviens encore au cœur d'un mystère encore plus épais.

— Pour le coup, je ne forlonge plus, tes brisées disparaissent !

— L'échelle, ou plutôt l'absence d'échelle...

— Et la bille aussi ?

— Aussi, mais peut-être accessoire. Mais l'échelle, l'échelle... Dans ce bel hôtel, ton avis sur la hauteur des plafonds ?

— Je dirais quelques toises[6] ... trois, ou un peu plus.

— Tu vois juste. Et l'attache de la sonnette ?

— Un peu moins, deux toises et demie sous la corniche.

— Inaccessible donc sans échelle ?

Bourdeau se frappa la tête.

— Tu as raison. Je n'y avais pas songé. Alors, si le voleur de plis n'a pas été en mesure d'effacer les traces de la machination, c'est qu'il ne disposait pas, ou plus, des moyens de s'élever à hauteur de le faire.

— Ou qu'il n'en était pas l'auteur. Or il a bien fallu mettre en place ce piège diabolique. Qui, quand, comment ? Nous avons surgi sur un terrain que chacun avait piétiné. Le valet qui découvre le corps de son maître, les cris, les appels, l'éveil des autres, les domestiques affolés qui se croisent, les maîtres qui accourent dans la chambre. On se précipite vers le lit, pas tous.

— Pas tous ?

— L'un, plus attentif que les autres, parcourt la pièce du regard, remarque les deux plis et discrètement s'en empare. Est-ce l'assassin ? Rien ne le prouve. Nous arrivons plusieurs heures après. Gévigland a-t-il tout observé ? Sa vigilance a pu être trompée, mais je ne le crois pas. C'est au moment du constat de l'accident et de la mort de M. de Chamberlin que s'est effectué le vol des papiers. Et nous voici face à un trompe-l'œil d'illusions. La réalité se manifeste drapée d'oripeaux de théâtre. Elle nous abuse et ses apparences nous tiennent lieu de vérités.

— Et la bille ?

— Oh ! La bille... Cette agate a pu rouler... Mais elle a pu aussi être égarée après être tombée de la poche du petit-neveu. Que faisait-il sous le lit ? A-t-il surpris quelque chose ? Il m'a semblé bien effrayé lors de notre entretien avec sa mère. L'as-tu bien observé quand la bille lui fut tendue ?

— Je considérais son étrange mère.

— Moi, je l'ai bien regardé. Plusieurs expressions ont passé dans son regard : surprise, crainte et volonté de résister à toute velléité de réaction et, surtout, de ne pas faire le geste de reprendre son bien.

— Et de cela tu déduis ?

— Juste un petit mouvement de l'enfant lors de la découverte du corps de son grand-oncle. Imagine : le tumulte est grand. Sa chambre est sans doute proche. Il s'éveille, s'habille à la hâte. Il se glisse parmi les adultes groupés autour du lit. Tous les regards sont fixés sur l'enchevêtrement du ciel de lit tombé. Qui alors le remarque ? Qui peut se douter qu'il va s'emparer des plis ?

— Le fait-il, si ton idée correspond à la vérité, parce qu'on le lui a demandé ?

— Dans la conjoncture que l'on sait, plutôt de son propre chef. La boule a heurté un bord mais sans pourtant atteindre l'autre…

Il demeurait pensif sous le regard inquiet de Bourdeau.

— Pour revenir à la bille, dit ce dernier, il y a une autre possibilité.

— Je t'écoute.

— S'il n'a pas repris son bien avec simplicité, c'est qu'il sait où tu l'as retrouvée et qu'il ne veut pas avouer avoir été sous le lit de M. de Chamberlin. Une attitude que Tiburce nous a révélée. Sans doute a-t-il assisté à un entretien et entendu ce qu'il n'aurait pas dû entendre. N'est-ce pas plausible ?

— Nous aurons du pain sur la planche demain. Une nouvelle visite s'impose rue des Mathurins, d'autant que nous n'avons pas interrogé le fils aîné et les domestiques.

— Je connais ta préférence sur la question. Il n'est pas mauvais de laisser planer le doute et la crainte. Ces gens vont s'agiter entre eux…

Ramponeau revint les entêter. Ils durent subir son amphigouri, puis il tint à diable à leur faire goûter un marc de sa façon, distillé de ses vins. La nuit était tombée et le faubourg avait retrouvé son calme. Çà et là, des groupes d'ivrognes titubant beuglaient à la lune. Bourdeau, qui habitait au faubourg Saint-Marcel, déposa Nicolas rue Montmartre.

La porte cochère franchie, Nicolas perçut le bruit léger d'une galopade. Une ombre surgit de l'obscurité de la cour, deux pattes s'appuyèrent sur ses épaules et une langue râpeuse lui balaya le visage.

— Allons Pluton, oui, oui, bonne bête… Allez ! Couché !

Il lui flattait le col et le chien gémissait et bavait de plaisir.

De l'écurie provenaient des hennissements joyeux et des bruits de sabots. Sémillante, finalement acquise par Nicolas, et le cheval de Noblecourt manifestaient ensemble leur présence, saluant tout à la fois Nicolas et rappelant à eux leur compagnon. Pluton, récupéré naguère sanglant au *Grand Commun*[7], avait acquis ses grandes entrées chez l'ancien procureur. Cette amicale liaison était tolérée par Mouchette, qui avait conclu une paix sans condition avec le mâtin. Il fallait les voir reposer ensemble pour comprendre que les clauses n'avaient pas été trop rudes. Une pensée serra le cœur de Nicolas. Le pauvre Cyrus, au bout de son âge, les avait quittés l'hiver dernier. On l'avait enterré au bout du jardin ; un rosier en marquait l'emplacement. Son exceptionnelle longévité avait laissé espérer qu'il échapperait encore un peu à la loi commune. Comme tout son entourage, le vieux magistrat en avait éprouvé un vif chagrin. Mais la gentillesse pataude de Pluton, sans faire oublier Cyrus, s'était peu à peu imposée. Mouchette et lui se relayaient avec équanimité auprès de Noblecourt et de Nicolas.

Il constata que Catherine, Marion et Poitevin avaient rejoint leurs couches. Il avait dû en imposer à la cuisinière alsacienne, qui prenait de l'âge elle aussi, afin qu'elle ne l'attendît point chaque soir. Elle s'y était résignée en regimbant pour ne pas déplaire à son idole. Elle ne tenait pas toujours parole, trouvant souvent un prétexte plausible pour justifier sa veille. Marion avait quant à elle atteint un palier. Elle paraissait immuable, gardant toute sa tête, et ne laissant sa place à personne pour une dernière *patte* à une sauce. Lors des grands dîners, elle s'asseyait à l'office, surveillant étroitement les opérations ; rien ne lui échappait.

Quant à M. de Noblecourt, Nicolas le trouvait au mieux de sa forme. Les soins dont il était entouré, les exercices quotidiens recommandés par Tronchin, son médecin, son régime surveillé par Semacgus, les flots de sauge consommés, la diversité de ses occupations où dominaient la lecture et la musique et surtout la présence du commissaire le maintenaient en joie. Les accès de goutte dont il était coutumier s'espaçaient. Il en éprouvait un regain et un goût renouvelé des curiosités et des nouvelles de la cour et de la ville, friandises qui lui revenaient par mille canaux. Ainsi jouissait-il d'une santé d'autant plus soutenue que son âme ironique était plus réfléchie et égale. Deux coups de canne impérieux résonnèrent au plafond de l'office. Nicolas sourit, son vieil ami, moins dur d'oreille qu'il ne le feignait parfois quand un fâcheux l'agaçait, l'avait entendu rentrer et réclamait sa présence.

Il trouva le vieux procureur plongé dans la lecture d'un ouvrage in-quarto posé sur l'écritoire rabattue devant son grand fauteuil. Le modèle dessiné par Semacgus, soucieux d'éviter les douleurs que suscitait le soutien de grands livres, avait été menuisé sur mesures par un ébéniste du faubourg Saint-Antoine. Mouchette, espiègle, patrouillait sur le ventre du lecteur. Il en repoussait machinalement la queue qui oscillait devant son visage. La scène était charmante et Nicolas la contempla un moment avant de manifester sa présence d'une toux discrète.

— Ah ! Vous voilà, mon ami. Je craignais que vous n'ayez pas entendu les trois coups.

— Deux seulement.

— C'est que, le premier, je me le suis donné sur le pied.

— Constat heureux ! Point de goutte donc !

— Taisez-vous, malheureux, la nommer c'est l'appeler.

— Je vous vois l'air concentré sur un passionnant ouvrage ?

— Oh ! Un essai pour un vieillard comme je le suis.

— Tirez ! Tirez ! Je relève un œil moqueur et la mine gaillarde d'un jeune homme.

— Si vous le dites ! De fait, je lis l'*Essai sur les probabilités de la durée de la vie humaine, d'où l'on déduit la manière de calculer les rentes viagères, tant simples qu'en tontines*. Par Antoine Deparcieux. Enfin… il est mort il y a une douzaine d'années.

— Et l'intérêt de tout cela ?

— Facile à vous d'en juger ainsi, jeune homme ! Très grand ! Considérable ! Surtout pour un vieillard. Ce génie a imaginé des tables qui montrent comment une rente viagère doit croître si, au lieu de recevoir la rente à la fin de chaque année, le rentier la laisse comme un fonds afin d'avoir une augmentation proportionnée à l'âge où il parvient. Le génie, je le répète, de ce mathématicien, interrogé par les traitants, les financiers et les hommes de loi ayant à évaluer des rentes viagères, a été de calculer la durée de la vie humaine selon le sexe et le métier. Il a aussi dressé de prodigieuses tables de mortalité, utilisant pour le faire les techniques d'équations nécessaires. Et de quelles sources s'est-il servi pour ce travail ? Hein, le savez-vous ?

— Ma langue à Mouchette.

— Fi ! L'ignorant. Certes les investigations dans les paroisses et… le croiriez-vous ? Ah ! Ah ! Des mouvements de la population de Paris suivis par les commissaires de police.

— J'en suis très fier. Et quel profit en tirez-vous ?

— Énorme ! Et double, mon cher Nicolas. Cet écrit me confirme que l'argent n'est que la représentation d'un bonheur en puissance qui ne devient réel que pour ceux qui ont appris l'art d'en faire bon usage. Et encore qu'à moi, Noblecourt, procureur retiré, il promet l'espoir d'une longévité pour ainsi dire garantie !

— Voilà une heureuse prophétie qui remplira d'aise vos amis.

— Vous me supporterez encore longtemps, car je m'en irai très lentement, goutte à goutte.

L'ambigu, renouvelé souvent dans la maison, faisait toujours son effet et secoua de rire Nicolas sous le regard satisfait de Noblecourt.

— Et dans ce tableau, quel sort réserve-t-on aux commissaires ? *En vous est mon espoir, mon bien, ma quiétude...*

— Aux affaires ordinaires ? La même que celui des procureurs. Aux affaires extraordinaires ? Le tableau ne le précise pas.

— Ce petit nombre d'élus me désespère.

— Ne jetez point les armes, devenez procureur ! Vous bénéficierez du privilège.

Le vieux magistrat frappa de ses mains les accoudoirs de son fauteuil.

— Pour le reste je crains que dans l'état actuel des choses il ne soit impossible de fournir aux dépenses que la guerre exige sans recours à des formes peu ordinaires et à des emprunts. Ces engagements causent de grands maux dont l'État – et je ne parle pas de nos rentes sur l'Hôtel de Ville – risque de se ressentir longtemps par les dettes qu'il a contractées. Une paix rapide ne manquerait pas d'éviter de charger le peuple d'impôts et de laisser M. Necker suivre ses plans d'économies, les seuls susceptibles de remettre à plat nos affaires.

La voix grondante était si véhémente de conviction que Mouchette, indignée, s'enfuit en crachant sa réprobation.

— Cela dit, mon cher, *quid novi* ? Votre journée a été longue, ce me semble ?

Nicolas rapporta tout d'abord les événements survenus au cimetière des Innocents et la remarquable excitation du peuple.

— Rien n'est plus fâcheux et dangereux qu'un coup de sang de nos Parisiens, repartit Noblecourt. Il me revient avoir assisté jadis, à l'entrée de Saint-Eustache, à l'arrestation d'un escroc, un certain Mareschal, s'il m'en souvient, se prétendant chevalier et capitaine de cavalerie. Je devrais plutôt dire à la tentative d'arrestation... Cet homme insulta le commissaire et l'inspecteur qui l'accompagnait avec la dernière impertinence, les abreuvant d'injures avec foule de *F...* et de *B...* Il ajouta que M. de Sartine se mêlait de ce qui ne le regardait point et n'avait que faire de mettre le nez dans ses papiers. Il sortit alors un couteau, cria *au vol !* et *au meurtre !* Une grande multitude de gens menaçants s'ameuta à un point tel que votre confrère crut devoir ordonner qu'on se retirât sans avoir rien tenté contre l'imposteur.

— Oh ! La foule est un animal versatile que le moindre souffle retourne. Une parole emporte l'autre. Un mouvement chasse l'autre. En un instant on passe de la fureur à l'allégresse. Il reste qu'entre ces deux états de terribles violences peuvent s'échapper. Et rien n'est plus entraînant que ces moments-là. Le choix est rude pour celui qui s'y veut opposer. Recours à la force ou sincérité de la parole ? Déjà sous le feu roi, lors de la guerre des farines, le pire a été frôlé.

— Allons, rien n'est perdu. Voyez comme ce peuple incertain a manifesté aujourd'hui, pour le Magistrat et pour Sa Majesté, une révérence peu ménagée dès qu'une voix, la vôtre, s'est fait entendre avec sa sincérité et raison.

— J'en ai certes éprouvé l'effet singulier, mais il suffit de quelques mauvaises figures, comme celles entrevues ce matin, pour souffler sur les braises d'un désespoir légitime.

— L'horreur des événements à l'origine de cette émotion ne pouvait déclencher que d'impérieuses passions poussées à leur point d'incandescence. Ces pauvres gens n'avaient que leurs cris, leur corps hurlait la détresse de leur âme, pour clamer leur terreur et réclamer de l'aide.

Il médita un moment.

— Nous vivons, quoi qu'on dise, sous un gouvernement paternel. Les enfants ne sont pas toujours conduits par la raison. Du haut de mon âge, je pressens le mouvement du siècle qui ne fait que s'accélérer... Je m'interroge. Peut-on et doit-on maintenir le peuple dans cet état d'enfance ? Ne serait-il pas préférable de lui procurer les outils de la raison et de l'éducation ? Pour l'instant il semble encore écouter. Pour combien de temps encore ? La rigueur n'est pas de mise, elle perpétue l'injustice. Il faut arrêter le mal avant qu'il éclate et calmer les désordres avant qu'ils ne se manifestent. Le jour où le peuple ne craint plus le pouvoir, ou ne l'entend plus, c'est qu'il en espère un autre.

— Mon Dieu ! s'écria Nicolas stupéfait. Je ne vous imaginais pas si avant dans un discours qui fait écho à celui de notre bon Bourdeau. Partagez-vous ses rêveries ? J'ai rencontré un homme ce matin, un ami de Restif. Il m'a tenu d'étranges propos utopiques qui ne démentaient pas les vôtres.

— Je suis trop fol ou trop sage et trouve mieux mon compte à ne point m'engager, réservant mes objurgations aux quatre coins de cette chambre. Aimerais-je voir cela ? Mieux vaudrait peut-être y échapper... Mais vous qui êtes jeune, songez à ne pas vous placer en remorque de l'esprit du temps. Bourdeau est du peuple bien plus que vous ne croyez en être. Il sent les choses. Écoutez-le, même s'il s'exprime avec une âcreté qu'une prime blessure n'a cessé d'irriter. Et ne vous effrayez pas de ses propos. Au Palais-Royal, sous l'arbre de Cracovie[8], vous en entendriez bien d'autres, et encore plus pointues !

Il agitait un doigt sentencieux que Mouchette, revenue de son effroi, considérait, circonspecte, sa petite tête penchée. Du coup elle sauta sur les genoux de Nicolas, se dressant amoureusement pour lui heurter le menton.

— Bourdeau est une sorte de Cassandre à qui on ne prête pas suffisamment attention. Le pied dans le terreau populaire, il pressent les choses. Le siècle file et prend le mors aux dents. Mais les cadavres des Innocents n'ont pas occupé toute votre journée ? Que s'est-il donc passé d'autre ?

Le récit fut long et circonstancié. M. de Noblecourt écoutait, fermait les yeux, les ouvrait derechef. Au bout du compte, Nicolas allait se retirer sur la pointe des pieds quand la voix forte et claire du procureur l'arrêta, inquiétant à nouveau la chatte qui se mit à gronder sourdement.

— Paix, ma mignonne ! Récit brillant, vivant, orné de portraits au burin. Rien ne manque, mais qu'en dire ? Je reprends sans les discuter vos diverses hypothèses. M. de Chamberlin avait jadis la réputation de faire et de défaire certaines positions. Réputé acrimonieux, pointilleux à l'excès, sachant mieux qu'un autre trouver la perle ou le crapaud dans le fatras des états et des chiffres. La prévarication, le détournement et la fraude, rien n'échappait à sa sagacité. Reste que cet acharnement ne lui a pas procuré que des amis. Des bruits ont couru sur ce parangon de vertu. Placements incongrus, troubles transactions, mélange redoutable d'effets privés et de papiers publics… On a même murmuré, que dis-je soutenu, qu'il avait joué sur des fonds anglais contre l'honneur et le salut du royaume dans des conditions équivoques.

— Voilà qui est furieusement éclairant. Puis-je solliciter votre si précise mémoire sur M. de Sainte-James ?

— Notre ami La Borde vous en parlerait plus savamment que moi ! Je crois pourtant savoir que l'homme est intrigant à bien des égards. D'abord son nom véritable qui est Sainte-Gemmes, autrefois Vaudésir, d'une terre acquise sur les bords de la Loire. Son père était trésorier général des colonies. Son fils lui succède dans cette charge à laquelle il faut ajouter la Marine, il y a une dizaine d'années. Les deux fonctions ont été depuis disjointes.

— Il conserve la Marine ?

— Certes, et beaucoup d'autres choses en marge… On lui en prête en quantité… Commerce maritime, investissements dans des fabriques, plantations aux Antilles, que sais-je encore ?

— Sans parler de la *folie* du bois de Boulogne.

— Vous ignorez sans doute l'arrière-foyer de ce théâtre-là ? L'homme n'est satisfait de rien. Il est plus aisé de s'enrichir que de faire oublier la manière par laquelle on y est parvenu. Il aspire à tout va à une reconnaissance que ne justifie aucune de ses aptitudes. Et pourtant il estime y avoir droit. Qu'il donne ses instructions à son architecte, il lui précise de faire ce qu'il veut *pourvu que ce soit cher*. Un ami, toujours à l'affût des moindres nouvelles de la ville et de la cour, l'un des quarante de l'Académie française…

Il se rengorgea. Le fantôme musqué du maréchal de Richelieu flotta un moment dans la chambre.

— ... m'a confié que le Crésus est l'un des gros créanciers d'Artois, frère du roi. Or Sainte-James veut rivaliser de splendeur avec le *Bagatelle* du prince. Ce dernier aurait d'ailleurs conseillé à l'architecte Bellanger, le propos a été rapporté dans tous les salons, de ruiner l'animal. Oui, vraiment il lui a dit : *Ruinez-le* !

— M. de Sainte-James aurait-il pu nouer des relations étroites avec M. de Chamberlin ?

— C'est assuré ! C'est un petit monde replié sur lui-même où chacun connaît les autres et les épie, l'œil inquisiteur. Il est exclu qu'il n'en ait pas eu. Une autre remarque me vient à l'esprit. Je trouve votre Chamberlin bien appliqué à dissimuler ses secrets. Aussi devriez-vous, selon moi, renifler deux voies parallèles, la famille et les affaires. Peut-être les deux se mêlent-elles pour vous conduire *à l'arrêt* à un seul et même *entremêlis*. Le compliqué réside dans le simple et le simple dans le compliqué. Ainsi parle le *Tao*. Avez-vous des nouvelles de votre fils ? Il me manque. Oublierait-il la rue Montmartre ?

— Il n'en est rien et il me prie de vous assurer de ses respects chaque fois que je le croise. Le Grand Écuyer le tient serré à la cour. Au vu de ses prouesses cavalières, il l'a désigné pour le service à cheval. Il est très fier dans son habit galonné d'or, veste et culotte rouge et, surtout, de ses poches *de travers*.

— De travers ?

— Qui marquent son appartenance à la *grande*, en livrée du roi.

— À quoi tiennent les joies simples !

— Je le sens piaffant. C'est un Ranreuil. L'écho des combats américains agite en lui une âme bien guerrière. Il sert aux pages depuis des années et peut espérer une sous-lieutenance, à moins que par extraordinaire, ou privilège que je ne discerne pas encore, il n'obtienne une compagnie de cavalerie et l'épée…

— Son nom, sa bonne mine, votre faveur… Mais je soupçonne que cette perspective ne vous emplit pas d'une joie sans mélange.

— L'ayant connu très tard, je me satisfais mal de voir trop vite venu le moment de m'en séparer. Encore que je sache depuis longtemps son souci de marcher sur les traces de ses pères. *Bon chien chasse de race*, comme disait le feu roi, mon maître. Pour le moment, la reine tient à l'avoir près d'elle aussi souvent que possible.

— Cette chance ne paraît guère vous réjouir.

— Sa Majesté, soit… Cela nous honore. Mais son entourage de courtisans et leur influence ne sont pas les exemples les plus appropriés que je puisse souhaiter pour former un jeune homme… Enfin, la guerre se poursuit…

— Allons, mon ami, dans la chaleur des conjonctures présentes, vous savez bien que rien n'empêchera l'inéluctable. Quand on raisonne, on doit tout appréhender, surtout les situations les plus naturelles, conséquemment les plus possibles.

Précédée par Mouchette ronronnante qui se retournait à chaque pas pour vérifier qu'il la suivait bien, Nicolas gagna ses appartements. Désormais, livres et gravures encadrées s'y accumulaient. Il éleva son bougeoir pour contempler ces dernières. Dès son enfance solitaire, ces représentations avaient nourri ses rêves d'évasion. Il les considérait jusqu'à perdre la notion du réel, y pénétrait par l'esprit. Elles devenaient le théâtre d'aventures imaginaires qui l'emportaient de longs moments. Ses vêtements tombèrent autour de lui. Sans égards il les écarta du pied comme des témoins trop attachés aux horreurs de la journée.

Nu, il contempla à nouveau les gravures. Il se revit dans son innocence et ses espérances.

Il se remit à songer à Louis. C'était un homme maintenant. Il ne pourrait le retenir quand l'appel des armes retentirait trop puissamment. Il pressentait qu'il se jetterait à la tête de ce destin qui coïncidait par trop heureusement avec ses vœux. Lui, Nicolas, avait été jadis lancé par hasard dans sa carrière de policier, sans l'avoir ni voulue ni choisie. Il évoqua la figure du marquis son père auquel Louis ressemblait tant. Il s'en étonnait alors qu'autour de lui chacun signalait à quel point le jeune homme faisait penser au commissaire. Certains gestes rappelaient M. de Ranreuil, mais c'étaient ceux-là mêmes qu'il avait transmis à son fils. Une idée soudain le poigna : ceux que nous avons aimés et qui sont disparus demeurent présents par des attitudes qui se transmettent de génération en génération. Leur mémoire demeure dans les gestes des vivants. Louis obéirait à son destin et il l'appuierait autant qu'il le pourrait, quelles que soient ses craintes.

Couché, il ne trouva pas le sommeil ; trop de pensées diverses se bousculaient dans son esprit. Les images violentes se succédaient qu'il ne parvenait pas à écarter. Il se remémorait les propos de M. de Noblecourt, qui de plus en plus avait le don de le surprendre. Sa curiosité d'esprit paraissait croître avec l'âge. Non seulement il continuait à se délecter de la sagesse des talapoins mise à la mode par les missionnaires jésuites en Chine, mais il en tirait une philosophie toute personnelle. Il suivait en cela l'esprit du temps qui d'Holbach à Voltaire avait encensé Confucius. Il semblait pourtant à Nicolas que certains idéaux ressassés par le vieux magistrat, par ailleurs fort attaché aux habitudes et aux formes du passé tant en musique qu'en cuisine, empruntaient des voies nouvelles et contradictoires. Il y décelait une autre influence et cherchait à déterminer ce qu'elle pouvait être. Certaines constatations lui revenaient en mémoire. Parfois Noblecourt disparaissait des soirées entières. Il demeurait muet sur ces absences tout autant que Poitevin qui le conduisait dans sa voiture à ces rendez-vous mystérieux.

À bien y réfléchir, il lui apparut vraisemblable que son vieil ami pût appartenir à l'une de ces loges de maçons qui se multipliaient. Dans tous les ordres de la société beaucoup d'esprits éclairés, et non des moindres, participaient à leurs travaux. M. de Sartine était réputé investi d'une dignité dans l'un de ces cercles de réflexion. Aucun doute ne subsistait quant à l'appartenance de M. de La Borde et même de sa femme à l'une des obédiences parisiennes. Le fermier général avait même tenu une réunion de loge en Provence, à l'occasion de la foire de Beaucaire. Son ancienne maîtresse, la Guimard, avait été initiée dans l'Ordre des Chevaliers et Nymphes de la Rose, société licencieuse créée par un proche du duc de Chartres, lui-même grand maître du Grand Orient. Il est vrai que les rapports de police révélaient que cette société sans rapport avec la maçonnerie avait pour seul but d'organiser les débauches du prince. Restait qu'il suffisait de mettre bout à bout certains propos tenus par Noblecourt sur l'éducation, les abus du temps ou l'économie pour relier des thèmes communs au *Tao* et aux sociétés de maçons.

Poursuivant sa réflexion, Nicolas mesurait sa chance d'avoir approché tant d'hommes de qualité et de savoir : le chanoine Le Floch, dont la connaissance étendue des Écritures fondait la bonté et charité ; le marquis de Ranreuil, avide des connaissances et des progrès du siècle, le feu roi dont seuls ses proches savaient les curiosités en botanique et en chimie, Semacgus et Samson auxquels aucun secret des corps n'échappait, La Borde, géographe, musicien et poète, le roi enfin, si féru de mécanique, d'horlogerie, de géographie et de sciences navales, *navigateur immobile* dans son cabinet des combles de Versailles. Tous lui avaient donné l'exemple de la curiosité et du savoir.

Il s'inquiéta soudain et avec cette pratique de l'examen de conscience acquise à Guérande et chez les Jésuites de Vannes, s'interrogea sur ce que lui avaient dit et répété Mercier, cet étrange promeneur, Bourdeau et surtout Noblecourt. Cette réflexion recoupait en la prolongeant la méditation qui l'avait saisi au sortir du cimetière des Innocents. Arc-bouté sur le service du roi, était-il sourd et aveugle aux rumeurs et mouvements du siècle ? Un taillis d'ajoncs et de genêts en fleurs, un vieux chêne ou un vol de sauvagines sur des eaux dormantes lui faisaient trop facilement oublier les malheurs du monde. Une petite voix en lui s'insurgea et plaida le contraire : il voyait bien les choses, sans réfléchir pour autant aux recettes efficaces susceptibles de remédier à leur désordre. Le pouvoir et la puissance ne le fascinaient que dans la mesure où ils fondaient les fidélités à une action inscrite dans la durée et à laquelle chaque génération apportait son ardeur. Même si une partie de lui-même pouvait souhaiter que le temps devînt immobile, il connaissait la vanité de cette tentation. Il se promit d'ouvrir les yeux et sur cette pensée s'endormit.

Mercredi 7 juin 1780

Au terme d'une bonne nuit sans rêves, en tout cas aucun dont il se souvînt, il se leva frais et dispos. Sept heures sonnaient au clocher voisin de Saint-

Eustache. Le soleil entrait à flots dans sa chambre, levant une gaze de particules en suspension. Les moineaux nichés sur la corniche de la fenêtre pépiaient avec entrain. Dédaignant le confort de son cabinet de toilette, il s'enveloppa d'un drap, gagna l'office et passa en courant devant Catherine qui tisonnait le potager et alla bruyamment s'asperger d'eau froide à la pompe de la cour. Pluton, que l'exercice plongeait dans une allègre folie, bondissait autour de lui, essayant de mordre les jets d'eau. Nicolas revint s'asseoir à la table de l'office. En un instant la cuisinière disposa devant lui un paneton de brioches chaudes apportées de la boulangerie voisine et un pot de chocolat fumant. Taquine, elle ébouriffa ses cheveux dégouttant d'eau.

— Bon ! dit-elle. Que voilà une pelle chienlit ! Aucun égard pour mon carrelage ! Tu vas me faire le plaisir de rincer tes sales bieds !

Elle glissa sous lui une bassine d'eau. Il obéit, étouffant un rire que le faux air scandalisé de Catherine avait déclenché.

— Pardon, pardon. Je suis coupable.

— Hein ! Hein ! On essaye de me corrompre bar la zéduction. Et a-t-on idée de se brésenter ainsi drapé ? Trêve de blaisanteries, tu mériderais de basser par les baguettes.

— Les baguettes ?

— Oui, mauvais drôle ! Les zoldats alignés frappent le goupable avec les tiges de fer qui servent à bourrer leur fusil. Vlinc ! Vlanc !

Son passé de cantinière resurgissait parfois. Nicolas dévora et monta finir ses apprêts. Il était urgent qu'il allât rencontrer M. Le Noir pour lui rendre compte de ses investigations aux Porcherons. Il décida de sortir Sémillante à laquelle quelques jours d'écurie pesaient toujours et qui avait besoin de se dégourdir les jambes.

Chaque fois qu'il en avait le loisir, il l'emmenait galoper aux Champs-Élysées. La jument l'accueillit tendrement, allongeant son cou qu'elle posa sur l'épaule de Nicolas en soufflant avec affection. Une fois sellée, elle l'emporta au petit trot sous le regard admiratif d'un jeune mitron qui la régala au passage d'une croquignole, douceur dont elle raffolait.

À l'hôtel de police Nicolas jeta les rênes de sa monture au palefrenier qu'elle reconnut en hennissant. Il fut aussitôt reçu par Le Noir dont le bureau était débarrassé des amoncellements de la veille. Il paraissait pourtant écrasé de soucis et jeta un œil ennuyé sur le visiteur, qui d'évidence le dérangeait.

— Monseigneur, je viens vous informer de la situation à l'hôtel de Ravillois. La mort présumée naturelle de M. de Chamberlin s'est révélée le résultat d'une manœuvre criminelle. Une machination avérée a conduit à une fin tragique et…

— Je vous demande pardon ? En êtes-vous assuré ? dit le lieutenant général de police, son bon visage de plus en plus assombri.

— Le doute n'est pas possible, même si l'on n'a pas porté la main sur le contrôleur général.

— Que me dites-vous là ?

Nicolas lui rapporta par le menu le résultat de leurs constatations et les conclusions auxquelles ils avaient abouti. Le Noir hocha la tête, manifestement accablé par les détails présentés. Il fut cependant soulagé de découvrir que le commissaire n'avait prescrit aucune ouverture et qu'aucun suspect n'avait encore été arrêté.

— Il est trop tôt pour décider des suites à donner ; l'enquête ne fait que commencer. Bourdeau et moi allons poursuivre nos recherches. Il conviendra ensuite de saisir le lieutenant criminel.

Le Noir demeura un long moment silencieux.

— Pour le moment, abstenez-vous de prévenir quiconque. Il vous faut procéder avec la prudence la plus ménagée. Sachez demeurer en retrait de ce que votre fougue habituelle vous inspire. N'employez., après y avoir mûrement réfléchi, que les menées et moyens les plus prudents et mesurez les périls auxquels tout accomplissement peut mener.

Nicolas s'interrogea sur les raisons cachées de ce galimatias.

— À dire vrai, monseigneur, j'entends assez mal le sens de votre discours. Dois-je enquêter sans le faire et aboutir sans conclure ?

— Je veux dire, reprit Le Noir, agacé, qui tambourinait des doigts sur son cuir, ne jouez pas les *Candide* et que cet accomplissement, celui de votre devoir et celui de la loi, soit obtenu par les voies les plus discrètes et les plus convenables sans mettre en cause les réputations privées et le renom public. Le sage est éclairé sur ce qu'il doit faire, le prudent sur ce qu'il doit éviter

Il paraissait vain de pousser Le Noir dans ses retranchements. Les propos, que Bourdeau eût qualifiés de *molinistes*, cherchaient d'évidence à dissimuler une gêne et un souci qui ne devaient pas lui appartenir en propre et pouvaient lui avoir été imposés. Depuis trop longtemps dans le sérail du pouvoir, Nicolas devinait ce qu'il en était. Il en éprouva une rancœur amère. Était-ce désormais la fortune, la position dans la société et leur influence qui dictaient et imposaient les voies de la police et de la justice ? Cette idée lui levait le cœur, comme l'odeur des vernis trop frais de l'hôtel de Ravillois.

Le silence s'installa qui sembla interminable, surtout venant d'un homme réputé pour sa parole abondante.

— Monsieur, dit Nicolas soucieux de relancer le propos, les documents rassemblés ont-ils apporté quelque lumière au sujet des affaires que continuait à traiter le contrôleur général de la Marine ?

— Je l'ignore.

— Qui les doit examiner ?

Il songea soudain que sa première question était incongrue : l'examen des papiers exigeait sans doute des délais raisonnables.

— Ce n'est pas mon affaire. Je vous sais gré d'avoir exécuté mes instructions et de m'avoir fait tenir ces papiers, mais ils ne sont plus en ma possession.

— Eh ! Mon Dieu ! Où sont-ils donc ?

— Je vous le répète : je l'ignore, ou plutôt je le sais trop bien. Je suis comme vous, monsieur le commissaire, j'apprends à découvrir chaque jour le peu de licence qui me reste. J'éprouve la mesure de mon insignifiance comme celle de mon incertitude. Vous m'adressez une pile de documents, soit. Je les reçois. Sans que je sache qui les a informés se trouver en ma possession, une troupe de sbires silencieux, porteurs d'un ordre péremptoire, m'engagent à leur remettre ce dépôt et, si je ne l'ai déjà fait, de ne le point consulter. Qu'auriez-vous voulu que je fisse ? J'ai obtempéré, en maugréant de ces mauvaises manières. À part moi, je me disais que le magistrat que je suis ne pesait pas lourd dans ce royaume puisqu'on le traite en commis de la grande poste ! Oh ! Certes ce n'est pas la première fois que de tels coups de caveçon me sont infligés, mais pour le coup je les trouve étrangement abusifs et cinglants et si je n'écoutais que ma rage première, je...

Ce *quos ego*[9] inquiéta Nicolas d'autant plus que le visage du lieutenant général prenait une teinte pourpre. Il s'était dressé à demi, haletant et les yeux troubles. Frisait-il le coup de sang ? Le commissaire courut chercher un verre d'eau qu'il tendit à son chef en lui desserrant d'autorité la batiste de sa cravate.

— Monseigneur, il faut se calmer et peut-être appeler votre médecin.

— Merci, je vais mieux...

Il reprenait son souffle.

— ... J'ai tort de me monter ainsi, mais cette éruption, peu fréquente chez moi, se justifie... Enfin, oubliez les paroles d'emportement qui m'ont échappé dans ma colère... Tant d'ouverture et pourtant de duplicité... Je n'y peux croire...

Nicolas eut l'impression qu'il se parlait à lui-même.

— ... Tout cela me fait prononcer plus de paroles que je n'en penserais de sang-froid. Bref, autant battre la mer : *C'est Neptune en courroux qui gour-mande les flots.* Taisons nos réflexions et calmons une humeur pleine de dépit... On peut obéir sans être obéissant... Les sentiments ne se prescrivent pas... Suis-je un baudet qu'on force à avancer ?

Jamais Nicolas n'avait vu M. Le Noir saisi d'une telle irritation, lui toujours si placide. Leur première rencontre peut-être ?

— Tout cela m'accable...

Il reprit ses lamentations. Fallait-il que l'injure fût grave ! Les phrases entrecoupées de reprises de respi-ration s'enchaînaient les unes aux autres. Sans doute convenait-il de le laisser vider son sac, cela calmerait l'excès de bile accumulée.

— Allons, monseigneur, il ne sert à rien de se mettre martel en tête. Ce qui est fait est fait, considé-rez le présent l'âme sereine.

Il regretta aussitôt ce conseil qui ranima l'irritation qui tendait à s'apaiser.

— Ah, oui ! Vraiment ? Oublions le passé. Voilà un beau conseil, monsieur Le Floch. Oui, un beau conseil en vérité ! Oublions, et répétons le mot comme un *lamento* d'opéra. Quoi ! Des années de soumission et d'obéissance aveugle. Et selon vous, combien de couleuvres avalées ? Faut-il qu'il m'en veuille d'occuper ce siège qu'il a eu tant de mal à quitter, que dis-je, qu'il n'a jamais cessé d'occuper ! Il ne cesse d'intervenir à tout propos, prolongeant dans sa charge actuelle les habitudes de la précédente.

Nicolas soupçonna aussitôt le responsable de l'état de M. Le Noir.

— Je devine soudain beaucoup de choses et je comprends votre dépit. Il faut tâcher de modérer un déportement si contraire à votre santé. Vous savez le goût du secret, et il faut bien le dire, la prétention de M. de Sartine de tout apprendre avant chacun. Ne soupçonnez pas d'autres motifs à cette méchante manière, que ceux chargés de l'exécution ont dû outrer à l'ordinaire.

— Hum !

— Ce qui compte et subsiste est au-dessus de cette péripétie. Considérez un lien qu'aucun événement, même votre fâcheuse situation après la guerre des farines, n'a pu distendre ni compromettre, qu'aucun vent mauvais de la cour ou de la ville n'a jamais rompu. Le ministre a une telle confiance en vous qu'il ne soupçonne même pas les tourments qu'il lui arrive de vous infliger. Il agit ainsi avec tous ses amis. Je puis vous en conter de belles là-dessus, ayant été maintes fois la triste victime de ce travers. Et d'ailleurs vous n'ignorez point qu'il tire souvent sur la corde de la fidélité pour mieux s'assurer de sa solidité, sans égard pour les dégâts qu'il suscite.

— Cela est furieusement vrai !

— Il faut le comprendre, placé où il est, aux confluents tourmentés de courants contraires, accablé de critiques incessantes et de calomnies répétées, soucieux nuit et jour de la fortune de notre Marine, en guerre sur tant de fronts divers. Suppose-t-il dans l'affaire qui nous occupe, et plus précisément dans les papiers de M. de Chamberlin, un point capital intéressant la sûreté du royaume et l'honneur de Sa Majesté ? En bons serviteurs du roi, l'incertitude nous gouverne et nous n'y pouvons rien !

Au fur et à mesure que se déployait l'habile casuistique de Nicolas, M. Le Noir se rassérénait. Il eut un soupir tremblé comme si on lui ôtait un poids pesant sur la poitrine. Il secoua la tête.

— Quel avocat vous faites ! Tout cela, croyez bien que je me le suis dit et répété. Merci de me le rappeler. M. de Sartine est bien rude avec ses amis. Ainsi le chagrin peut parfois l'emporter... Il reste que dans cette affaire il s'est conduit fort mal et, n'écouterais-je que...

— Ne l'écoutez point. Chacun vous aime et lui le premier.

Nicolas quitta Le Noir avec la satisfaction d'avoir adouci son ressentiment. L'accablement de cet homme de bien, l'un des plus anciens fidèles de Sartine, ne l'étonnait pas. Pour l'avoir souvent éprouvée, il connaissait la brutalité coutumière de son ancien chef. Elle survenait toujours dans les moments difficiles, faisant resurgir des traits d'un caractère impatient et péremptoire. Alors aucun obstacle ne l'arrêtait, il faisait fi des susceptibilités personnelles qu'il bousculait sans scrupule. Le monde, disait-il, était plein de ces fausses entraves qu'il dédaignait. Pour être juste, Nicolas ne sous-estimait pas la montée des critiques. Le ministre constituait une cible de choix pour les cabales de tous ordres, une proie potentielle pour tous ceux que le pouvoir fascinait et qui ambitionnaient des places. C'est que son départ éventuel des conseils ne laisserait pas de frayer la voie aux plus hardis de la meute. Et ce n'était pas un Maurepas perclus et uniquement soucieux de son propre maintien qui serait de moindre recours pour un ministre, même aimé du roi, qu'il avait pourtant de longue main soutenu. Quant à la reine, sa faveur papillonnait ; elle s'était peu à peu éloignée de Sartine, pourtant réputé ami de Choiseul.

Derrière ces menées se profilait la lourde et matoise silhouette de Necker, directeur des finances, auquel sa religion interdisait de porter le titre de contrôleur général. Son souci d'économies et de réformes l'érigeait en principal adversaire de Sartine à qui la Marine en guerre demandait toujours davantage. Ce dernier tenait désormais de la bête traquée, aveugle et dangereuse, sourde à toute autre chose que le soupçon, l'attaque ou la fuite. Malheur à qui passait par son travers !

Cependant, pourquoi les documents recueillis chez M. de Chamberlin, comme c'était souvent le cas chez ceux qui avaient occupé des fonctions d'État, avaient-ils tant d'importance pour Sartine ? Se pourrait-il que l'homme, qui pendant tant d'années avait contrôlé la Marine, détînt des secrets si lourds qu'il fallût au plus tôt s'en emparer et les mettre à l'abri ? M. de Chamberlin, il est vrai, avait tout organisé pour semer des indices intrigants. Son secret intéressait-il les affaires de l'État ou la situation familiale par rapport à ses intentions testamentaires ? Il s'interrogea. Devait-il s'en ouvrir au ministre, au risque assuré d'affronter sa colère sans pour autant obtenir rien de concret et, même, cela s'était vu, de subir toutes sortes de manœuvres pour être écarté de l'affaire ? Oh ! Cela se pratiquait d'habile façon. Soudain, d'autres questions plus urgentes les unes que les autres se bousculaient dans lesquelles le commissaire était jeté dans la presse. De longues et difficultueuses démarches le promenaient d'un bout à l'autre de Paris, usant sa patience et son temps, le détournant en astuces et développements variés de son enquête initiale.

Pour le coup, le fruit n'était pas mûr quant à risquer cela. L'affaire débutait. Il fallait aller à la tranchée avant d'attaquer la redoute, creuser au fond ce qu'on avait déjà découvert, traquer la mine adverse dans toutes les directions. Trouverait-il quelque chose ? Dans les relations entre les membres de la famille Bougard ? Dans le passé du défunt ? Dans le crible des fortunes et des intérêts ? Chez les domestiques ? Les amis et les proches ? Ailleurs ?

IV

MONSIEUR NECKER

« Ne soyez à la cour, si vous voulez y plaire,
Ni fade adulateur, ni parleur trop sincère,
Et tâchez quelquefois de répondre en normand. »

La Fontaine

Ses réflexions l'avaient mené jusqu'à la place du
Grand Châtelet où le marché battait son plein. Les
parasols effrangés aux couleurs passées protégeaient
les fruits et les légumes qu'en ce début d'été les
maraîchers des faubourgs apportaient de leurs jardins.
Mille cris émaillaient ce joyeux rassemblement de
marchands, bourgeois, domestiques, gagne-deniers,
portefaix, curieux et mendiants de tout poil. Les
appels connus se répondaient en échos stridents :
« Mon écuellée de lait caillé ! Mon beurre de
Vanvres bien frais, bien jaune ! La paire de mes *gors*
pigeons tout dodus, tout tendres ! Le chapon *pailler* !
La poule poulardeuse ! Miel fondant, miel fondu !
Mon vinaigre bon et *biau* ! Verjus de grains à faire
aillée ! Amandes vertes de Millau, du velours ! La

124

noix en coque pour six sols ! Maïs, millet, haricots, cormes[1], nèfles ! Bigarreau, mon bigarreau bien rouge ! Framboise velue, en v'là ! » Un petit attroupement s'était formé devant l'étal d'un boucher en plein air. Une altercation montait entre un bourgeois bien vêtu qui frappait le sol de sa canne et un gros homme rougeaud qui agitait un long eustache ensanglanté.

— Et moi, boucher, disait le premier, j'affirme que la longe de veau prétendument de lait n'était que viandasse malsaine de broutard élevé au son et à l'eau blanche. Et d'ailleurs vous n'avez pas le droit de vendre sur cette place ! Les ordonnances…

— Si vous goûtez point mes viandes, allez chez mes confrères. Ils vous en donneront pour votre argent, vieux grigou !

La querelle risquait de dégénérer, d'autant que des parties étrangères au débat s'y invitaient, s'empressant de prendre fait et cause pour l'un ou l'autre des protagonistes. La présence du commissaire, que chacun connaissait, fit tourner court l'algarade et l'on se dispersa en commentant l'incident. Une jolie fille, qui guettait toujours les allées et venues de Nicolas, lui tendit, l'air aguichant, une poignée de cerises qu'il reçut dans son chapeau, remerciant l'attention d'un sourire.

Sous le porche il jeta les rênes au *vas-y-dire* de service qu'il découvrit bien grandi et déjà fier jeune homme. Dans l'escalier, les scènes entrevues sur le marché lui rappelaient que ce peuple pouvait être, selon sa réputation, le plus aimable de l'univers ou le plus redoutable. Restait qu'on ne savait jamais, ou alors à contretemps, comment il allait se conduire. Versatile ? Ombrageux ? En pénétrer l'esprit était malaisé et le préjugé gâtait la tentative. Certains le méprisaient, lui supposant de l'imbécillité, d'autres fondaient d'utopiques espoirs sur sa transformation et lui réputaient, peut-être, trop de finesse. Il lui paraissait que la vérité était dans l'entre-deux et que retentissait en chaque homme le débat de tout un peuple. Il avait un jour entendu le roi en parler d'une manière qui l'avait ému. Selon Louis XVI, un souverain ne saurait rien faire de plus utile que d'inspirer à la nation une grande idée d'elle-même ; pour pallier ses divisions, il fallait que le peuple s'attachât d'orgueil à la patrie.

Il entra dans le bureau de permanence où Bourdeau, hilare, lui tendit une assiette de cerises.

— Il semble, Nicolas, que nous sommes rivaux dans les attentions de la jouvencelle !

Nicolas ne gazait à Bourdeau que ce qui alimentait sa fièvre philosophique ; il résuma donc, sans insister sur l'irritation de Le Noir, la teneur de son audience. À sa grande surprise, l'inspecteur s'employa à justifier l'intervention de Sartine. Son animosité à l'égard des gens de finances, à l'exception notoire de La Borde, l'emportait sur ce qui, dans d'autres circonstances, l'aurait conduit à d'amères considérations sur les déplorables habitudes du despotisme.

— Il y a, conclut-il, trop de secrets honteux et de combinaisons dissimulées chez ces gens d'argent qui aiguisent en permanence le soupçon. Cela dit, par où commençons-nous ?

Nicolas souhaita tempérer le débat.

— Tu parles du neveu qui est fermier général, mais M. de Chamberlin était précisément un de ces officiers de la couronne chargés de contrôler l'usage des fonds du trésor royal. Pour te répondre, nous débuterons nos recherches chez ce M. Patay, l'exécuteur du premier testament. Il paraît avoir bénéficié de la confiance et de l'amitié du testateur, si j'en juge par la nature et l'importance de ce qui lui est légué. Il serait utile de l'entendre, en particulier dans ce qu'il peut nous dire du défunt.

— Et où se tient-il, ce M. Patay ?

Nicolas consulta son petit carnet noir, puis un exemplaire de l'*Almanach royal* pour 1780.

— Rue Plâtrière, à l'angle de la rue Montmartre.

— C'est à quelques pas de chez toi, près des Filles Sainte-Agnès.

— Prends une voiture. Je mène Sémillante à l'écurie. On se retrouve dans un gros quart d'heure au coin des deux rues.

À l'hôtel de Noblecourt, Sémillante fut confiée à Poitevin. Nicolas remonta la rue Montmartre et retrouva Bourdeau au coin de la rue Plâtrière dans laquelle tout n'était que fange et tumulte. Il fit observer au commissaire que Jean-Jacques avait logé là, méditant dans les hurlements et jurons des forts des Halles et les glapissements des crieuses de vieux chapeaux. La première maison fut la bonne et une portière, pour une fois aimable – avait-elle reconnu Nicolas si populaire dans le quartier ? –, leur indiqua que le sieur Patay habitait au premier. L'escalier, d'un bel envol, sentait le ragoût et les herbes bouillies. Dans les angles salpêtrés, une insupportable odeur d'urine dominait, rappelant les temples d'abomination de certaines pièces de Versailles où les crevasses des cloisons laissaient échapper leurs abjectes puanteurs. Ils soulevèrent le marteau. Des pas traînants se firent entendre et l'huis s'ouvrit lentement, découvrant un vieil homme aussi chauve que M. de Chamberlin, qui tentait sans y parvenir d'ajuster une antique perruque. Des yeux bleus de porcelaine, un peu éteints, les fixaient avec inquiétude.

— Messieurs ?

— Monsieur Patay ?

— Je suis cet homme-là, en effet. Qui me demande ?

— Nicolas Le Floch, commissaire au Châtelet, et Pierre Bourdeau, inspecteur.

— Mon Dieu ! Qu'ai-je à faire avec d'aussi puissants personnages ?

L'ironie pimentait la feinte révérence.

— Nous serions heureux de parler avec vous de M. de Chamberlin.

— M. de Chamberlin ? interrogea-t-il d'un ton révérencieux. Et que ne vous adressez-vous à lui ? Il serait mieux à même de vous répondre. Sauf que, le connaissant de près, je l'imagine peu enchanté de votre visite.

— Monsieur, vous ignorez, je le pressens, que M. de Chamberlin est mort.

Le vieil homme chancela et Bourdeau dut le retenir d'un bras secourable.

— Mort ? Mort ! Hé ! Que dites-vous-là ? Je le savais fort déclinant, mais toujours rebondissant... Je n'aurais jamais imaginé que sa fin fût si proche.

— L'aviez-vous rencontré récemment ?

— Messieurs, entrez, je vous prie. Je dois m'asseoir.

Il les guida dans un corridor obscur où un gros matou apeuré fila entre leurs jambes.

— Le cardinal n'aime point les étrangers. Excusez-le !

Ils pénétrèrent dans une grande pièce qui donnait par deux croisées sur la rue Montmartre. Les meubles, d'un autre siècle, n'auraient pas dépareillé la chambre de M. de Chamberlin. Il les fit asseoir sur deux fauteuils de cuir de Cordoue qui perdaient leur crin. Des piles de papiers et de livres encombraient l'espace. Le vieil homme les désigna.

— À dire vrai, je poursuis mon travail, tout honoraire que je suis, comme M. de Chamberlin d'ailleurs. Bon ! Quelle nouvelle !

Il s'éclaircit la voix.

— La vieillesse est d'autant plus lourde qu'elle nous prive peu à peu de tous nos amis. Avec qui désormais évoquerai-je les souvenirs d'antan ? Il ne me reste plus qu'à m'enfoncer dans le silence. Et quand je dis amis…

Un moment les policiers respectèrent sa réflexion.

— Mais, messieurs, comment se fait-il que ce soit vous qui m'apportiez cette funeste annonce ? Y a-t-il un lien entre vos fonctions et la mort de M. de Chamberlin ?

— Je vois, monsieur, que votre esprit est demeuré fort vif ! J'ai le regret de vous dire qu'il y a apparence et soupçon que ce décès soit le triste résultat de manœuvres meurtrières dont nous sommes chargés de démêler les trames.

— Je n'en crois pas mes oreilles. Comme cela s'est-il fait ?

— Quand l'avez-vous vu pour la dernière fois ?

— Quel jour sommes-nous ?

— Mercredi, septième de juin, dit Bourdeau.

Patay compta sur ses doigts et réfléchit.

— Cela est net. Il y a tout juste une semaine.

Le chat apparut et se frotta à Nicolas, en poussant des petits cris amoureux.

— Cardinal ! Vous oubliez vos vœux. Monsieur, je suppose que vous possédez une chatte ? Notre prélat vous traite avec tant d'affection.

— C'est la vérité. Et cette dernière rencontre ?

— Il était semblable à lui-même. Un peu fatigué, certes, mais toujours dominant le sujet de cet esprit caustique dont il détenait l'original. Il critiquait le siècle sur tout et rien. En vérité, il fallait avoir commerce avec lui depuis longtemps pour déceler le fond de bonté qu'il pouvait réserver à certains… dont j'avais, je crois, l'honneur d'être… C'est pourquoi j'ose user du mot ami que je n'aurais pas osé hasarder en sa présence.

— Et selon vous, à qui réservait-il ses affections, pour dissimulées qu'elles fussent ?

Il les interrogea du regard.

— Vous connaissez sans doute sa famille ? Un ensemble bien désordonné ! Il aimait sa nièce, tout en déplorant sans relâche son peu de caractère... Il aurait souhaité qu'elle montrât plus de fermeté à l'égard d'un mari volage et dispendieux. Surtout, il adorait Charles, son petit-neveu. L'enfant est la tête de Turc de sa grand-mère qui le houspille sans cesse, de son aîné qui le bouscule et de son père qui ne lui marque qu'indifférence et éloignement. Et il y avait Tiburce aussi...

— Des raisons pour justifier cette curieuse conduite à l'égard du cadet ?

— Il est un peu contrefait et chétif, une gêne à la hanche. Pourtant je le juge délicat et intelligent. M. de Chamberlin en jugeait ainsi, ne cessant de s'étonner de sa maturité et de sa curiosité. Cet enfant passait une partie de son temps dans la chambre de son grand-oncle. Reste... Non, rien. Une impression...

— Êtes-vous informé du contenu du testament de votre ami ?

— Oh ! Ami ? Vous savez ce qu'il faut en penser. Bien qu'à peine plus jeune que lui, il m'avait fait l'honneur et la confiance de me désigner comme son exécuteur testamentaire. Pour le détail de la chose, je l'ignorais et ne m'en souciais guère.

— En espériez-vous quelque chose ?

— Point du tout ! Je n'ai pas de famille et peu de besoins. C'est sans doute pourquoi il m'avait choisi.

— A-t-il depuis évoqué avec vous ce testament ?

— Rien pendant des années. Toutefois il est exact que, la semaine passée, il a évoqué sa volonté d'en modifier la teneur. Pour la première fois, j'ai appris que sa nièce devait hériter de sa fortune, mais...

— Mais ?

— ... que, las de la faiblesse de celle-ci, il penchait pour tout laisser à son petit-neveu.

— Cela changeait-il quelque chose ?

— Mais tout ! Dans le premier cas, M. de Ravillois se saisirait aussi de la gestion de l'héritage de sa femme comme il l'avait fait pour celui des beaux-parents. Dans le second cas, M. de Chamberlin prenait les précautions nécessaires pour que ce legs soit protégé des convoitises du Ravillois aussi longtemps que la majorité de Charles ne l'aurait pas mis en état d'en jouir et d'en user directement.

— Voilà qui est du dernier intéressant. Monsieur, encore un mot. Vous seul pouvez répondre à ma question en raison de votre longue présence aux côtés de M. de Chamberlin. Détenait-il des secrets, j'entends par là des documents mettant en cause des tiers et qui auraient pu expliquer son assassinat ?

— Monsieur le commissaire, que me demandez-vous là ? Un contrôleur général de la Marine, des secrets ? Il les voit défiler comme grenadiers à la parade ! Il en a tant passé que nous les examinions pour les mieux oublier aussitôt. Il demeure que M. de Chamberlin conservait par-devers lui certains documents qu'il ne me montrait pas.

— Il les dissimulait ?

— Un jour il a tapoté un petit papier devant moi, disant tout en ricanements qu'il s'agissait d'une assurance pour l'avenir. Que puis-je vous dire de plus ? Ne m'interrogez pas davantage sur la nature de ce document, je ne saurais vous répondre.

Pourquoi Nicolas avait-il la certitude du contraire ? Il laissa se prolonger un silence qu'à tout le moins une reprise du propos devrait bien finir par rompre.

— Toutefois, reprit Patay l'air mystérieux, connaissant bien les habitudes du contrôleur général, je vais vous donner un conseil dont vous serez bien avisé de faire votre profit. Ne vous fiez en rien aux apparences de ce qu'il a pu laisser et que vous ne comprendriez pas. Sa causticité de caractère se mêlait dans un mélange dissonant à une alacrité moqueuse qui pouvait lui faire user de bouffonneries de foire. Il pouvait être artificieux et je le crains capable, hélas, de… Mais je m'entends. Je n'en ai que trop dit. Bien habile qui pourrait me traverser sur ce point. Sachez pour conclusion qu'il savait tracer sa route par astuce, à des fins qu'il dissimulait avec soin.

— Nous avons trouvé une bille d'agate sous son lit…

— Soit Charles l'a perdue, répondit-il vivement, soit M. de Chamberlin l'a volontairement placée là. Que vous dire de plus ? Mais, au fait, comment est-il mort ?

Il était temps qu'il posât la question.

— D'un accident de bois de lit, dit Bourdeau, lui expliquant la chose.

— Curieux, très curieux ! La dernière fois que je l'ai vu, il se plaignait d'être constamment dérangé par d'étranges craquements qu'il mettait au compte du bois trop vert utilisé dans ce bâtiment neuf.

Au passage dans le corridor, l'un des objets posés sur une petite commode attira soudain l'attention du commissaire.

— Monsieur Patay, vous avez là un bien joli petit vase.

L'intéressé se retourna et suivit le regard de Nicolas.

— Oh ! Un vase ? Non, un céladon chinois fort précieux. Ce porte-pinceaux en forme de bambou orné de feuilles est un présent de M. de Chamberlin.

Une de ces rares attentions qui me persuadent qu'il éprouvait pour moi un peu d'amitié.

Il saisit l'objet qu'il éleva comme un ciboire, avec une sorte de jubilation rentrée.

— C'est l'un des deux exemplaires d'une paire que, d'ordinaire, on ne sépare jamais car c'est lui ôter toute valeur... Il avait conservé l'autre dont il usait pour ses plumes. Il avait cœur à dire qu'un présent devait être une séparation douloureuse pour avoir du prix. Me pressant d'emporter le vase, il m'avait marmonné, lui si avare de sentiments : *Quand je verrai l'un, je songerai à vous et vous, pour l'autre, peut-être aussi...* Rien de plus, mais c'était beaucoup. Ce fut d'ailleurs un prétexte de querelle avec M. de Ravillois qui soutenait que ces deux paires relevaient de l'héritage de sa femme.

— Vous avez dit deux paires ?

— Oui, car il y en avait une autre dont les montures de bronze doré sont différentes, d'un autre style. Elle flanquait sur son bureau celui, désormais unique, où Tiburce plaçait les plumes.

— Et celui-ci, quand vous l'avait-il donné ?

— Il y a quelques mois, après le déménagement rue des Mathurins, aux Porcherons.

— Vous affirmez, remarqua Bourdeau, que l'autre paire est toujours sur le bureau ?

— Elle s'y trouvait la dernière fois que j'ai vu le contrôleur général. Il était obsédé de symétrie. Tout devait toujours aller par trois. Est-ce pour cela qu'il m'a offert ce porte-pinceaux ?

— Un homme de strictes habitudes. Vous semble-t-il possible que M. de Chamberlin eût pu tolérer que les livres de sa bibliothèque demeurassent en désordre ?

— Impossible, monsieur le commissaire, impossible ! Il n'y supportait aucun dérangement. Parfois il se plaignait que son petit-neveu n'ait pas toujours à ce sujet les égards indispensables pour ses vieux compagnons.

Lorsqu'ils se retrouvèrent rue Montmartre, ils demeurèrent un moment sans parler à digérer tout ce qu'ils venaient d'entendre.

— Ma foi, dit Bourdeau. Cela se résume en une phrase. Un vieil homme atrabilaire, détenteur de secrets, haï par une partie de sa famille et qui aimait la symétrie.

— Voilà qui est bien dit ! Il y a aussi un désordre de livres inexpliqué et il nous manque deux vases.

— Voilà qui est parler vrai. Il nous faudra les retrouver. Nous n'avons pas remarqué cela hier. Que sont-ils devenus ?

— Sans doute enlevés comme les papiers qui se trouvaient sur la cheminée. Pourtant point de traces sur le bureau. Les avait-on effacées ?

— Tu as examiné le théâtre comme moi. Nous avions noté l'absence de poussière. Attention ! Prends garde !

Une voiture les frôla au grand galop. Au passage, le cocher lança une injure en faisant claquer son fouet.

— Encore un de ces écraseurs à armoiries timbrées ! s'exclama Bourdeau, pâle de fureur.

— Allons Pierre, comme si tu n'y étais pas accoutumé ! Nos rues sont périlleuses et les équipages des plus arrogants. Soudain j'y songe… Mais oui ! Si nous n'avons pas trouvé de traces des deux vases sur la cheminée c'est sans doute qu'ils servaient à maintenir les deux documents volés. Des presse-papiers en quelque sorte ! Ainsi seules les empreintes de ces derniers demeuraient visibles. C'est l'évidence.

134

— Tu as raison. Mais qui les a dérobés ? S'agit-il de la même personne que pour les papiers ?

Ils avançaient avec prudence, réfugiés le long des maisons de la rue Montmartre. Nicolas consulta sa montre.

— Il faudra y réfléchir. Trouvons vite une voiture. Nous allons faire visite à M. de Besenval. Peut-être en apprendrons-nous davantage de ce témoin. Il était présent au souper de la rue des Mathurins.

D'un cri Bourdeau arrêta un berlingot[2] en maraude. Ils s'y installèrent.

— Rue de Grenelle, à l'ancien hôtel Chanac de Pompadour[3], et au plus vite.

— On s'y efforcera, monsieur, si l'embarras n'est point trop grand pour traverser la rivière.

— J'admire ta science, dit Bourdeau. Tu as toutes les adresses en tête ?

— Peuh ! C'est notoire ! Besenval est célèbre pour avoir acquis cet hôtel où il a bâti et rebâti pour pouvoir installer sa collection de tableaux. M. de La Borde m'en a souvent parlé. Notre Patay s'est retenu sur Tiburce, au point de s'en mordre les lèvres. Étrange !

La traversée du Pont-au-Change fut laborieuse, mais une fois sur la rive opposée le parcours fut plus aisé. À l'hôtel de Besenval, un laquais en livrée et perruque poudrée les accueillit avec une politesse glacée. On les fit attendre un long moment. Ils furent enfin conduits dans un salon de compagnie où un homme de haute taille, portant beau, accoudé à une cheminée de marbre brèche, les regarda entrer sans un mouvement. La pièce meublée de bergères et de fauteuils surprenait par ses murailles revêtues du sol au plafond de dizaines de tableaux richement encadrés que Nicolas, amateur à sa façon, jugea appartenir aux écoles flamande, italienne et française. L'hôte s'inclina avec courtoisie.

— Monsieur le marquis, je suis heureux de vous revoir. Je croise souvent chez la reine *le petit Ranreuil*, le second. Je vous en fais mon compliment. Comme vous-même d'ailleurs, il me fait souvenir de votre père. Belle lignée !

Nicolas s'inclina et présenta Bourdeau. Le baron s'installa dans une bergère, lissa son justaucorps grenat et sa culotte de satin gris, et les invita à s'asseoir.

— M. de La Borde, notre ami commun, m'a souvent conté vos mérites et vos glorieuses aventures… sur terre et sur mer. L'art nous a rapprochés. Il nourrit pour vous une véritable dévotion qui vous honore tous les deux. Quel est l'objet de votre visite ? Connaissant vos talents, je présume qu'elle a un lien avec eux.

Nicolas exposa les raisons de leur venue.

— Vous êtes, conclut-il, l'un des invités de ce souper et, si vous en êtes d'accord, j'aimerais solliciter votre mémoire sur le déroulement de la soirée.

— Comme il vous plaira.

— Rien d'inhabituel ne vous a frappé durant ce souper ?

Le baron se mit à rire.

— Chère peu remarquable, vins médiocres et maîtresse de maison silencieuse et fermée. Il est vrai que je suis bavard et que je conversai avec le maître de maison. Vous connaissez ma passion…

Il fit un geste circulaire, embrassant les peintures et les objets du salon.

— Cette famille possède de remarquables exemplaires de porcelaines venus de l'Orient lointain, en particulier des céladons, des « peau de pêche », des « sang de bœuf », ces pièces qu'étudie notre ami La Borde. Il y a longtemps que nous sommes en négociation, M. de Ravillois et moi. Nous en discutions et M. de Sainte-James, lui aussi présent, amoureux des belles choses ou…

Il eut un petit rire.

— … de celles qui sont les plus dispendieuses, ajoutait parfois son grain de sel au débat.

— Rien de particulier, donc ? Personne n'est sorti de table, par exemple ?

— Non… Je suis parfois distrait. Au fait, vous avez raison, le jeune Ravillois, peu aimable et l'air sournois… mais je m'égare. Ce garçon a quitté la table à la demande de son père qui souhaitait qu'il allât chercher une paire de porte-pinceaux du plus beau céladon. Leur forme de bambous est originale.

— Pourriez-vous me préciser, autant que faire se peut, l'heure approximative de cette sortie de table ?

— Je dirais que le souper était achevé. Après dix heures et avant minuit. Nous nous sommes perdus dans une longue conversation sur les chinoiseries. Je ne peux guère en conscience être plus exact.

— Absence de peu de durée, je suppose ?

— En effet, quelques minutes. Le jeune homme est revenu avec un seul vase.

— N'était-ce point d'une paire qu'il s'agissait ?

— Certes ! Et comprenez d'une vraie paire, deux objets qui s'opposent en symétrie ! Il a indiqué qu'il avait préféré n'en prendre qu'un, de peur de les briser, et cela d'autant plus que l'autre contenait des plumes. En outre, les objets étant dans la chambre de son grand-oncle, celui-ci, indisposé, dormait ; il craignait de le réveiller.

— Vous n'en avez pas été contrarié ?

— Une paire est une paire. Nous n'en étions pas encore à conclure, car j'avais cru discerner que cette vente posait problème. M. de Ravillois m'avait confié qu'une contestation l'opposait à son oncle par alliance sur la propriété de ces objets qu'il disait appartenir à sa femme et dont il se prétendait autorisé par elle à disposer.

— Mme de Ravillois n'est point intervenue ?

— Quelques paroles de politesse et un silence assombri. Il y a dans cette demeure des querelles mal dissimulées et des différends évidents.

— Reprendrez-vous bouche avec votre hôte au sujet de cette négociation ?

Il eut un petit rire ironique.

— Après tout ce que vous m'avez conté, je l'ignore. Je pense que l'affaire suivra son cours et sera conclue si Ravillois n'abuse pas du goût qu'il me connaît pour les céladons et pour lequel je consentirais à bien des folies.

— S'il en est ainsi, monsieur le baron, puissiez-vous avoir l'obligeance de m'en faire avertir.

— Cela sera fait selon votre désir et, puisque je vous tiens, sachez que la reine demande souvent de vos nouvelles et regrette, je la cite, *que le cavalier de Compiègne se fasse si rare à Trianon*. C'est là, vous le savez, qu'elle rassemble sa petite cour de fidèles.

— Je vous remercie de vous faire le bienveillant messager des vœux de Sa Majesté. Ceux-ci sont des ordres. En ces temps de guerre, il est vrai que je me fais rare et ne parais à Versailles que lorsque le service du roi m'y appelle.

Le baron de Besenval se leva et Nicolas fut frappé de l'allure militaire du personnage qui n'était pas sans lui rappeler la prestance de son père, le marquis de Ranreuil.

Ils décidèrent de rentrer au Grand Châtelet. Tout en guettant une voiture, ils firent le bilan de leur dernière rencontre.

— La moisson n'est pas négligeable. Pierre, qu'as-tu relevé de cette conversation ?

— Trois choses. Le jeune homme s'est absenté à une heure où possiblement son grand-oncle était déjà mort. Aurait-il toléré qu'on prît ces vases ? Et note que le moment correspond à l'heure approximative fixée par M. de Gévigland pour le décès.

— Cela sous-entend-il qu'il savait que son grand-oncle était mort ? Dans ce cas, pourquoi ? Il n'est pas exclu qu'il crût le vieil homme vraiment endormi.

— De deux. Mais comment n'aurait-il pas remarqué la courtine effondrée ?

— L'obscurité, peut-être ?

— Et de trois, le jeune Ravillois évoque une paire dont l'un des exemplaires contenait des plumes. Or M. Patay nous a montré qu'il possédait le pendant manquant. Est-ce une erreur ? De fait, il nous manque toujours un vase.

— Deux, tu veux dire !

— Comment deux ?

Certes ! À y bien réfléchir. Considère une paire, un porte-pinceaux retrouvé sur le bureau et l'autre chez Patay.

— Soit.

— La seconde paire, où se trouve-t-elle ? Le vase présenté par le fils, qu'est-il devenu ? Et celui qui faisait pendant et trio en symétrie sur le bureau, l'a-t-on découvert ? Je dis bien : deux vases manquent à l'appel. Mettre la main dessus devrait faire un pas important à l'enquête.

— Dans cette attente, ces disparitions complètent des mystères auxquels je n'entends rien.

Ils finirent par arrêter un fiacre. Nicolas paraissait rêveur et s'accoigna à son habitude.

— Tu connais ce puits, dit-il soudain, rue de la Grande Truanderie ? Depuis qu'une malheureuse en mal d'amour s'y est précipitée, les amoureux y font serment d'éternelle fidélité. Aimée, un jour, a voulu m'y conduire.

— Et alors ? demanda Bourdeau, surpris et toujours discret en ces matières.

— Je l'en ai dissuadée. Il y eut là motif à querelle. C'était un caprice de petite fille... Non je n'avais pas envie de jurer. Non... ce n'est point ce que tu penses... pas cela. Mais, vois-tu, plus les années passent et davantage la différence se creuse... Je ne la veux ni contraindre, ni engager... Elle demeure toujours pour moi l'apparition du bois de Fausses-Reposes. Elle a toujours dix-huit ans, mais moi j'en ai quarante désormais.

— Allons ! Que ne l'épouses-tu pas ? Louis est grand maintenant, c'est un homme.

— Elle ne l'entend pas ainsi, au grand désespoir de l'amiral d'Arranet, son père. La famille n'a pas de survivants, il n'a pas de fils. Il tiendrait à cœur que je relève le nom en épousant Aimée.

— Beau nom, pardi, répondit Bourdeau avec un rien d'ironie. Marquis de Ranreuil d'Arranet ! Et donc ?

— Elle a son caractère et se veut libre. Et moi...

— Hé ! Comment est-on libre quand on est fille d'honneur de Madame Élisabeth, sœur du roi ?

— Elle est comme chacun d'entre nous... Aux prises avec ses contradictions. *Il faut souffrir qu'elle jase à son aise.*

— Tu ne t'agites pas vraiment à faire un choix. Antoinette, n'est-ce pas ?

Nicolas ne répondit pas. Que signifiait ce soudain serrement de cœur qui parfois l'oppressait en pensant à Aimée ? Son visage, son corps, hantaient ses nuits avec cette impression répétée de la sentir s'échapper. Un bel oiseau qui prenait son envol alors que lui demeurait retenu sur le sol, s'évertuant lourdement. Certes la tolérance et la liberté avaient toujours présidé à leur relation. Ils étaient fidèles en esprit, sinon de corps. Pourtant il craignait de la perdre. Il se mêlait à cette hantise autre chose qu'il refusait d'admettre, qu'il chassait même de sa conscience, cette jalousie qui jadis avait fait de sa liaison avec Mme de Lastérieux un enfer quotidien. La souffrance le taraudait qui, par une intuition dont il déplorait la perspicacité, lui faisait pressentir qu'elle était dans les bras d'un autre. Que lui même, emporté par une sensualité indulgente, se laissât aller à quelques écarts vagabonds ne lui apparaissait pourtant que véniel et il s'en absolvait aisément. La liberté d'Aimée, que son père avait pour d'autres raisons dénoncée dès l'abord, et qui se manifestait encore plus avec Nicolas, allait de pair avec l'amour d'un homme, son aîné, chez qui elle trouvait une protection assurée et, sans doute, une fragilité qui émouvait sa tendresse et ses sens. Combien de fois avait-il été sur le point de mettre un terme à cet amour torturé qu'il ne savait pas subir simplement. Il l'imaginait s'étiolant et aussitôt il renaissait plus ardent. Il croyait qu'une fois ce lien rompu, la paix en lui reviendrait. Le visage d'Antoinette apparaissait alors nimbé de douceur et de la nostalgie d'un temps plus insouciant.

Au Grand Châtelet un message les attendait. Nicolas devait se présenter au plus vite à M. Necker, en charge du trésor public. Aucun autre éclaircissement n'accompagnait cette convocation de la main même de M. Le Noir. Le commissaire n'avait approché que de loin le banquier suisse. Il abandonna donc Bourdeau sous le porche de la vieille prison et ordonna au cocher de le conduire rue Neuve-des-Petits-Champs à l'hôtel de Lionne-Pontchartrain.

Son entrée dans l'antichambre du ministre ne passa pas inaperçue de la foule des solliciteurs qui, placets à la main, espéraient une audience. Son nom chuchoté à l'huissier poussa le scandale à son comble. Il fut aussitôt dirigé vers une seconde salle déserte où il ne demeura qu'un instant, l'homme étant revenu à la suite le chercher.

M. Necker, debout derrière son bureau, l'accueillit avec une expression plus bonasse que bienveillante. Il parut à Nicolas grand et lourd avec un visage à la physionomie singulière qu'accentuait sa coiffure composée d'un toupet fort relevé et de deux grosses boucles dressées vers le haut. Il semblait qu'une gravité concentrée cherchât à en imposer, impression que redoublait un port de tête peu naturel qui se haussait comme pour prendre de la hauteur et dominer. Tout cela ne tenait pas de l'insolence polie d'un ministre homme de cour, mais plutôt d'une certaine morgue ministérielle. Il invita le visiteur à s'asseoir et le contempla un moment avec un sourire satisfait qui faisait ressortir la dissymétrie d'une bouche comme creusée sur le côté gauche sur de mauvaises dents.

— Monsieur, il me plaît de constater que vous avez répondu avec tant de célérité à la demande que le lieutenant général de police a dû vous transmettre.

— Je m'en serais voulu, monsieur le directeur, de vous faire attendre et, prévenu, je suis accouru sans désemparer.

— Il me faut vous préciser que ce n'est pas moi qui ai eu l'idée de cette rencontre, mais M. de Maurepas. Nous conférions avec Sa Majesté…

La tête se dressa, retendant les plis du cou.

— … quand votre nom a surgi… Bref, je dois à la vérité de dire à votre honneur que le roi a approuvé au bond le recours qu'on suggérait.

— Le recours, monsieur ?

— Depuis quand servez-vous aux enquêtes extra-ordinaires ?

— Depuis 1760, et sous trois lieutenants généraux.

— Longue expérience que la vôtre ! Cela justifie la confiance de M. de Maurepas. Et de surcroît, j'ai cru comprendre que vous aviez conquis l'approbation de son épouse ?

Le ton était amer, à la limite de l'aigreur.

— ... Ce qui, vous en conviendrez, n'est pas des plus aisés !

— Un coup de fusil royal y a aidé naguère.

— Vraiment ?

Il épousseta l'une de ses manches.

— Oui. Petite négociation après que le chat préféré de Mme de Maurepas eut été, par mégarde, *escopetté*.

— Ah, ça ! *Escopetté !* Je vois. Revenons à mon souci. De la police, de la justice et des prisons, rien ne vous est étranger ?

— Je possède en effet l'expérience de toutes ces années sur les mondes que vous avez cités.

— Fort bien ! Vous êtes notre homme. Sa Majesté s'intéresse à la justice qu'on rend en son nom. Cela fait honneur à son humanité. En particulier elle s'inquiète que des hommes, soupçonnés à tort et reconnus ensuite innocents, puissent subir d'avance des punitions rigoureuses dans les lieux malsains que vous connaissez. Elle souhaite aussi que l'État prenne à sa charge le logement, la nourriture et l'habillement des prisonniers sans recours. Elle entend, enfin, que soit améliorée la situation des prisons, en procurant à ceux qui y sont enfermés la propreté et l'air néces-saire à leur existence.

— Il y a là beaucoup à faire et du plus méritoire. Mais cela prendra du temps. Pour ne pas citer le Châ-telet, que je connais bien et sur lequel il y aurait beaucoup à dire, j'ai naguère approché Bicêtre. C'est, monsieur, sachez-le, un monde horrible. Prenez le pain par exemple, un médecin de mes amis y a constaté qu'il était noir et grossier comme de l'argile. Et l'écuelle de bouillon servie aux prisonniers ? Elle ressemblait moins à une décoction animale qu'à l'eau servant à nettoyer les marmites ! Les jours maigres, la viande est supprimée et un rien de beurre, rance comme du vieux lard, y est substitué. Qu'on ne s'étonne donc pas que des révoltes y éclatent, qui se soldèrent en 1771 par une vingtaine de morts.

— Nous y voilà exactement. Sa Majesté entend qu'à la lumière de votre expérience vous lui présentiez un rapport suggérant les réformes nécessaires. Mais de celles-ci découle un autre point qui m'est cher.

Le ministre croisa les mains, ferma les yeux, médita un moment avant de reprendre son propos.

— Que vous inspire, monsieur, l'usage de la question ?

— Que c'est une curieuse manière de questionner les hommes et, pour reprendre les mots de M. de Voltaire, qu'elle apparaît comme *un moyen excellent de sauver un coupable robuste et de perdre un innocent trop faible.*

Cette réponse péremptoire fit sourire d'aise M. Necker qui dodelinait de la tête, l'air béat.

— Voilà qui est parfait.

— Reste, monsieur, qu'il ne faut pas confondre le problème de la question préparatoire avec celle de la question préalable. La première participe de l'instruction dans l'espoir de voir le suspect confesser ses crimes. La seconde s'applique uniquement aux condamnés à mort. Fréquentant depuis longtemps le Grand Châtelet, je puis et je tiens à vous dire que la première y est tombée en désuétude depuis longtemps déjà. Mais sur ce sujet, je ne puis que vous conseiller d'entendre M. Sanson, exécuteur des hautes œuvres de la vicomté et prévôté de Paris, dont les idées recoupent d'ailleurs vos vues.

— Fi ! Le vilain. Je m'en garderai bien, jeta le ministre avec un recul de tout son corps.

— Monsieur, c'est au nom du roi qu'il remplit son office. Vous seriez surpris de l'intelligence, de la douceur emplie d'humanité et des connaissances d'un homme que vous ne devineriez pas s'il vous arrivait de le croiser dans la rue.

— Vraiment, monsieur le marquis, vous en parlez comme d'un ami !

— C'est un ami dont je m'honore. Un homme qui, jeté par sa naissance dans le plus terrible des offices, recherche sans relâche les secrets du corps humain pour mieux en user et faire souffrir moins.

— Participez-vous à ces horribles expériences d'ouvertures des corps ?

— Mes fonctions m'y obligent.

— Mais… Dans quel état sont les cadavres ?

— C'est selon. Les conditions du décès et la saison gouvernent la corruption des corps.

— D'après vous, des corps peuvent-ils être conservés ? Préservés de cette épouvantable… décomposition ?

Nicolas nota l'espèce de tremblement qui agitait le ministre.

— Sans doute, par le froid et par le sel. Ou encore momifiés à la manière des anciens Égyptiens, ou embaumés comme pour nos rois. L'alcool également conserve les pièces anatomiques des cabinets de curiosités.

— Nous verrons, dit Necker avec un mouvement d'horreur réprimée, il faudra plus pour m'en convaincre.

Commentait-il les relations de Nicolas avec Sanson ou les précisions sur les cadavres[4] ?

— Ainsi nous attendrons votre rapport.

Suivit un long développement hors de propos sur
le déficit de l'État et les mesures d'économie qui
s'imposaient. Le tout tenait du prêche, sans nerf et
sans chaleur, avec des périodes trop arrondies.
L'homme parut à Nicolas assez banquier pour régir
le tout-venant des finances, mais peut-être trop pour
répondre à une ambition plus vaste. Il évoquait la
vieille administration du royaume en étranger peu
au fait de ses délicats rouages. Le flux des paroles
se tarit soudain et Nicolas pensa qu'on allait lui
donner congé, quand Necker souleva son grand
corps et alla considérer à travers la croisée la cour
du contrôle général. Il tambourinait d'une main le
carreau. Cela dura un long moment et intrigua Nicolas.

— Il m'est revenu, reprit-il en se retournant, que
vous enquêtez pour l'heure sur la mort… Comment
dire ? Douteuse, c'est cela ? Le terme vous convient-
il ? De M. de Chamberlin, contrôleur général de la
Marine ?

Nicolas ne pouvait qu'acquiescer.

— Avez-vous découvert des documents chez lui ?

— La pratique veut, en effet, que les papiers de certains officiers ayant eu à traiter des affaires du royaume
soient recueillis pour devenir archives de l'État. Ceux
de M. de Chamberlin ne devaient pas faillir à la règle
et ont été remis à M. Le Noir, lieutenant général de
police.

Necker plissa son visage en une grimace dépitée.

— Je vous remercie de me rappeler le règlement,
mais je ne doute pas, monsieur, que vous avez pris le
temps de prendre connaissance de ces documents,
avant que de les remettre à Le Noir ?

Nicolas soupira en écartant les mains comme pour dessiner le volume d'une masse considérable.

— Leur importance est telle et ma connaissance des matières traitées se réduisant à rien, mon regard sur eux fut superficiel et mon ignorance me conduisit à renoncer à pousser plus avant mon examen.

— Quelle modestie ! Ainsi vous prétendez ignorer ce qu'ils contiennent en substance ?

— Je ne le prétends pas, j'ai l'honneur de vous le confirmer. Et d'ailleurs, que devraient-ils contenir ?

— Monsieur, il ne me revient pas de vous le révéler.

— Dans ces conditions, je vous suis de peu d'utilité sur le sujet, dit Nicolas, esquissant le mouvement de se lever.

— Si fait, si fait, dit Necker, l'invitant à se rasseoir. Que sont devenus ces documents ?

— Ils sont là où je les ai fait porter.

— C'est-à-dire ?

— Chez M. Le Noir.

— Ah ! Chez Le Noir ?

— Assurément.

— Y sont-ils toujours ?

Nicolas sentit qu'on abordait là, par touches successives, des rivages dangereux. Que savait exactement le ministre ? Son attitude et ses réponses seraient désormais dictées par la prudence la plus mesurée. Sous le regard attentif qui le fixait, il réfléchissait au moyen de formuler sans mentir. Il s'agissait de paraître sincère en disant des choses inexactes.

— Ce n'est plus de mon fait et, sans doute, M. Le Noir pourrait mieux que moi y répondre.

— À qui obéissez-vous, monsieur ?

Le ton était fort peu amène. Il suffisait pour s'en convaincre d'observer les plaques rouges qui marbraient soudain le grand visage flasque.

— C'est selon, dit Nicolas, considérant le plafond avec la jubilation de quelqu'un qui sait se conduire avec la dernière impertinence. Les affaires que je traite ne sont point, comme vous le savez, ordinaires. Ainsi j'obéis au roi directement et, accessoirement, à son ministre de la Maison et à son lieutenant général de police.

Necker s'était rassis ou plutôt laissé choir de surprise dans son fauteuil. Son habit se tendit comme si l'étoffe au lieu de le revêtir servait à retenir la débâcle du corps.

— Dois-je comprendre que si j'ordonnais vous ne m'obéiriez point ?

— Il est en effet exclu, je suis au désespoir de vous le dire, que cela se déroule ainsi. J'obéirai dans l'ordre de préséance que je viens d'énumérer. Ordonnez, et si l'une des trois autorités confirme votre souhait, je serai votre serviteur.

— C'est bien ce qu'on m'avait dit…

Le propos était éloquent et marquait un dépit.

— … Ainsi, vous êtes à Sartine ? Ne protestez pas. Cela se sait. Or, parfois, il faut savoir choisir.

— Je ne suis à personne, sinon à Sa Majesté.

Un commis, l'air affairé, entra dans la pièce avec des pièces urgentes à signer. Necker marqua de l'humeur à ce dérangement, tout en consentant à se plonger dans la lecture attentive de ce qui lui était présenté. Nicolas apprécia de n'avoir point à répondre à brûle-pourpoint à une question qui ouvrait d'inquiétantes perspectives. Il était trop au fait des cabales de cour pour ignorer qui étaient les amis et les adversaires du ministre. Il lisait à livre ouvert dans les arrière-pensées de cet homme-là. Certes Necker bénéficiait du soutien des salons et bureaux d'esprit, et le peuple plaçait en lui ses espérances. À la cour il était apprécié de la reine, car il savait la circonvenir et lui céder sur ce qui n'était point essentiel. Pourtant, ce n'était pas les voix qui manquaient, acharnées à le détruire dans son esprit. Une partie de l'entourage, les Polignac en particulier, le détestait. C'est qu'il avait mis en cause, ou du moins l'avait-il tenté, car sur ce point Maurepas s'était mis par son travers, les droits de mainmorte et de mainmise que certains grands continuaient d'imposer. En revanche, il contrôlait plus étroitement le versement des pensions, indemnités, gratifications légitimes ou non et les faveurs abusives répondant au flux des sollicitations, en particulier par l'intermédiaire de la reine et de ses proches. Tous ces avantages, dont certains dispensés de la main à la main, grevaient gravement le budget. Cette tentative de contrôle insupporta aussitôt et suscita de véhémentes clameurs. Ainsi les Polignac, la favorite Mme Jules et son amant M. de Vaudreuil, sa belle-sœur la comtesse Diane, les Guines, le comte d'Adhémar et Artois, frère du roi, continuaient à exiger.

Mais, à la cour, les fronts pouvaient soudain se renverser. Necker venait d'essuyer un revers apparent. Mercy-Argenteau, ambassadeur de Marie-Thérèse, que liait à Nicolas une fidélité commune à la reine, avait pris l'habitude de lui confier ses soucis. Il n'avait pas dissimulé l'irritation de Marie-Thérèse au su des grâces pécuniaires accordées aux favoris. Ainsi la petite Mlle de Polignac venait d'être gratifiée d'un don de huit cent mille livres et le comte de Vaudreuil, amant de Mme Jules de Polignac, d'une pension de trente mille livres. En apparence Necker s'y était opposé. Maurepas, pour complaire à la reine, l'aurait contraint à capituler. Cette faveur ayant transpiré faisait sensation à la cour comme à la ville. Pour l'ambassadeur d'Autriche, il y avait soupçon que venaient de se nouer entre la société de la reine et le directeur des finances une coopération effective, une sorte de traité d'alliance sans doute provisoire. À terme, pour cette coterie, Necker deviendrait, en dépit de ses habiletés, l'homme à abattre.

Il se remémora un récent souper dans l'appartement de Thierry de Ville d'Avray. Son hôte avait inventé un grand plat dont le dessus se soulevait afin de pouvoir y disposer des braises. Cette faïence résistante permettait enfin de manger chaud et de restituer toute leur saveur aux restes fastueux de la table royale. Le premier valet de chambre avait démonté à Nicolas la stratégie de Necker. Vis-à-vis de l'Église en particulier, il avait su habilement manœuvrer. Sa réserve affichée, quoi qu'il en eût, sur un éventuel édit de tolérance à l'égard de ses coreligionnaires, lui avait valu la neutralité de l'épiscopat. Prudemment il n'avait pas dévoilé son projet secret de suppression de la dîme. On l'avait même vu en compagnie de sa femme souper avec Christophe de Beaumont, archevêque de Paris, chef du parti dévot. La chose avait été chansonnée :

C'est que Necker, le fait est très certain,
N'est pas janséniste... Il n'est que protestant.

Quant au roi, Thierry de Ville d'Avray avait révélé, en confidence, que celui-ci n'éprouvait à l'égard de Necker aucun élan spontané, semblable à celui qui le portait naguère vers Turgot. La raideur genevoise du ministre glaçait toute ouverture. En outre, le monarque supportait mal la suffisance d'un serviteur qui tirait par trop la couverture à lui alors qu'à tout moment une lettre, portée au petit matin par le ministre de la maison du roi, pouvait le rejeter dans le néant.

Necker était toujours plongé dans les papiers que le commis présentait à sa signature. Nicolas savait

150

que la question posée précédemment serait répétée et qu'un nom viendrait à surgir, celui de Sartine. C'était pour l'homme des finances une obsession de chaque jour, le principal obstacle, celui dont le département ministériel compromettait son esprit d'ordre. Son principe demeurait que le trésor n'excédât jamais dans ses engagements ses facilités et ses ressources. Il considérait le secrétaire d'État à la Marine comme un incapable, lui reprochant à la fois l'insuccès des opérations de guerre et les cent millions de dépenses extraordinaires jetés tous les ans à la mer. Il le harcelait sans cesse pour l'obliger à se tenir dans les limites des capacités financières du royaume. Pour lui, du détail obscur de l'administration de la police à celle de la Marine, jamais Sartine n'avait acquis la plus légère connaissance exigée par cette grande place. Il n'était d'aucune façon l'homme indispensable à opposer à la redoutable amirauté anglaise.

Ainsi pour Necker, il fallait abattre Sartine. Restait que celui-ci était soutenu, longtemps par la reine qui s'en était peu à peu *désentichée* et toujours par Mme de Maurepas qui l'affectionnait furieusement avec une passion de vieille femme. Or le vieux mentor ne passerait jamais sur la volonté de son épouse qui possédait toute influence sur lui. Il fallait donc, supposait Nicolas, découvrir un moyen de perdre Sartine, mais de telle nature que rien ni personne ne saurait alors entraver la marche de cette disgrâce perpétrée.

Le commis en avait achevé. Necker releva la tête. Le toupet oscillait, les yeux se fermèrent et une moue interrogative crispa la bouche.

— Alors, monsieur, je vous ai posé une question. L'auriez-vous oubliée que j'aie besoin de la répéter ?

— Mes propos précédents, si toutefois vous y avez prêté attention, y répondaient parfaitement.

La main du ministre tambourinait la marqueterie du bureau.

— Vous vous obstinez à ne pas m'entendre. Je vais par conséquent être plus clair. Votre ami le ministre de la Marine, votre protecteur, entrave par sa gestion insensée ma politique de rétablissement des finances.

Il se rengorgea, observant l'effet de cet exorde sur Nicolas.

— J'ai toutes bonnes raisons de penser que sa gestion se marque d'irrégularités. Je suis assuré que M. de Chamberlin était le mieux placé pour détenir, peut-être en l'ignorant, des pièces secrètes qui pourraient confirmer mes inquiétudes. Je suppose, monsieur, qu'en tant que magistrat vous êtes le mieux placé pour découvrir ce qu'il en est et apporter à Sa Majesté les éléments constitutifs de cette impéritie et des détournements qui s'ensuivent, que j'espère croire irresponsables plutôt que malhonnêtes. Je compte sur vous. Ma protection vous sera assurée.

Nous y voilà, songea Nicolas. Le nom est lâché et la chose dite sans excès de précautions. Il ne pouvait reprocher au ministre d'avoir gazé sa requête. Sans conteste, elle était directe et la réponse le serait aussi.

— Deux précisions, monsieur. Il y a vingt ans, M. de Sartine, à la demande du marquis de Ranreuil, mon père, m'a accueilli, aidé et formé. Je lui en ai une éternelle reconnaissance. Les affaires que depuis cette époque j'ai eues à débrouiller l'ont été d'abord sous son autorité et celle du feu duc de la Vrillière, puis de M. Le Noir et de M. Amelot.

Necker, à l'énoncé de ce dernier nom, fit une moue dubitative ; chacun connaissait le peu de poids du ministre de la maison du roi, surnommé à la cour le *tiercelet* de ministre.

— De ces nombreuses affaires intéressant les intérêts du royaume, il a toujours été fait rapport à Sa

Majesté et à son aïeul. Dans ces conditions, comprenez que ce que vous me demandez n'est pas de mon ressort. Nombreux sont ceux qui, pénétrés de ces matières que j'ignore, s'y attelleraient avec plus de profit pour vous. Vous paraissez en effet ignorer que mon rôle principal est d'assurer la sécurité de la famille royale et de parer, dans une situation de guerre, aux menées des puissances étrangères.

— Et c'est pour cela qu'on vous dépêche chez M. de Chamberlin pour détourner secrètement ses papiers. N'y a-t-il pas là anguille sous roche ?

— Il ressort de mon office d'assurer le recueil et la sauvegarde de papiers d'État. Mon intervention s'arrête là. Comme je vous l'ai dit, ces papiers ont été remis à M. Le Noir. Ce n'est plus mon affaire !

Le ministre se leva.

— Je vois bien, monsieur, que vous ne voulez rien comprendre. Je le déplore. J'espère que les événements ne vous contraindront pas, dans des conditions moins favorables, à modifier votre attitude.

Nicolas reçut ce congé sans broncher et sortit de l'hôtel du contrôle général. Le sang lui battait les tempes. En fait la fureur le soulevait, contre lui-même et contre Necker. Le premier degré de la sagesse, principe qu'il avait jusque-là presque toujours appliqué, était de contrôler ses passions et de se taire à bon escient. Or pour une raison qu'il cherchait à démêler, sans doute antipathie instinctive contre le personnage, l'humeur avait dirigé cet entretien, son attitude et ses propos. Necker soulevait en lui des sentiments qui ne l'avaient, hélas, que trop animé. Ils appartenaient à l'ordre de la déraison et alors rien n'est supporté de celui qui suscite cet éloignement. Il s'en voulait de ne s'être point tenu dans les bornes d'une réserve sage et prudente, sans froideur ni aigreur. Avait-il même été courtois ? De fait il ne s'était pas maîtrisé et tout avait laissé transparaître ce qu'il aurait dû dissimuler. Il s'était fourvoyé dans des réponses acrimonieuses, en se perdant aux yeux d'un puissant si infatué de lui-même.

La sagesse eût été de savoir se taire, de parler peu, de modérer dans le vague ses réponses et de les orner, sans fausse honte, de ces politesses de société. Il ne s'était pas suffisamment méfié de lui-même et des mouvements d'un sang orgueilleux. Son goût de la loyauté et de la fidélité, la reconnaissance vouée à Sartine en dépit des dissensions qui avaient pu parfois les séparer, expliquaient, sans le justifier, l'accueil acerbe réservé aux inacceptables propositions du ministre. À bien y réfléchir, ce qui le heurtait le plus c'était l'image que celui-ci s'était faite d'un homme comme lui, le supposant suffisamment infâme pour rédimer, par une trahison et l'espérance d'une protection, vingt ans d'absolue droiture. En vérité certains êtres ne méritaient que le silence du mépris quand ils s'oubliaient jusqu'à perdre le respect qu'ils vous devaient. La faveur du pouvoir est un charme auquel peu résistaient. Certes, il n'avait guère été habile, mais il en arrivait à la conclusion, quelles qu'en soient les conséquences, qu'il avait fait honneur à son nom, à son passé et à cette image de lui-même qui toujours avait dirigé ses actes.

Tout à sa méditation, ses pas le portèrent sans qu'il s'en rendît compte vers l'hôtel de police tout proche. Quel était l'objectif réel de l'audience de Necker ? Il lui paraissait que le but final consistait à l'inciter ou le contraindre à se transformer en acteur de la vindicte du ministre à l'égard de Sartine. Quelle que soit la rencontre fortuite entre ses propres sentiments sur les prisons et la question et ceux de son interlocuteur, tout suggérait que la conversation n'avait été qu'un leurre et que la première partie n'avait d'autre but que de dissiper sa méfiance. Le reste avait naturellement suivi, une proposition de collaboration à la traque du ministre de la Marine sur des faits que lui-même ignorait, mais dont il supposait les noirs desseins.

Et que venait-on l'amuser avec la nécessité illusoire d'un prétendu rapport ? Necker prenait-il Nicolas pour un sot, en semblant le croire peu informé de ce qui se préparait dans ce domaine ? La décision royale était prise tant pour les maisons de force que pour la question, une déclaration solennelle serait publiée dans quelques semaines à cet effet. Et d'ailleurs il suffirait au commissaire de rassembler en une rame unique tout ce que la situation des prisons lui avait depuis longtemps inspiré pour satisfaire sa soi-disant demande. Se moquait-on de lui en lui présentant comme des projets de réforme des décisions déjà engagées dont on savait déjà l'opposition sourde qu'elles suscitaient dans une administration routinière et peu portée aux changements ? Oui, n'eût été sa capacité de traverser ces faussetés, il aurait pu être dupe des propos doucereux de Necker. Le roi, si tant est que la chose eût été évoquée devant lui, avait pu être surpris par quelque argutie de langage, mais n'appréciait sans doute pas qu'on usât, qu'on mésusât, d'un de ses serviteurs. Nicolas se réjouissait déjà de lui soumettre le cas, si d'aventure l'affaire tournait mal. Il ne pouvait pourtant conserver par-devers lui une telle tentative. Et à qui se confier sinon au lieutenant général de police ?

L'accablement saisit M. Le Noir au récit que lui fit Nicolas de son entretien avec le directeur du trésor. D'énervement il leva les bras et fit faire la roue à ses superbes manchettes, manie qui faisait dire en ville qu'après le collectionneur de perruques, quatre-vingts pièces au dernier état, on avait affaire à un amateur de dentelles.

— Je supposais tout cela et étais assuré que Necker n'aurait garde d'y manquer. Il déteste Sartine et n'a de cesse de le perdre. Il a supposé que vous seriez le meilleur pion pour aller à dame ! Maintenant le ministre de la Marine vous demande. J'étais sur le point de vous faire chercher. Oh ! Cela m'est présenté de suave manière, mais si la forme est agréable, le fond n'en est pas moins net. À Versailles, sur-le-champ ! Croit-il notre candeur si grande que nous n'imaginions pas de quoi il retourne ? Faute, peut-être, d'avoir découvert ce qu'il cherche dans les documents de Ravillois, il veut interroger celui qui les a recueillis. Un côté veut que vous aidiez à perdre Sartine et l'autre que vous le sauviez. Il y a des situations plus plaisantes que de se trouver sur l'enclume, pris entre deux marteaux.

— Et puis-je déjà en trancher ? Que me veut-on de l'autre bord ? Seuls les intérêts de l'État doivent me dicter mon devoir. Vous connaissez Sartine. Il ordonnera en toute amitié, comme s'il se trouvait encore au Châtelet et moi sous la férule du commissaire Lardin ! Les années ont passé, mais lui ne change pas. Il me voit toujours jeune homme… Ma reconnaissance, ma fidélité, ma loyauté lui sont acquises.

— Vous compromettriez-vous pour le tirer d'un mauvais pas ?

— Mais oui, sans hésiter. Et il en est bien persuadé… Si c'était le cas, il ne pourrait s'agir que d'une imprudence et de rien qui soit volontairement au détriment des intérêts de l'État.

— Je vous précède dans cette voie-là. Il peut compter sur nous. Je suis moi-même menacé. On parle toujours à côté de donner l'administration de la police à quatre commissaires comptables seulement à M. Necker ! Voyez où en sont venues les choses !

Ils se regardèrent, émus de ce que leurs propos révélaient. M. Le Noir se détourna et toussa.

— L'enquête sur la mort de M. de Chamberlin va en subir le contrecoup.

— Bourdeau suivra les choses. Vous connaissez mon habitude. Il n'est pas mauvais de laisser des témoins, qui peuvent être des suspects, la famille en l'occurrence, pendant quelque temps à eux-mêmes. Il en ressort habituellement une incertitude porteuse d'angoisse qui peut mener à d'édifiantes imprudences et à de surprenants débouchés. Des faits souvent impossibles à déterrer autrement font alors quelquefois surface.

— Acceptons-en l'augure. Je m'en remets à votre expérience. Inutile de vous demander, je pense, si les dispositions ont été prises pour mettre l'hôtel de Ravillois et ses occupants sous surveillance ?

Nicolas secoua la tête en forme d'assentiment.

— Prenez une de mes voitures et conservez-la. J'espère vous revoir très vite.

Après un reposant trajet sur le chemin égal et sablé qui menait à Versailles, Nicolas ne trouva pas Sartine à l'aile des ministres ; il venait de rejoindre son bureau à l'hôtel de la Marine. Il s'y fit conduire et y trouva l'agitation des messagers et des officiers propre à un département en charge des opérations navales qui s'étendaient avec l'Angleterre. Nicolas aperçut l'amiral d'Arranet parlant à un homme en noir que Nicolas reconnut pour être l'un des membres de ce service nouvellement créé pour contrebalancer l'action des services anglais. Il attendit la fin de la conversation pour le saluer. Le visage tanné de l'amiral s'éclaira à sa vue.

— Enfin, vous voilà ! Je vois que Le Noir a réussi à faire passer la consigne. Il vous attend avec l'impatience que vous lui connaissez. Pour l'heure il reçoit.

Il appela d'un geste un jeune commis qui passait près d'eux à qui il dit quelques mots.

— Venez dans mon bureau, Nicolas, on nous préviendra quand il sera disponible.

Ils pénétrèrent dans une pièce somptueusement ornée.

— La grand'chambre est à votre goût à ce que je vois, remarqua l'amiral qui avait noté le regard admiratif du commissaire.

— Des nouvelles d'Aimée ?

— En cabotage avec Madame Élisabeth. Elles font visite à Madame Louise, sa tante, enfin Mère Marie-Thérèse de Saint-Augustin, au Carmel de Saint-Denis.

— Nous sommes bien loin de la petite fille que le feu roi surnommait « *chiffe* ». J'ai eu le privilège jadis de voir les trois princesses visitant leur père… Il débordait de tendresse et elles y répondaient de tout cœur. Savez-vous ce que me vaut cette convocation ?

— M. Le Noir en a-t-il marqué quelque déplaisir ?

— Ni plus, ni moins ; il est accoutumé depuis longtemps à ces manières cavalières.

L'amiral s'esclaffa.

— Bigre ! C'est que notre ministre ne s'arrange pas avec les soucis qui le minent. Il y a apparence qu'il a besoin de vos lumières. Son visage s'éclaire dès qu'on prononce votre nom.

— Voyez-vous cela ! dit Nicolas, railleur. Il est vrai que je suis un peu de la maison, en ayant porté l'uniforme.

— Peste ! Comme vous y allez. À Ouessant, sous le feu, avec gloire et courage ! Il ne l'oublie certes pas.

— Un ludion inconscient ! Je ne connaissais pas la chose…

— Au vrai, la fureur l'habite. Tout faux pas qu'on lui prête est mis à son débit, alimente la cabale contre lui et le met à la géhenne. Et à la cour, gare au roulis ! Quelle que soit l'amitié que Sa Majesté lui porte, rien n'est jamais assuré et la dunette est proche des bouteilles[5]. Et quel moyen de crever l'aposthume ? La haine voltige de toutes parts sans se fixer jamais.

L'amiral approcha son fauteuil et baissa le ton d'une voix que l'habitude de commandement et une dureté d'oreille avaient rendue fort haute.

— Même ceux qui refusent à Sartine le talent et l'esprit lui accordent un sens aigu du commerce des hommes. Un seul coup d'œil lui découvre le fond des âmes, nous en avons fait cent fois le constat. Un visage, une contenance, lui dévoilent un caractère, des vices, des vertus. Vous en avez connu les effets lorsqu'il était à la tête de la police. Mais parfois, et de plus en plus souvent, il se trompe et s'égare dans son jugement. Les conséquences en sont alors redoutables, surtout quand il s'agit du choix d'une personne qui lui importait le plus de connaître pour l'employer utilement.

— Serions-nous, par hasard, dans cette conjoncture ?

— Hélas, j'en dois convenir ! Et la plus mauvaise. Il avait déjà commis l'erreur de n'accorder que trop sa confiance au comte de Paradès…

— Que j'arrêtai en avril dernier et menai à la Bastille.

— … Or la même erreur vient de se renouveler. En deux mots voici l'affaire. Il y a quelques années, un négociant de Bordeaux, M. Laffon de Ladebat, arme un vaisseau destiné au commerce de l'Inde et de la Chine. Son fils fait la connaissance d'un chevalier de

Saint-Lubin, hâbleur et séduisant. L'homme avait trahi Aider Ali, notre allié, et trafiqué avec l'Anglais à Madras. Revenu en France, il est arrêté et embastillé. La guerre n'ayant pas encore éclaté avec l'Angleterre, on le relâche.

— Et qu'advient-il du personnage ?

— Les Laffon le produisent à Sartine qui s'extasie devant sa connaissance de l'Inde. Il devient l'homme nécessaire, que dis-je ? Le truchement indispensable. On le dépêche sur le vaisseau baptisé *Le Sartine* avec des quasi-lettres de créance. Le ministre emporté d'enthousiasme consent à libérer pour six cent mille livres de fusils, canons, poudre et toutes sortes de munitions, le tout destiné à alimenter l'agitation et la résistance aux Anglais des souverains indiens.

— Et qu'arriva-t-il ? J'appréhende le pire.

— Et vous n'avez pas tort. La croisière s'engagea et bientôt Saint-Lubin dévoila son vrai visage. Il refusa toute aide aux princes nos amis. Et pour cause, il les avait précédemment trompés et volés. Il fit arrêter le capitaine…

On gratta à la porte.

— Mais le ministre lui-même vous contera la suite.

V

PIÈGES

« Il aurait fallu que mon cœur eût été ferré à glace
pour se bien tenir dans un chemin si glissant. »

Furetière

Dans le grand bureau du ministre le désordre
régnait. Une caisse de bois blanc ouverte, comme
pillée, vomissait de la paille. Papiers et cartes s'entas-
saient sur les fauteuils. Des livres avaient été jetés à
terre et au milieu de tout cela, Sartine, l'habit bas,
semblait agité d'une crise qui consistait à essayer de
dégager son pied d'une longue perruque grise, tout en
feuilletant un épais in-quarto.

— Ah ! dit-il, en apercevant Nicolas. Vous tombez
à pic, mon bon. Aidez-moi, j'enrage.

Nicolas se précipita pour libérer le ministre qui
soupira d'aise.

— Voilà que nos *Insurgents*, informés sans doute
de ma passion, m'envoient une caisse de perruques
faites à Philadelphie ; cela se voit ! Tout juste bonnes
à frotter le parquet !

Il décrocha un coup de pied vindicatif à la rebelle qui voltigea jusqu'à la cheminée.

— Parlez-vous anglais ? Il me semble bien que oui. Jadis une mission à Londres, n'est-ce pas ?

— Je le parle et l'écris, ayant reçu tout jeune les leçons d'un officier de la *Navy*, prisonnier sur parole chez mon père à Ranreuil. Blessé lors de la descente anglaise dans l'estuaire de la Vilaine, il s'ennuyait ferme et s'y était de tout cœur consacré.

— Alors je requiers votre aide. Mais il me faut au préalable vous mettre au fait d'une aventure navale…

— Monseigneur, intervint d'Arranet, j'ai déjà conté les préliminaires à Nicolas. J'allais lui préciser les conditions du retour.

— Bon, cela m'évitera des redites. À l'ouverture des hostilités, réquisitionné par notre escadre, *Le Sartine* a participé aux combats de Madras. Je vous passe les détails, il est pris. Après la capitulation, le vaisseau devient ponton-prison et finit par être autorisé, il y a un an, à rentrer en France sous pavillon de cartel.

— Qui, s'empressa d'indiquer l'amiral, assure l'inviolabilité d'un bâtiment. Il faut alors arborer un grand pavillon de couleur blanche doublé au-dessous du pavillon de l'ennemi.

— Bien. Au large du Portugal, au cap Saint-Vincent, ce vaisseau qui ramenait M. de Bellecombe, gouverneur de Pondichéry, et sa famille, ainsi qu'une partie de l'état-major de la garnison, fut canonné par erreur. Enfin, nous supposons l'erreur… On confondit, semble-t-il, le pavillon blanc de cartel avec celui du roi, quoique… La bordée tua le capitaine, deux soldats et fit une douzaine de blessés. Le commissaire anglais du cartel présent à bord finit par éclaircir la situation avec ses compatriotes. Bref, *Le Sartine* fait voile sur Cadix pour réparer ses avaries et regréer.

Il bouscula les livres sur son bureau.

— *La Gazette*, voulant rendre compte de l'événement, s'appuie sur une note de l'amiral Rodney. La voici en original.

Il lui tendit un papier dont Nicolas prit rapidement connaissance.

— Je trouve la traduction qui en est faite révoltante. On parle de *distance respectueuse. Respectueuse !* J'ai demandé qu'on changeât le terme en *imposante, distance imposante.* J'exige un erratum.

— Monseigneur, je vous demande un instant.

Nicolas saisit un des livres dans lesquels il avait reconnu des dictionnaires de langue anglaise, en consulta d'autres pendant qu'à son habitude Sartine arpentait son bureau de long en large. Son impatience grandissait à la mesure du temps pris par la consultation.

— Alors, Nicolas, j'attends votre sentence.

— Permettez-moi, monseigneur, de vous exposer la question grammaticale. L'amiral anglais s'est servi de ces mots, *an awful distance.* Que signifie *awful* ? Le dictionnaire de Boyer donne à ce mot la signification de *terrible, qui donne de la crainte* ; mais si l'on ouvre le dictionnaire de Johnson, qui est à celui de Boyer ce qu'est le dictionnaire de l'Académie à celui de Richelet, on y lit qu'*awful* est dérivé du mot *awe* qui signifie *crainte respectueuse, reverential fear.* Au mot *awful* il cite une phrase de Milton, *that wich strikes with awe, or fills with reverence,* c'est-à-dire *qui annonce la crainte ou est rempli de respect.*

— Et alors ?

— Je crois qu'il faut maintenir *distance respectueuse.*

— Bon, monsieur, je vois que j'ai tort et je m'en remets à votre science. Pour l'heure, rien ne me réussit.

Le Sartine est arrivé à Marseille le 9 mai dernier[1]. Pour la suite, je confie à votre sagacité l'escroc dont l'amiral a dû vous entretenir. J'en écrirai à Le Noir. Dès qu'il reparaîtra, car son audace est telle qu'il n'hésitera pas, il le faut arrêter et incarcérer sur-le-champ à la Bastille. D'Arranet, faites ce que je vous ai demandé.

L'amiral sortit. Sartine donna encore quelques coups de pied dans la caisse, jetant un regard dédaigneux sur le reste de son contenu.

— Non mais ! Pourquoi pas à la douzaine ?

Il finit par s'asseoir, le regard longtemps perdu.

— Nicolas, la meute est sur mes brisées. Je suis aux abois. J'ignore le temps qui me reste à cette place où je m'épuise autant que possible à renforcer notre Marine. Notre joueur de gobelets suisse est persuadé que j'entrave ses projets. Puisse le royaume ne pas périr de ses remèdes ! On ne gère pas un vieux royaume comme une maison de banque. Il y a une grande différence, on le comprendra trop tard, entre un boutiquier et un homme d'État. Que n'ai-je joué ma carte à la mort du feu roi ? J'entends les épées qui cliquettent au-dessus de moi… Le moment est proche…

Il se tenait la tête. Jamais Nicolas ne l'avait vu dans un pareil état.

— À vous je peux et je dois le confier. Alors que j'étais habilité à user d'un crédit de cinq à six millions auprès du trésorier de la Marine chaque année, les événements en ont décidé autrement et je n'ai pu me tenir dans les limites permises. Que voulez-vous, tout file à vau-l'eau.

Un long silence suivit.

— Et donc ?

— J'ai haussé la somme des avances et des billets sur la place pour mon administration à vingt-quatre millions payables sous trois mois !

Nicolas eut le souffle coupé à cette révélation et frémit à l'énoncé d'une somme qui représentait quatre années de ce que le ministre avait été autorisé à dépasser.

— Cela en rajoute à une menace qui plane depuis longtemps. On peut m'abattre, mais je crois avoir fait en conscience des prodiges pour mettre la Marine sur un bon pied. Je suis au désespoir.

— Allons, monseigneur, le roi vous aime. Mme de Maurepas vous sert sans relâche auprès de son époux.

— Parlons-en ! Le duc de Croÿ, un mien ami, et le vôtre depuis l'agonie du feu roi…

Il soupira et secoua la tête comme pour chasser une image que Nicolas devina.

— Il a battu et rebattu le pavé pour moi. J'entends encore le rapport de son dernier entretien avec Maurepas. Il avait rompu la glace et parlé au plus fort. L'autre convenait de tout, mais répliquait en antienne qu'on n'avait déjà que trop donné à la Marine. Et Croÿ de répéter le caractère décisif de la guerre et d'appeler à des emprunts… Maurepas soutenait qu'ils ne seraient pas remplis et que les parlements renâcleraient. Bref, il voyait petit et faible, croyant le royaume à quia alors qu'il est riche et que c'est l'État qui manque de moyens. Son parti était pris, son plan arrêté, avec cette obstination de vieillard têtu qui ne veut plus être dérangé dans ses habitudes.

— Rien n'y a fait ?

— Rien. L'air fermé, il repartait sur les moyens qui n'existaient pas et que du temps où il avait eu la Marine, on ne lui en avait point donné. Et ainsi de suite… Au vrai, il veut être honoré, tranquille, en évitant tout ce qui pourrait attrister ses soupers ou inquiéter son sommeil. Aucun ressort, aucune énergie pour relever les âmes, ne croyant pas aux vertus héroïques, donc pénibles, et tenant l'amour du bien public pour une duperie. Mais je vous l'annonce, le jour où M. Necker troublera sa sérénité, son temps à lui s'achèvera aussitôt.

— La reine…

— C'est une affaire refroidie. Une alliée fragile, capricieuse. Désormais, de méchants mots lui échappent : *doucereux menteur*, *avocat patelin* et j'en passe des pires… Imaginez du peu…

— Des ragots de cour. Les sentines des ruelles… Il faut savoir trier.

— De bonne source, Nicolas, de bonne source. M'avez-vous vu jamais mal informé ? Et bien d'autres m'en veulent. Ma foi ! Il faut tenir le pot de chambre aux ministres tant qu'ils sont en puissance et leur renverser sur la tête sitôt que le pied commence à leur glisser ! L'amiral d'Estaing se plaint des tours que je lui jouerais. Moi, son ministre ! Croit-il donc que ses officiers l'apprécient qui dénoncent en lui un chef trop sévère ? Et quant aux équipages de son escadre, il leur a abandonné ses parts de prises. Voyez le bon apôtre ! Et pour compléter le tableau, sachez qu'il a paru à l'Opéra dans la loge du duc de Chartres – oui, du duc de Chartres – à la représentation d'*Iphigénie en Tauride* et qu'aux acclamations du public la couronne des héros lui a été accordée !

Il n'était pas dupe des dénégations de Sartine. Le retour triomphal de l'amiral après une retraite à Savannah due à un furieux ouragan avait coûté un monde prodigieux. D'Estaing à Versailles, devant se présenter à son ministre, avait dû, tout blessé qu'il fût et appuyé sur sa béquille, faire antichambre plusieurs heures dans les appartements du roi avant que Sartine ne consente, enfin, à paraître, bouder et le teint fort animé. En revanche la reine avait poussé la bonté jusqu'à avancer au héros du jour un tabouret afin d'y reposer sa jambe. Nicolas considérait le ministre. Un tel abattement était sans précédent ! Le voir ainsi, succombant presque au découragement et prêt à jeter les armes ! Soudain l'homme redressait la tête, apaisé.

— Vous êtes, me dit-on, sur une affaire touchant un contrôleur général de la Marine. Monsieur... Monsieur...

Nicolas apprécia en amateur le *dit-on* et la feinte ignorance du nom.

— Chamberlin. M. de Chamberlin.

— Le crime est-il avéré ? Des suspects ?

— En tout cas la machination qui a abouti à cette mort l'est absolument. Pour le reste c'est trop tôt.

— Vous me rendrez compte de l'état de l'enquête. Comprenez-vous ? Le caractère particulier des fonctions de la victime...

Présentée ainsi, la proposition était acceptable.

— De même me remettrez-vous tout document qui viendrait à apparaître au cours de la procédure.

Nicolas ne répondit pas. Il se réservait d'aviser. Les archives saisies aux Porcherons n'auraient-elles pas donné satisfaction ? Sartine ne parut pas remarquer son silence.

— En un mot, mon cher Nicolas, conclut-il, gracieux, puis-je compter sur vous pour m'informer sur-le-champ de tout ce qui pourrait alimenter la cabale contre moi ?

Un instant la vision du ministre rasséréné et revenu de son accablement fit naître le soupçon d'une comédie destinée à ameublir les défenses de son interlocuteur et à susciter sa pitié. Cette supposition ne fit que l'effleurer. Il ne la poussa pas outre, persuadé par l'expérience que tout était souvent mêlé chez Sartine sans que lui-même s'en aperçût. Le retour de l'amiral d'Arranet le dispensa de répondre et de trop s'engager. L'officier parla à l'oreille de Sartine.

— Voilà qu'on me gâche mon plaisir. Je vous avais réservé une surprise, et j'en suis privé... Je crois, monsieur, que Sa Majesté vous attend. Allez, et n'oubliez pas notre conversation.

Il reprit sa voiture et se fit conduire au château. Thierry l'attendait dans le salon de l'Œil-de-bœuf. Par le circuit compliqué que désormais il connaissait bien, il le conduisit jusqu'à cet appartement sous les combles, mi-bureau, mi-atelier, où le roi travaillait à ses mécaniques ou rêvait à des navigations lointaines. Le premier valet de chambre lui sembla bien mystérieux. Sans gratter il ouvrit la porte et s'effaça devant Nicolas. À chacune de ses visites, il avait l'impression que l'espace diminuait et s'emplissait d'objets nouveaux. Il remarqua sur le sol une peau d'ours d'une dimension peu commune avant qu'un spectacle inattendu ne le saisisse.

Le roi, dans le vieil habit de coutil blanc qu'il affectionnait l'été pour travailler, était presque allongé sur le plancher, penché et les lunettes au nez sur une immense feuille déployée. Agenouillé à ses côtés, un officier de Marine lui désignait des points.

— Considérez, Sire, cette grosse presqu'île baignée par le Saint-Laurent et ouverte sur la mer. Elle a un peu la forme d'une patte d'ours. Le pays, battu par la mer, est dominé de hautes montagnes. De là des guerriers de mon peuple, qui furent vos sujets, attaquent les habits rouges en Nouvelle-Angleterre.

Nicolas toussa. Le roi et l'officier se tournèrent. Le roi se releva en s'appuyant sur le bras de l'officier en qui, le cœur battant d'émotion, il reconnut Naganda[2].

Il eut un mouvement spontané vers le chef micmac que le respect arrêta, mais que le souverain, l'air paterne, encouragea.

— Embrassez notre ami, Ranreuil. Il me sert en Amérique aussi généreusement que vous-même.

Les deux hommes s'étreignirent. Naganda n'avait pas changé et l'uniforme lui seyait à merveille. Ils se continrent et écoutèrent le roi.

— Imaginez, Ranreuil, que Naganda, sachem de la Confédération micmac, non content de fournir à nos troupes et à leurs alliés de précieuses informations sur les mouvements de l'ennemi, ne cesse d'enrichir par ses rapports notre connaissance géographique de ces régions. Il est ici pour compléter ses talents dans ce domaine. Cependant, pour rendre une carte utile il faut qu'elle soit complète. Il faut respecter les triangulations et les levées géométriques. Nous lui fournirons les instruments, mais je souhaite aussi qu'on l'initie aux signes de convention, à la juste proportion des lignes, aux calculs des distances exactes d'un lieu à un autre et aux objets conséquents qui s'y trouvent impliqués.

Le roi réfléchissait.

— Dommage que Louis Le Rouge nous ait quitté. Il répétait justement que vouloir raisonner la géographie sans de bonnes cartes, c'était vouloir discuter figures sans avoir appris le dessin. Saillant vient de mourir, il y a deux mois... Du reste Paris était l'unique objet de ses études. Il reste Vaugondy, géographe de mon aïeul le roi Stanislas et par la suite de mon grand-père. C'est lui qu'il vous faut voir et les bureaux de la Marine qui se consacrent à cet art. Je crois que Sartine vous connaît. Savez-vous, Ranreuil, que Naganda m'a accompagné ce jour à la chasse ?

— Fut-elle heureuse, Votre Majesté ?

— Excellente ! Un vieux solitaire. Et de taille ! Votre ami m'a étonné, alors que ces bêtes-là n'existent pas dans les forêts du Nouveau Monde.

— C'est que le feu roi votre grand-père m'avait admis à sa vautrait et initié à bien des secrets de celle-ci.

— Et à d'autres aussi, sans doute… Enfin, le coureur des forêts s'est penché sur les traces et a décrypté les empreintes avec une intelligence et une intuition sans pareilles. Il a observé que les pinces émoussées étaient serrées, grandes et ouvertes.

— Ce qui, Sire, dit Nicolas, prouvait que ce n'était pas une laie. Et sans doute l'empreinte débordait-elle sur le côté, ce qui sous-entendait l'ancienneté de la bête noire ?

— Je reconnais bien là *le petit Ranreuil* dont mon aïeul chantait la science de la traque ! Naganda a déduit la grosseur de l'animal à la disposition des estocades qu'il avait pratiquées fort haut sur l'écorce des troncs d'arbres. La vieille bête a essayé de nous tromper. On avait deviné ses remises dans un bas-fond humide où elle se rafraîchit.

— Avez-vous déjoué ses ruses habituelles ?

— Justement, notre hôte, renchérit le roi, a décelé de faux rembuchers. Le gros a doublé sa voie et cherchait à nous tromper. Nous nous serions perdus et la chasse eût été gâchée si… Mais Naganda, contez-nous la chose.

Il faisait chaud, le roi avait tombé l'habit. Comme il paraissait heureux ! Un jeune homme parlant de ce qu'il aimait avec ses amis. Des amis, songea Nicolas, qui auraient pu être ses pères.

— Votre Majesté l'a bien observé. La bauge de la bête noire découverte, j'ai songé qu'elle usait de matoiserie, certains orignaux de chez moi le font, et qu'elle abordait sa remise en marchant à reculons. On l'a cru derrière nous, elle était devant et Sa Majesté a pu aisément la servir dans un trou d'eau.

La conversation se poursuivit sur la chasse au caribou et les pratiques des Indiens qui utilisaient des chiens à terre lancés sur les bêtes, ne quittant pas leur piste et les poussant peu à peu dans le courant de la rivière où les chasseurs en canoë les rejoignaient pour les abattre. Thierry vint avertir le roi que l'heure d'une audience approchait. Alors que Naganda et Nicolas se retiraient inclinés, Louis saisit son policier par le bras et l'entretint à voix basse.

— Ranreuil, cette affaire Chamberlin. Suivez-la avec attention et rendez-m'en compte, directement. Et puis j'ai quelque chose pour vous…

Il alla fouiller dans le fatras d'un bureau pour en extraire deux plis cachetés qu'il lui remit avec un sourire.

— Faste, monsieur, est le jour où le passé se rappelle à vous !

Avant de les placer dans sa poche, Nicolas y jeta un œil ; l'une des écritures lui sembla familière.

À leur retour dans la galerie des Glaces, un vieux gentilhomme perclus s'approchait. Naganda eut le temps d'interroger Nicolas sur le fumet fauve qui émanait du personnage dix pieds avant qu'il ne les croise.

— C'est le maréchal de Richelieu. Il abuse en tout temps des extraits de musc et d'autres essences fortes susceptibles de séduire les biches. Dans ce pays-ci, c'est le plus vieux mâle de la harde !

— Ah ! Le petit Ranreuil. Il vous suffit d'apparaître et l'on peut être assuré que des nouvelles assassines ne vont pas tarder à nous surprendre. Mais qui est ce bel officier ?

Il morgua outrageusement le pauvre Naganda incliné de respect.

— Monsieur le maréchal, je vous présente Naganda, sachem des Micmacs, et allié de la France dans cette guerre. Le feu roi l'appréciait. Monseigneur fut un grand guerrier...

— Qui s'en souvient hormis vous ? dit Richelieu, saluant. Pourquoi vivre si vieux si c'est pour être oublié ? On se moque de vous comme du mont Pagnotte[3] !

— Allons, le regret ne sied point à un homme qui a connu deux siècles, et la gloire de Mahon et de Fontenoy.

— Flatteur ! Voilà qui me vieillit d'un coup !

— Point du tout. Il apparaît que l'éminente dignité qui est la vôtre conserve les guerriers qui en sont revêtus. C'est un brevet de longévité.

— Hum ! Il reste le talon, comme pour le roi des Myrmidons. C'est par là que la goutte vous saisit.

— Il faut, monseigneur, mieux envisager la chose. Le maréchal de Biron qui a quatre-vingt-quatre ans, galope tous les matins à la fraîche comme un lieutenant. Tonnerre est né en 1688, Brissac en 1698, d'Harcourt en 1701 et Contades en 1704. Vous-même, né en 1698, fûtes marié une première fois sous le grand roi, une seconde sous le feu roi et une troisième cette année. Et, de plus, immortel comme l'un des quarante de l'Académie.

Le maréchal fut secoué d'un rire sardonique.

— Hé ! Hé ! Quand on fait le mal, tout finit par aisément s'arranger comme si les dieux y pourvoyaient, ou le diable.

— Ne l'évoquez point, il va paraître.

Passant près d'eux la mine haute et son portefeuille sous le bras, M. Necker les ignora.

— En voilà un, le bougre, s'esclaffa Richelieu, qui s'estime plus qu'il ne vaut. Savez-vous...

D'un mouvement encore vif, il s'approcha d'eux à les toucher ; ses senteurs les enveloppèrent et un peu de la poudre et de la céruse de son maquillage tomba à leurs pieds.

— Il vient de se répandre un nouveau libelle, encore plus infamant que les précédents. Maurepas l'a reçu par le courrier de Genève – il en a fait des gorges chaudes avec sa femme –, Vergennes par celui de Hollande et beaucoup d'autres de différentes villes de l'étranger et du royaume. Et moi, direz-vous ? Hé ! De tous. Mal imprimé sur du mauvais papier.

— Et quelle en est la teneur ?

— On y reproche mille choses à Necker et, surtout, d'avoir volé la Compagnie des Indes lorsqu'il était banquier. On le discrédite de mille traits. En un mot on passe toutes ses opérations en revue pour les dénigrer de la plus outrageante manière. Il tente en désespoir de cause de tarir le cours de ces pamphlets, en faisant arrêter ceux qui les colportent. Et pour tourner en ridicule l'épouse après le mari, on ne manque pas de rappeler que la dame est née Curchod. A-t-on idée de s'appeler *Culchaud* ! On prétend même qu'elle aurait eu l'infamie de se travestir pour surprendre l'un d'eux ! On imagine la scène ! Au reste, diatribe peu convaincante pour les personnes de bien. Je n'aime point le Suisse, mais à vrai dire l'injustice n'a jamais été mon arme de prédilection. Et vous, Ranreuil, quelles nouvelles ?

— Sa Majesté m'a fait appeler pour me donner le bonheur de retrouver un ami.

— Bien ! Bien ! Rien d'autre ? Vous avez bon privilège de trouver du bonheur à Versailles. De nos jours on s'y ennuie ferme, à moins d'être jeune et invité à coqueter au Trianon de la reine… Époque étrange où le roi ne dit mot à ceux qui lui font la cour. Bast ! Le temps de la représentation est par trop passé. Louis XIV possédait la mine, l'orgueil et le goût de l'étiquette et le feu roi la mine seule… Aujourd'hui… Le coucher est diantrement long. Il faut s'exténuer à entendre parler de la chasse du jour et, tout excellent que soit le fond, on ne peut que déplorer que l'extérieur, l'apparence, en un mot la majesté n'y répondent plus. Quant aux frères du roi, c'est manière de famille. On dit un mot honnête à chacun, mais chacun s'aperçoit aussitôt qu'on ne savait pas seulement qui vous êtes, ni si vous êtes au service. Là non plus, l'apparence n'est pas encourageante. Mais je radote. Le bonjour à Noblecourt, lui aussi mon contemporain bien qu'il ne soit pas maréchal.

— Il n'est que procureur.

— Ma foi, cela requiert de la résistance. Je passerai rue Montmartre lui demander un peu de conversation et vérifier son état.

Sur ce mot et après les avoir cérémonieusement salués, le duc de Richelieu virevolta, appuyé sur sa canne, et, précédé d'un effluve *sanglier*, alla glaner plus loin quelque nouvelle réjouissante ou scandaleuse.

Naganda devant se présenter au plus vite à l'hôtel de la Marine pour y rencontrer Sartine et lui remettre un paquet de dépêches, Nicolas lui proposa de l'y conduire dans sa voiture. Disposant de quelques jours libres avant de commencer ses travaux géographiques, il gagnerait Paris le lendemain. Il pourrait occuper rue Montmartre la chambre de Louis, retenu pour son service à la cour. Noblecourt serait ravi de le revoir ainsi que toute la maisonnée qui n'avait cessé de parler de lui. Un souper, prévu chez Semacgus à Vaugirard le lendemain soir, serait l'occasion rêvée pour lui de renouer avec le chirurgien de marine et M. de La Borde. Naganda nageait dans le ravissement quand ils se quittèrent.

Nicolas repartit aussitôt pour Paris, s'autorisant un bref arrêt à l'hôtel d'Arranet. Il n'y trouva que Tribord qui lui indiqua que Mademoiselle venait de passer pour se changer en *boulet de canon* et annoncer qu'elle soupait avec Madame Élisabeth chez qui elle coucherait. Elle venait de quitter Fausses-Reposes dans une voiture de cour. Nicolas reçut cette nouvelle avec un sensible déplaisir et dut se forcer à brider une imagination trop prompte à battre la campagne.

Emporté par le trot soutenu de son attelage, il se contraignit à faire le premier bilan de sa journée, en particulier de ces quelques heures à Versailles, illuminées par ses retrouvailles avec Naganda. Il ne se faisait guère d'illusions. Le recours de Sartine à ses talents de traducteur ne trompait guère, le but recherché était autre. Restait que le ministre ne l'avait pas abordé *ex abrupto* de manière à ne pas froisser les scrupules du commissaire. C'était un peu *en passant*, comme aux échecs, en marge des aventures du *Sartine* et d'une longue litanie de récriminations, qu'il avait lâché le morceau et suggéré, oh ! certes sans ordonner – ce que la pratique de son caractère aurait pu justifier – que Nicolas ait à l'informer de toute découverte dans les papiers de M. de Chamberlin pouvant intéresser le département de la Marine.

Nicolas, se remémorant la conversation, prit soudain conscience de l'énormité des aveux de Sartine et de la confiance qu'il lui accordait en révélant, secret d'État redoutable, la situation des crédits de la Marine et le piège dans lequel il s'était empêtré en autorisant une espèce de *cavalerie* les concernant. Étaient-ce des traces de ces imprudences que le ministre craignait de voir surgir dans les documents détenus par le contrôleur général disparu ? Ou des pratiques plus graves étaient-elles à l'origine de ses inquiétudes, fautes dont les preuves patentes pouvaient ressortir des papiers du contrôle ? Cela relèverait-il d'une de ces trames d'État dont l'époque était si féconde dans un temps de guerre, de secrets et de complots politiques ? L'inquiétude soutenue de Sartine paraissait en tout cas plaider en ce sens.

Il demeurait de cet imbroglio que le piège se refermait aussi sur Nicolas. Outre la brutale injonction de Necker et la confiance intéressée de Sartine, il avait reçu – et de sa bouche – les ordres du roi. Qu'adviendrait-il dans le cas où l'enquête aboutissait à découvrir des faits mettant gravement en cause la gestion de la Marine ? À quel cas de conscience sa loyauté, son obéissance et sa fidélité seraient-elles soumises ? Il tenta de se rassurer en se persuadant que ce qu'il mettrait en évidence serait sans doute les preuves d'une terrible machination contre Sartine. Le personnage était capable de bien des choses, et d'erreurs de jugement sur les hommes, mais Nicolas ne parvenait pas à douter de son intégrité. Il obéirait au roi et se mettrait en quête de la vérité, mobilisant l'art et l'habileté, fruits de l'expérience de vingt ans d'exercice de la haute police.

Une autre question lancinante l'obsédait : qui avait informé le roi de la mort de Chamberlin ? Un rapport de Le Noir ? Possible. Un message du directeur du trésor ? C'était le plus probable et son arrivée affairée au château pouvait avoir un lien avec une information déjà transmise au roi. Et après qu'il eut dit à Necker qu'il n'obéirait qu'au souverain, c'est de celui-ci qu'il avait reçu l'ordre direct d'agir. Il était vrai aussi qu'entre la ville et Versailles les nouvelles couraient plus vite qu'un cheval de poste par des canaux et des biais impossibles à déceler.

Il devrait aviser au fur et à mesure que l'écheveau de l'enquête se déviderait. L'intervention du pouvoir dans cette affaire pouvait donner l'impression que le meurtre était lié à l'existence de documents recherchés par beaucoup. Peut-être la vérité résidait-elle dans le caractère délétère des relations entre les membres de la famille de Chamberlin ? Celles-ci apparaissaient comme autant de faux-semblants pour dissimuler... Quoi ? Il se reprit. Ce meurtre domestique paraissait conduire à une affaire d'État par la seule et simple raison des fonctions de M. de Chamberlin et des affaires – secrètes ? – qu'il était conduit – et lui seul ? – à traiter.

La soirée était déjà fort avancée lorsqu'il franchit la porte de la Conférence. Il renvoya le cocher, le priant, si la chose était possible, de le prendre le lendemain à huit heures rue Montmartre. Hormis le fournil où régnait l'habituelle activité de la nuit, tout paraissait endormi. C'était sans compter avec Catherine qu'il gronda affectueusement de l'avoir si tard attendu. Apprenant qu'il n'avait point soupé, ni d'ailleurs dîné, elle s'affaira à l'accoutumée, ranimant du soufflet le potager, sortant le beurre de sa terrine et épluchant des oignons nouveaux, de l'ail et des herbes. Elle retira d'un poêlon où elles dégorgeaient dans de l'eau vinaigrée des amourettes de veau[4] qu'elle tronçonna en morceaux égaux. Le beurre grésillant et fonçant de couleur, elle y jeta l'abat, au préalable poivré et salé, qu'elle fit prestement revenir.

— La chose, vois-tu, est déligate. Il faut le tour de main et ne boint faire durcir cette tendreté.

Elle retira les tronçons pour les mettre à part et fit revenir l'oignon, l'ail et les herbes finement coupés. En un instant ce fut à point. Elle acheva la préparation par une jetée de vinaigre qui lia l'ensemble et recouvrit les amourettes de cette préparation fumante. Elle apporta du pain frais. Nicolas avait observé, l'eau à la bouche, le manège de Catherine. Il se jeta sur le plat, se brûlant tant sa gourmandise était excitée. Cette chair blanche, plus ferme que celle des cervelles, l'emplissait d'un bonheur simple et de gratitude pour Catherine qui considérait avec satisfaction le succès de sa préparation. Elle lui versa plusieurs bolées de cidre de peur qu'il ne s'étouffe. C'était un de ces breuvages un peu âpres qu'il appréciait tant pour lui rappeler sa Bretagne natale, celui qu'il buvait en cachette avec les gamins de Tréhiguier à l'issue de leurs parties brutales de soule[5], après s'être jetés dans les eaux de la Vilaine pour laver la fange et les plaies qui les souillaient.

Il annonça à Catherine, ravie, le retour de Naganda, lui demanda de préparer la chambre de Louis, l'embrassa et monta dans ses appartements. En se déshabillant il sentit dans la poche de son pourpoint les plis que le roi lui avait donnés, totalement oubliés dans l'affairement de la journée. Le premier semblait avoir fait un long chemin et subi les aléas du soleil et de l'humidité. Le papier, grossier et raffiné à la fois, ne ressemblait à rien de connu. Le sceau en pain à cacheter s'était peu à peu dissous. Il le rompit et délia le message. Il reconnut aussitôt l'écriture de Pigneau, son ami de jeunesse, prêtre aux Missions étrangères depuis de longues années en Asie. Par une précédente missive, Nicolas savait que Pierre était devenu évêque en Cochinchine. Le message était bref. Il se portait bien. Il recherchait la meilleure voie pour développer la foi chrétienne et protéger ses fidèles. Pourtant, le ton était à l'inquiétude. Il soutenait un jeune prince, Nguyen Anh, qui luttait contre les rebelles Tây-Son. Il craignait d'avoir sacrifié la sécurité et même la survie des chrétiens du Daï-Viet en faisant ce choix. Il adressait sa bénédiction à Nicolas et lui demandait le secours de ses prières. Il revit le jeune homme qui l'accompagnait au concert spirituel du Louvre. Leurs sorties s'achevaient toujours par une visite à Stoehrer, pâtissier de la reine, où ils se goinfraient de babas au sirop de safran. Il songea à ces temps insouciants. Comme les années filaient !

En soupirant, il ouvrit le second pli. Il ne portait aucune mention. Le papier commun alignait des chiffres. Le cœur lui battait. C'était un message en code et il ne pouvait émaner que d'Antoinette. Il s'assit à son bureau, en fit jouer le tiroir secret pour en extraire un long rouleau de papier puis, plume à la main, se mit avec méthode à transcrire le message. Il lui parut aussitôt que la mère de Louis était en proie à la plus vive inquiétude. Elle l'avait rédigé dans un désordre sans doute maîtrisé en partie pour ne pas inquiéter outre mesure Nicolas. L'impression qu'elle offrait n'en était que plus forte.

Mon bien cher Nicolas,

Je crains que ce qui se passe à Londres ne vous procure trop d'inquiétude pour vous laisser dans l'incertitude du sort qui m'est réservé. Rassurez-vous, ce n'est pas du ressort de nos affaires. J'écris en hâte pour ne pas rater le prochain courrier. Il est vrai que l'issue de tout cela est encore plus qu'incertaine. La vie que je mène ici ne saurait être tolérable que si je suis persuadée que vos soucis pour moi, que je sais sincères, ne sont pas accrus par des situations extérieures à mon état particulier. Je crois... On a voté ici un acte de tolérance qui modifie les peines atroces prononcées contre les catholiques. Cela est d'autant plus méritoire que le roi passe pour leur plus implacable ennemi. Un parlementaire, lord Gordon, tête furieuse, a appelé à la sédition[6]. Des milliers d'insurgés se livrent dans Londres à de cruels excès. Jamais on ne vit désordre plus grand dans une nation policée. Ce ne sont que pillages, vols et incendies de toutes parts. L'armée devrait être appelée et on ne sait comment tout cela finira. J'ai moi-même échappé de peu à une mort qui n'eût été rien sans les outrages dont elle aurait été précédée. Pourquoi faut-il que je vous raconte cela ? J'ai pu fuir. Lord A. m'a accueillie. J'ose espérer qu'on est content de moi. Embrassez Louis et prenez soin de lui et de vous. Votre fidèle et dévouée Antoinette.

Outre l'admiration pour ce que le style disait de la transformation de l'ancienne *Satin*, cette lettre ranima en Nicolas les sentiments de remords qui souvent le submergeaient au souvenir des conditions dans lesquelles Antoinette avait quitté la France. Encouragée par Sartine, elle s'était délibérément jetée dans la gueule du loup, devenant agent double auprès de Lord Aschbury, chef des services anglais. Elle y déployait depuis des années une activité incessante, prodiguant les informations les plus recoupées au roi et à ses ministres sur les nominations aux commandements navals et sur les mouvements de la croisière anglaise. Louis n'avait pas à rougir de sa mère.

Mouchette, apparue entre-temps, passait et repassait entre les jambes de son maître pour distraire une humeur qu'elle pressentait mauvaise. Il se coucha l'angoisse au ventre, sans trouver le repos et poursuivi d'images effrayantes. Il n'avait jamais remarqué auparavant, tant son sommeil était bon, combien était bruyante la nuit parisienne. À plusieurs reprises il entendit les pas et les paroles fortes de la *patrouille grise* composée de sergents du Châtelet et de bas officiers des gardes-françaises, armés, mais en habits bourgeois. Perçant le silence, les appels stridents des porte-lumières, *Voici le falot*, le firent sursauter. Il ne prêta guère attention aux cris des oiseaux de nuit, ni aux cavalcades des rats dans le grenier. À trois heures du matin, alors qu'il allait sombrer dans le repos espéré, le piétinement d'une foule, hommes et bêtes, l'en empêcha. Tous les matins les paysans des environs de Paris apportaient légumes, fruits et fleurs à la halle. Ils venaient de sept à huit lieues à la ronde investir la ville endormie dans un tumulte ininterrompu.

Les cauchemars firent suite à l'insomnie. Ce n'était que songes vagues, décousus, confus et presque informes dans lesquels il s'évertuait à discerner quelque claire signification. Il s'en désespéra tant il aurait souhaité démêler l'écheveau, mettre un ordre dans cette succession d'images absurdes. Les contes de Fine, sa nourrice à Guérande, resurgirent avec leurs effrayantes figures de gobelins, de loups-garous et du moine sans tête qui ne répond jamais aux questions. Il crut même entendre dans l'innocente rue Montmartre le vacarme des pierres de la charrette de l'*ankou*. Sans doute sensible à son état, Mouchette ne cessait de gronder sourdement. Il s'éveilla à l'aube, trempé de sueur et la bouche amère.

Jeudi 8 juin 1780

Une pâle lueur signalait le lever du soleil. Après ses ablutions, il descendit aux écuries. La maisonnée

dormait encore, y compris Catherine pourtant toujours si matinale. Il bouchonna et étrilla Sémillante
qui, joyeuse, comprit aussitôt qu'une sortie s'apprêtait. Avant de monter en selle, il dut attacher le
pauvre Pluton qui multipliait les marques d'affection
envers son sauveur et gémissait de l'envie de les
suivre. Il l'emmenait souvent en voiture hors les
murs pour qu'il se dépense dans la campagne. À
Paris, le risque était trop grand du fait des équipages,
des molosses qui les précédaient et de la présence de
troupes de chiens errants toujours prêts à la bataille.
La ville multipliait trop les dangers pour qu'il y ris-
quât son aimable compagnon. Au petit trot il gagna le
Cours-la-Reine. Il se fit ouvrir la grille pour galoper
jusqu'à la colline de Chaillot. À cette heure les cavaliers étaient autorisés en l'absence des promeneurs. Il
alla prendre son déjeuner chez Lebœuf, traiteur qui
ne fermait jamais, où il rencontra Federici, garde des
Champs-Élysées, qui le régala du bilan détaillé des
événements et incidents de la nuit.

De retour rue Montmartre, Nicolas remit sa monture aux mains amicales de Poitevin, lui recommandant d'ajouter un peu de vin et de miel dans son
picotin. Il embrassa Catherine et Marion, s'enquit
de la santé de M. de Noblecourt aux mains de son
barbier. Il leur demanda de lui annoncer la venue de
Naganda et de lui rappeler le souper chez Semacgus
auquel le vieux magistrat avait donné de longue
main son *imprimatur*. Selon Marion, la dernière
chose était inutile, le maître, ne voulant pas porter
perruque par cette chaleur, se faisait friser dans la
perspective de cette exceptionnelle sortie. Cette
opération le rendait d'humeur exécrable. À l'heure
dite la voiture de police se présenta avec ordre du
lieutenant général de laisser le commissaire en disposer à sa guise et aussi longtemps que nécessaire.

Le temps était à l'orage, lourd, chaud, humide, et la ville exhalait des bouffées de puanteur. Bourdeau l'accueillit en chemise, la perruque tirée et s'épongeant le front. Nicolas lui conta par le menu sa journée à Versailles. L'annonce du retour de Naganda ne parut guère le ravir. Pour le reste, l'inspecteur n'en fut guère surpris. Pour lui, il devenait de plus en plus évident que M. de Chamberlin, ou plutôt ce qu'il était censé détenir, se trouvait au centre d'intérêts divergents. Ainsi, Nicolas, empêtré dans les rets d'influences contradictoires, était-il placé au nœud de l'affaire, espéré comme un allié ou redouté comme un adversaire. Encore fallait-il déterminer de quoi il était question. Pour le moment, démêler la situation au sein de la famille de Ravillois demeurait prioritaire et, sur ce point précis, il détenait désormais quelques révélations intéressantes.

— Apprête-toi à apprendre des choses surprenantes qui éclairent d'un jour nouveau toute l'affaire. Nous avions placé nos meilleures mouches à l'affût de ce qui pouvait se passer aux Porcherons. Rabouine m'a fait son rapport et il est piquant.

— J'étais persuadé que cette famille nous en apprendrait long dès que nous aurions le dos tourné. Je t'écoute.

— *Primo*, le fils est joueur et fréquente les établissements de pharaon où il perd gros. Ce n'est pas la moindre de ses *caravanes*[7]...

— En conséquence, les filles aussi, je suppose ?

— Jusqu'à une période récente, un enragé ! En abondance et des plus dispendieuses, mais...

— Mais ?

— Depuis peu, complète abstinence. Nous avons voulu en savoir plus long. Il a été filé et nous l'avons surpris entrant chez un médicastre de très mauvaise réputation, inventeur, comme il y en a tant, d'une

183

liqueur prétendument salvatrice. Songe qu'il est fiancé et doit se marier sous peu !

— Je comprends que ce poupard s'est fait *poivrer* et qu'il entend passer sous l'archet du grand remède pour y suer sa vérole.

— Il y a en effet apparence qu'une *petite fille ad hoc* lui ait fourni l'assaisonnement avec l'accommodement. Il s'évertue à purger la chose en pure perte et, dans ce but, multiplie sans compter la dépense. Et cela s'ajoute au déficit au jeu qui, lui, se perpétue.

— Nous y voilà !

— Qui plus est, il avait signé des lettres à échéance.

— Comment as-tu découvert cela ?

— Peuh ! C'est un milieu où tout se traite dans la discrétion, sauf lorsqu'un client ne tient pas parole. Alors la nouvelle court comme une traînée de poudre. Et de fait il a cent piques au-dessus de la tête !

— Et ?

— Tu découvriras avec intérêt que feu M. de Chamberlin, son grand-oncle par alliance, avait racheté, en sous-main, nombre de ses traites.

— Pour les honorer ?

— Point du tout. Plutôt pour nourrir contre son parent de redoutables desseins.

— Dans quel but, selon toi ?

— Va savoir ! Reste que le vieux surveillait d'un œil les déportements du godelureau. Il n'est pas avilissement qui ne mérite un jour sa sanction… Rassemblait-il des éléments en vue d'une manœuvre ? Moyen de déshonorer le fils préféré de ce M. de Ravillois qu'il détestait de notoriété ? J'ai, comme tu le verras, quelques raisons de le penser.

— Je crois qu'une conversation avec cet intéressant petit jeune homme s'impose.

— Hélas ! Tu devras attendre. Toute la famille quitte ce matin Paris afin d'assister à la pompe funèbre de M. de Chamberlin. Elle sera célébrée dans deux jours, soit samedi, dans l'église des Récollets, à Sézanne, en Champagne, où il possédait un bien.

— Voilà une hâte bien fâcheuse et des plus étrange.

— Ce n'est pas tout, et je te réserve le plus surprenant pour la fin. Le vertueux Tiburce, ce parangon des serviteurs dévoués...

— En voilà bien une autre ! Que lui reproche-t-on ?

— Ah !

Alors pour recourir durant l'âpre saison
Il fallut aux brebis dérober leur toison.

— Que me chantes-tu là ?

— Voilà quelqu'un qui, sous les trompeuses apparences déployées, a le secret de dissimuler une vie des plus désordonnées. Je ne sais si un reste d'honneur lui faisait servir son maître comme il convient.

— Allons, au fait.

— Ce vieillard entretient une galvaudeuse logée comme une princesse dans un entresol de la Chaussée d'Antin. Une certaine Henriette Bussaud dite *la Lofaque*. Souviens-toi que tu avais, l'autre jour, esquissé une réflexion sur la réticence de M. Patay au sujet du susdit Tiburce.

— Sans parvenir à démêler pourquoi. Et alors ?

— Et alors ? Je suis allé consulter le *Registre*.

— Un vieux serviteur de famille, surveillé par la *pousse* et qui aurait sa notule dans nos bureaux ?

— Tu ne crois pas si bien dire. L'homme a été soupçonné, en 1772, d'intérêts dans des établissements de jeux clandestins. Il y faisait attirer les jeunes étrangers, en particulier les petits Anglais du *Grand Tour*, ensuite dépouillés au cours de parties simulées. Sans compter cela, des matrones distinguées, qu'il tenait en sa main, présentaient à ces jeunes gens de prétendues innocentes. Tu peux imaginer la suite. Il a fini par être découvert et convaincu, en 1775.

— Arrêté ? Jugé ?

— Point du tout ! Lors des événements de la guerre des farines, Le Noir écarté de la lieutenance générale de la police au profit d'Albert, ton ami...

Nicolas hocha la tête en souriant.

— J'étais *vieille cour* et peu en grâce alors...

— Or, apprends que cet Albert a fait de Tiburce son espion particulier auprès de M. de Chamberlin, contrôleur général de la Marine !

— Cela est intrigant. Et dans quel but ?

— Souviens-toi des cabales de l'époque. Albert était l'homme de Turgot. Rassembler des informations sur les crédits de la Marine, c'était espérer pouvoir réunir des armes et des arguments contre l'adversaire. Que souhaitait Albert ? Il avait remplacé Le Noir, fidèle de Sartine, et ce dernier était toujours aux affaires, justement ministre de la Marine.

— Je comprends mieux. Je suppose que ce petit manège d'espion ancillaire auprès de M. de Chamberlin a pris fin quand Albert fut écarté. Ce que tu me découvres implique une autre interrogation. Cet espionnage était-il compatible avec l'attachement sincère qu'il paraissait avoir pour son maître ?

— M'est avis que M. de Chamberlin en était informé, le tolérait et même s'en servait. Du moins si j'en crois M. Patay.

— Tu l'as revu ?

Bourdeau allumait sa vieille pipe ; son visage disparut un instant dans le nuage des premières bouffées.

— Certes, pendant que tu faisais ta cour à Versailles. Persuadé qu'il avait gardé par-devers lui quelques remarques intéressantes sur le valet de chambre, je lui ai mis cartes en mains. Il est honnête et a bien voulu consentir à s'ouvrir à nous de ce qu'il savait. Et tu vas pouvoir juger de l'importance de ses propos, ceux de quelqu'un qui approchait confidemment M. de Chamberlin. Leur nature est telle qu'ils ne se peuvent confier que sous le sceau du secret et alors qu'il n'en résulte plus rien pour le principal intéressé.

— Le brave homme !

Tu peux le dire pour celui-là. Bien que tu sois le parfait élève de Sartine : bon jugement sur les hommes en général, mais avec quelques malheureuses exceptions.

— Et assurément Tiburce en est une. Ce que tu viens de me révéler est déjà considérable. À quels prolongements dois-je désormais m'attendre ?

— Il s'avère, selon Patay, que l'homme s'est trouvé à l'origine de la corruption du jeune Armand de Ravillois. C'est par son intermédiaire qu'à peine sorti du collège, le jeune homme a été jeté dans les bras d'impures et initié au jeu dans des lieux de *cocange*, emplis de tricheurs et de crocs toujours prêts à faire cracher la dette plus vite qu'elle ne se fait.

— Ainsi la situation du petit-neveu serait-elle l'œuvre volontaire et déterminée de Tiburce ? Nous allons de Charybde en Scylla ! L'a-t-il corrompu de son propre fait ou pour le compte d'un tiers ? Et, pour être clair, à qui obéissait-il en entraînant le petit-neveu dans la débauche ? Aux injonctions du grand-oncle ? Si j'en juge par le seul rachat des dettes…

— … La réponse est donnée ! Je crois que la seule fidélité de Tiburce, c'est son attachement à son maître. Les hommes ne sont point d'une pièce. Ce qu'il cherchait pour Albert, c'était des moyens de compromettre Sartine ; Chamberlin n'était pas en cause. Et pour le reste, je demeure persuadé que les haines qui agitent cette famille portent racines des menées que nous mettons au jour peu à peu.

Nicolas fit quelques pas, agité de pensées contradictoires.

— Dans ces conditions, Pierre, il nous faut réexaminer l'interrogatoire du valet par rapport à l'événement, mais aussi en relation avec ce qui vient de nous être révélé.

Il sortit son petit carnet noir qu'il feuilleta avec fièvre.

— Frère de lait du défunt, il paraissait lui vouer une affection sincère.

— C'est peut-être ce qu'il a voulu nous faire accroire ?

— C'est lui qui nous a apporté les indications sur la manière dont M. de Chamberlin usait de sa sonnette de lit. Il est vrai, et tu as raison d'être plus suspicieux que je ne le suis, qu'il a été interrogé comme un témoin extérieur qui ne pouvait, a priori, être mis en cause. Ce fut une erreur de ma part.

— Il nous signale également la présence d'un pli sur la cheminée. Cela paraît extravagant dans le cas où il l'aurait dérobé.

— Ou diantrement habile ! Reste que certaines constatations me font penser qu'il est sincèrement ému par la mort de son maître. Ce qu'il nous raconte sur les querelles de famille, l'hostilité à l'égard de M. de Ravillois, l'attachement pour Charles, tout cela correspond à ce que pensait M. de Chamberlin. Connaît-il lui-même des difficultés financières ? Il tient le ménage d'une fille. De celles qui croquent aisément les fortunes les plus consolidées en compagnie d'un greluchon. Il faudra creuser dans ce sens. Souhaitait-il la mort de son maître pour en tirer profit ? Et si document secret il y a, comme semblent le croire tous ceux qui s'intéressent aux archives de M. de Chamberlin, n'était-il pas le mieux placé pour le trouver et le négocier ?

— Qui te dit qu'il ne l'a point fait ?

— Mon intuition.

— Alors, la messe est dite !

Des ronds de fumée montaient vers les poutres du plafond.

— Tu as raison d'être sceptique. Ayons, au plus tôt, une conversation serrée avec M. Tiburce.

— Tu devras attendre quelques jours. Le serviteur fidèle se devait d'accompagner le corps de son maître à sa dernière demeure. Et itou de toute la famille. Depuis ce matin la maison est close et abandonnée pour quelques jours. Le *domestique* est de la partie. Le château de Sézanne étant rarement occupé, toute cette séquelle devra y loger un jour ou deux, de là une présence nécessaire de leurs gens.

— Je tente de rassembler ces données échevelées et de mettre un peu de raison dans ce fatras. Nous sommes en présence de deux énigmes : un obscur drame familial pétri de haines et d'intérêts et une affaire d'État. En raison de ses fonctions, M. de Chamberlin demeure le lien entre les deux. Était-il d'ailleurs irréprochable dans le maniement des deniers publics ? De nos jours, qui sort les mains nettes de certains emplois ?

— Ou il se pourrait qu'il ait détenu une pièce compromettante. Et à partir de ce constat, les hypothèses se dédoublent et se multiplient à l'envi ! Trouvons le point de section entre les deux cas. En existe-t-il un d'ailleurs ?

— En tout état de cause, la prochaine victime pourrait bien être Sartine.

— Tu veux dire qu'on tenterait quelque menée homicide contre lui ?

— Ce qu'à Dieu ne plaise ! Mais il y a d'autres moyens de détruire un homme comme lui. La disgrâce, l'exil, le déshonneur…

Nicolas se concentrait, derechef, sur son petit carnet.

— Il me vient une idée. Tu vas la condamner et sans doute auras-tu raison. Elle sort, je t'en préviens, des sentiers battus. Te souviens-tu de cette équipée nocturne à l'hôtel de Rieussec[8] ?

— Et comment ! Une escalade suivie d'une effraction ! Je revois l'aventure comme j'y étais, le vertige avec.

— Eh bien ! Je souhaite répéter la chose à l'hôtel de Ravillois. Une visite discrète, méthodique et sans risques qui nous permettra de parfaire notre connaissance de la maison et de ses habitants.

— Sans risques, c'est un peu vite dit et avancer un fait sans en être assuré. Je crois revoir la loge d'un portier.

— Tu viens de m'assurer que la maison serait vide.

— C'est vrai. Mais j'envisage une issue, car l'une de nos mouches a lié amitié avec l'homme, un peu porté sur le flacon. Je crois aisé qu'il puisse le distraire suffisamment pendant notre expédition. À nous de lui en indiquer l'horaire. Quelle alléchante perspective ! Mais tu sembles oublier que ce soir…

— … nous sommes conviés à souper chez Semacgus. Cela s'accordera parfaitement. Nous quitterons Vaugirard fort tard. Noblecourt a prévu de dormir sur place. Pour rejoindre les Porcherons nous prendrons hors les murs. Naganda, qui sera de la partie, nous accompagnera. Il est de bonne compagnie dans une pareille conjoncture. Je le préviendrai des tenants de l'équipée.

Bourdeau ne répondit pas, l'air bougon. Les bouffées de fumée s'accélérèrent. L'inspecteur se garda pourtant d'élever la moindre objection sous le regard amusé de Nicolas qui lisait en lui à livre ouvert.

— En attendant, reprit-il, il nous faut poursuivre l'enquête auprès des participants de la soirée à l'hôtel de Ravillois. Nous n'avons pas encore entendu M. de Sainte-James. Je présume, te connaissant comme un autre moi-même...

Bourdeau rougit de plaisir. Ah ! songea Nicolas, comme il était aisé de jouer sur les faiblesses humaines. Il s'en voulut un peu de cette ruse innocente.

— ... que tu as lancé des recherches sur la coquine protégée par M. Tiburce ?

— Nous saurons tout, et vite. Son train et ce qu'il dilapide pour elle.

— Les passions des vieillards sont les pires.

Dans la voiture qui les conduisait au bois de Boulogne vers la folie du financier, Nicolas méditait. De quelle manière user pour aborder le trésorier général de la Marine ? Peut-être était-il plus habile de ne pas évoquer de but en blanc la mort de M. de Chamberlin ? S'il parvenait à persuader Sainte-James qu'une autre affaire les conduisait jusqu'à lui, il jetterait le trouble dans son esprit, état des plus favorables pour faire surgir quelques vérités enterrées. Il gazerait l'affaire de l'hôtel de Ravillois et sonderait à l'aveuglette les matières où l'homme de finance pouvait se sentir menacé. Alors, par chance, ou par un hasard qui, les précédents ne manquaient pas, n'était souvent que le rapprochement fortuit entre deux éléments, la lumière jaillirait peut-être qui indiquerait la voie à suivre. Les confidences de Sartine lui offraient une base ferme pour bâtir sa stratégie : demeurer évasif et se bien garder de lâcher le morceau, en l'évoquant pourtant de telle sorte que l'homme soit naturellement conduit à se confier plus qu'il ne l'aurait souhaité. Il ne s'agissait pas de se hasarder sans précaution et tout perdre au risque de s'être trop aventuré, mais d'agiter en douceur quelques fantômes d'épouvantails.

Il s'ouvrit de son projet à Bourdeau qui l'approuva, tout en relevant son intrépidité et les risques encourus. N'y avait-il pas d'inconvénients à ne point interroger le témoin sur le déroulement de la soirée et sur ses relations avec cette famille ? Pour Nicolas, ces questionnements-là ne leur apprendraient rien. Les précisions apportées par le baron de Besenval étaient parfaitement limpides. Leur religion faite sur ce point, la curiosité devait plutôt porter sur le *dissimulé* des liens discrets possiblement tissés et susceptibles d'apporter une nouvelle et édifiante lueur à leur enquête.

Dans ses bureaux, des commis leur indiquèrent que M. de Sainte-James se trouvait à Boulogne. Sa *folie* donnait sur la route menant du bois à Neuilly. Une nuée de laquais se disputèrent l'honneur de les accueillir. Oui, monsieur était au logis. Non, point dans la maison, mais plus sûrement dans le parc et, assurément, près du canal supérieur. On se proposa de les y conduire. Ils pénétrèrent dans un théâtre de verdure insoupçonnable de l'extérieur qui rappela à Nicolas, moins le relief, le parc du duc de Chartres à Monceau. Tout commençait à poindre, mais rien n'était encore achevé. Un canal, avec de savants méandres, traversait le parc coupé de ponts, de grottes, de kiosques orientaux et de toutes sortes de pavillons de la plus gracieuse venue. Ils finirent par découvrir le maître de ces lieux enchantés, entouré de son architecte et d'ouvriers.

Nicolas savait comment aborder le trésorier général de la Marine, s'y étant préparé depuis leur départ de Paris. M. de Sainte-James rutilait au soleil, transpirant dans un habit de satin moiré tirant sur l'orange. Sa chevelure, frisée et poudrée, était nouée sur la nuque en catogan. L'homme, de belle prestance, de taille moyenne, un peu corpulent, avait un visage empli, satisfait mais sans hauteur, à qui des bajoues naissantes offraient une sorte de majesté. Des yeux bleu-noir semblaient appartenir à un autre homme plus renfermé, ou plus sagace, différent de celui qu'aurait pu suggérer son aspect extérieur. Apercevant les arrivants, il se détourna d'un plan que lui soumettait l'homme de l'art.

— Messieurs, dit-il, touchant d'une main le tricorne qu'il tenait serré sous son bras. À qui ai-je l'honneur ?

— Monsieur, dit Nicolas s'inclinant, nous sommes au désespoir de vous déranger.

— Oh ! Ce n'est rien. J'examine le fonctionnement de mon canal. Le ruissellement des eaux de l'avenue soulage la pompe qui alimente un réservoir niché sur cette grotte, la gravité ne suffisant pour mes jeux d'eau. Voyez cette rocaille adossée au mur, on croit en voir jaillir des eaux souterraines ! Mais ma passion m'entraîne, sans égard pour mes visiteurs.

— Permettez, monsieur, de vous faire mon compliment sur la splendeur et la variété de votre parc...

Sainte-James salua.

— Pourriez-vous nous accorder quelques instants d'entretien ? Je suis le marquis de Ranreuil, chargé auprès du ministre de la maison du roi d'enquêtes particulières. De celles…

Il baissa le ton.

— … qui demandent doigté et discrétion. Monsieur est mon adjoint.

Le trésorier général les entraîna sans commentaire vers un petit kiosque où se dressait un banc à l'antique, les invitant courtoisement à y prendre place.

— Monsieur, repartit Nicolas, nous sommes en guerre et l'ennemi anglais n'a de cesse de traverser nos secrets les mieux gardés.

— Eh ! J'en suis aussi averti que vous-même. Que puis-je vous apporter dans un domaine pour moi si étranger ?

— Il n'est pas de mon ressort de vous entraîner sur ce chemin-là. Reste que l'attention portée aux crédits de la Marine, les rumeurs qui se multiplient au moment où le trésor est au plus bas…

Au fur et à mesure que ses paroles s'égrenaient, il sentait son interlocuteur se tendre près de lui, sur ses gardes.

— On y pourvoit, monsieur, on y pourvoit.

— Cependant, ces rumeurs ?

— Des rumeurs, quelles rumeurs ?

— Sans doute répandues par les sicaires anglais. Il nous revient qu'ils s'intéresseraient aux conditions dans lesquelles ces mêmes crédits sont mis en œuvre.

Nicolas s'engageait, il le savait, dans une voie délicate et dangereuse. Sainte-James demeura un moment silencieux.

— J'ignore, monsieur, d'où vous tenez ces informations et ce qui vous autorise à les divulguer. Je ne peux que les démentir.

Il parut au commissaire que cette réaction était normale et que le trésorier ne pouvait prendre la chose autrement.

— Mais, si par hasard, vous découvriez une menée dangereuse au secret des pratiques de votre administration, convenez-vous qu'il faudrait en rendre compte aussitôt ?

— Il ne me semble pas que j'aie à répondre de cela devant vous, mais la chose serait tellement naturelle que mon silence vaut réponse.

— Peut-être avez-vous été informé de la mort de M. de Chamberlin, contrôleur général de la Marine honoraire ? Il est de vos connaissances, je crois ?

L'homme demeura sans réaction, considérant le dôme du kiosque avec attention.

— Je dois vous confirmer, si vous ne le saviez déjà, qu'il a été assassiné. D'aucuns s'interrogent sur le sort de certains de ses papiers.

Pour le coup, M. de Sainte-James se leva.

— Messieurs, je n'en ai que trop entendu. Je crains que ma pompe ne requière toute mon attention. Je ne saurais trop la laisser seule. Mais je pense que vous connaissez le chemin.

De retour vers Paris, Nicolas demeura coi un long moment, puis, à la grande surprise de Bourdeau, éclata de rire en se frottant les mains.

— Ne crois pas que nous ayons fait chou blanc. Il a laissé paraître plus qu'il n'en a dit. Il ne s'indigne pas outre mesure que sa gestion soit mise en cause, mais l'évocation des papiers de Chamberlin le met à la géhenne. Il a tâché de se modérer, tout en se faisant violence pour ne point éclater. Il était pourpre.

— Pour biaiseur qu'il soit, je suis de ton avis. La touche finale l'a bellement estoqué, quoiqu'il se tienne trop bien pour faire du carillon.

— Et encore, je n'ai pas voulu lui indiquer d'autre endroit qui pût lui faire croire que j'en savais plus long. Tu verras, la graine a été jetée, elle mûrira peu à peu. Bientôt le trouble le tenaillera et pourrait bien se convertir en imprudence. Je suis persuadé qu'un précieux papier existe et qu'il suscite bien des inquiétudes.

VI

BROUILLEMENT

« L'issue en est douteuse et le péril certain. »

Corneille

Les petits yeux de la Paulet s'adoucirent en considérant Nicolas. Peste, d'évidence le temps n'était plus aux vaches maigres ! Ses affaires paraissaient enfin rétablies. Enveloppée d'une chenille chamarrée, elle trônait dans sa bergère, souriant d'aise, devant son guéridon couvert des lames du tarot. Son négoce nouveau, la vente éloquente d'un *à venir* incertain, avait transformé sa vie. La finesse apportée à *ficeler* ses prédictions, à les envelopper de certitudes issues d'une longue expérience des grandeurs et des turpitudes de l'âme humaine, lui avait acquis une pratique fidèle et de plus en plus nombreuse. Et d'ailleurs n'avait-elle pas prouvé, une fois du moins, une apparence de don ? Dans les salons, l'adresse de la consultation se passait en discrétion. Le rez-de-chaussée du *Dauphin couronné* profitait de cette nouvelle notoriété et son décor, jusque-là vieilli et fatigué,

197

accumulait, au goût du jour, laques et porcelaines montées, paravents et miroirs, qui ajoutaient encore au mystère de la pythonisse.

Nicolas s'interrogeait. Il calcula qu'en 1760, à son arrivée à Paris, elle devait avoir dans les quarante-cinq ans, tout au plus. La soixantaine avait donc largement sonné. Son nouveau commerce paraissait l'avoir rajeunie. Se frottant au beau monde, elle en avait pris les allures. Son maquillage, moins appuyé, ne participait plus de cette débâcle de céruse et de rouge à laquelle elle l'avait accoutumé. Restait que sa défroque de devineresse – elle ne pouvait le leurrer sur ce point – gazait d'autres activités jamais vraiment délaissées. Les étages de la maison abritaient de discrètes tables de pharaon et, dans les chambrettes des combles, quelques filles de premier choix récupéraient les louis gagnés aux cartes.

L'ensemble était discret, élégant, de bon aloi, et la Paulet continuait à faire en sorte de protéger son commerce. Comme jadis ses consœurs en Vénus, la Gourdan, la Mûle, la Bissault ou la Paris, la maîtresse de ce temple de luxure, grimée en Cassandre, s'attachait sans relâche à alimenter l'inspecteur chargé des mœurs d'informations et de signalements. Le commissaire était bien placé pour savoir que la police, dans l'impossibilité de tarir la débauche, cherchait, du moins, à en tirer les avantages qu'elle lui procurait en faveur du bien public ou de la sûreté du royaume. Qui fréquentait ce lieu pouvait être assuré d'être reconnu, espionné et désigné à qui de droit. Il frémit à la pensée que Louis, aujourd'hui page de la grande écurie, avait été l'enfant chéri de la maison. Quels souvenirs en conservait-il ? Il n'en parlait jamais. Là comme ailleurs l'innocence avait côtoyé le vice.

Nicolas observa avec amusement la mantille noire qui voilait, *à la Maintenon*, la perruque de sa vieille amie. La lueur tamisée de lumignons destinés à créer les mystérieux émois de la transe la transformait en une sorte d'idole. Il imagina un tableau de genre, en clair-obscur, qui aurait pu s'intituler *La Dévote aux chandelles*. Seule, l'inimitable manière de parler de la vieille maquerelle n'avait pas changé, quoi qu'elle en eût, et son ratafia avait retrouvé ses qualités. Elle guignait Bourdeau qui s'en délectait en connaisseur.

— En v'là un qui lape de si bon cœur qu'à coup sûr il n'a point l'âme mauvaise !

Elle prit un ton lamentable.

— Que me veux-tu, mon Nicolas ? J'aime point trop tes visites *intrompues*. On sait jamais ce qui en ressort. Ne te fausse pas, je suis toujours heureuse de te voir...

— Je constate que votre situation paraît complètement rétablie.

— Eh ! Le Bonjean, en me quittant avec la gourgandine, m'a rendu un fier service. C'est un bienfait, le retrait d'un guenilleux comme lui, même s'il détale avec tes jaunets. Tu l'aurais vu, allant et venant chez moi comme un furet, tout attaché à brouiller mes vues. Sans compter qu'il me battait comme plâtre sans m'en offrir jamais l'honnête compensation qu'il réservait à d'autres. Après il dégoisait à plus savoir à qui voulait l'entendre. Si je m'étais crue, comme j'aurais foutu de la bouillie de rat à cette salope d'engeance ! Une maison de qualité comme la mienne exige calme, paix et discrétion. Quand raison dort, justice est mal gardée... Mais quoi ? J'ai repris quille et me voilà flottant.

L'image plaisante de cette masse au fil de l'eau fit sourire Nicolas.

— Quelle prospère navigation ! Au fait, vous imaginez bien que j'ai quelques questions à vous poser.

— Ça ! Je m'y attendais. J'étions bien convoiteuse, comme de bien entendu, de la voir jaillir, ta question ! Tu ne changeras jamais. Ne peux-tu point venir seulement pour m'embrasser, non ? Fichtre, à laver la tête d'un âne, on perd sa vessie. On a raison de le dire et...

— Lessive !

— Quoi, lessive ?

— On perd sa lessive.

— Tu m'entêtes. Méfie-toi ! À trop piquer la bête, on la fait rétive, muette, et tu la trouveras froide comme glace.

— Une si belle personne ! murmura Bourdeau.

— Et galant, ton inspecteur, en plus !

— Paix, dit Nicolas, ne faites pas votre mauvaise ; on se connaît depuis trop longtemps. Auriez-vous entendu parler, par hasard, d'un jeune homme de bonne famille, joueur maladroit, qui perd et ne paye pas ?

Elle ricana.

— C'est de la moitié de Paris dont tu causes. Et tu voudrais que je l'ai r'gistré ? Qui ne compte perd ses pas. Ta question est un peu vaguette. Ils sont tous comme tu le décris, ces vermisseaux.

— Il a pour nom Bougard de Ravillois, Armand. Fort jeune.

— Inconnu, le bourriquet à rallonges. Encore un qui fait feu des cinq membres et ne gagne point son avoine.

— Bon ! Autre chose. Une fille, c'est davantage votre partie, non ? Vous connaissez depuis longtemps tous les sérails de Paris.

— Pas de cajolerie. Comment qu'on la nomme, ta gredine ?

— Henriette Burraud, dite *la Lofaque*.

— *La Lofaque* ? Eh, eh ! La petite garce qui loge à la Chaussée d'Antin au-dessus de la boutique d'un parfumeur à l'enseigne bien nommée des *Senteurs du Harem* ? J'te la déconseille, c'est une croqueuse, et de l'espèce la plus goulue. Encore une, vu son minois, que j'aurions bien voulu atteler. Elle prit pour argent comptant les compliments que je lui dévidais. À chaque douceur de plus, elle allongeait en moue son bougre de museau et rondissait les yeux comme une chatte qui chie dans la braise. Peine perdue ! On n'a pas fait affaire, comme tu peux le voir.

— C'est tout ?

— Point. M'est revenu qu'elle est entretenue par un vieux domestique qui n'a du cerf que la coiffure et lorgne, dit-on, les ébats de la belle quand elle s'agite avec ses greluchons. En pure perte ! Je pense que rien, même une coquine aussi dévergondée – et elle a du métier ! –, ne peut ravigoter sa paillardise, à ce vieux-là. L'a-t-il jamais f…, cette belle jument ?

Tout en parlant, elle n'avait pas cessé de mêler son jeu, le coupant et le recoupant, et d'en étaler les lames. Soudain, son attitude changea, elle pâlit, se mit à trembler, renversa la tête en arrière et glapit sur un ton lamentable :

— L'*ermite*, la *roue*… une chute… Nicolas, des périls… L'*arcane sans nom*. Une révélation attendue depuis longtemps. Nuit et tempête… Est-elle morte ? Ah, oui ! La pierre qui pleure ! Une pierre… Changement, changement… Ah ! Des morts… Une deuxième fois elle donne la vie…

Sa manière de vaticination achevée, elle s'effondra et parut perdre connaissance. Bourdeau et Nicolas se précipitèrent pour la soutenir et lui faire avaler un peu de ratafia, ce qui eut pour effet de la faire aussitôt revenir. Étonnée, elle les considéra.

— Vous êtes encore là, mes mignons ? Je vous croyais partis et m'être endormie.

À la sortie du *Dauphin couronné*, Nicolas sembla bien assombri à Bourdeau.

— Tu ne vas tout de même pas croire les contes bleus de cette vieille machine ? Elle a trop longtemps fait jouer la comédie pour ne pas savoir tirer sur certaines ficelles !

— Et pour quelles raisons nous la chanterait-elle ainsi ?

— Pardieu ! Pour la seule satisfaction de nous tromper. Cela fait cinquante ans qu'elle manipule les hommes comme des pantins de l'ancienne foire Saint-Ovide. Ne donne pas dans le panneau, la trame est transparente.

— C'est, reprit Nicolas toujours soucieux, qu'elle m'a naguère fourni des raisons de ne pas mépriser ses avertissements. Te souviens-tu de mon affaire de la Samaritaine ? Elle m'avait mis en garde par des détails qui ne s'inventent pas.

— Allons, le Breton transparaît sous le commissaire ! Nous sommes à Paris, que diable ! La raison y domine et les lumières président à nos travaux. Reprends-toi ! Qu'y a-t-il à tirer de son galimatias ? Autant régler sa vie sur l'*Almanach de Liège* et concevoir un présage assuré de mauvais accident du bruit que font tes dents.

Malgré lui Nicolas se mit à rire de cette philippique.

— Tu as raison. Note que je t'envie d'opposer au destin un mur impénétrable. Heureux homme que le doute ne taraude jamais. Moi, je galope toujours dans l'immensité des possibles. Vois-tu, l'océan, au voisinage duquel je suis né, m'y incline… Qu'allons-nous faire maintenant ?

— Je propose de visiter le boudoir de la Lofaque. À cette heure-ci, les belles se lèvent et vaquent à leur toilette.

Ils la trouvèrent en effet dans son entresol coquet de la Chaussée d'Antin, à peine vêtue d'un peignoir. Effrayée au début par leur arrivée, elle s'enveloppa aussitôt d'un air enfantin, minaudant à l'excès. Les diverses questions que Nicolas lui posait sur ses relations avec Tiburce Mauras, elle les éluda tout d'abord. Elle les divertit ensuite en multipliant les assurances de sa reconnaissance pour ce vieil *oncle d'adoption*, si généreux, qui l'avait tant aidée, qu'elle aimait comme un parent et à qui elle apportait les douceurs d'un foyer. Il venait parfois souper avec elle en famille. À la question de savoir si celle-ci était réduite à l'oncle et à la nièce, elle hésita un moment pour reconnaître finalement que, parfois, un ami participait à ces agapes. Comment s'appelait-il ? Jacques Meulière. Que faisait-il ? Il était apprenti tabletier au faubourg Saint-Marcel. Elle dévida, avec l'enthousiasme d'une passion réelle ou feinte, un discours sur les avantages et les activités du greluchon. Il fabriquait des *trou-madame*, petit jeu en ébène composé de treize arcades dans lesquelles on s'efforçait de faire entrer des billes. Ce dernier détail accrocha Nicolas qui demanda à la donzelle si elle possédait un exemplaire de ce jeu. C'était le cas et elle lui présenta l'objet. Nicolas constata benoîtement qu'il manquait des billes. Elle pensait qu'elles étaient tombées et avaient roulé sous les meubles. Il fit constater à l'inspecteur que ces billes, des agates, étaient semblables à celle découverte sous le lit de M. de Chamberlin.

La belle semblait à peu près sincère et, n'eût été le portrait brossé par la Paulet, elle aurait pu emporter la conviction des deux policiers. Cependant, leur expérience les incitait à penser qu'elle coupait la vérité de beaucoup d'à-peu-près. Elle estimait sans doute qu'en lâcher une petite part l'exonérait d'en dire plus long et de décrire par le menu toute la crudité de ses relations avec M. Tiburce. Ils la quittèrent sans insister. Elle pouvait croire à une visite de routine et elle les raccompagna à la porte, sans rien laisser ignorer de ses charmes.

— Serions-nous restés un moment de plus, dit Bourdeau goguenard, que nous aurions bénéficié du principal et des intérêts !

— Gast ! Je pense qu'elle nous croyait intéressés et venus prélever la dîme et la gabelle que récoltent, plus souvent qu'à leur tour, certains de nos confrères chez ces filles-là.

— Ils déshonorent notre maison et mériteraient la mort.

— Te voilà bien sanguinaire ! s'exclama Nicolas, surpris de cette véhémence et de l'air farouche qui l'accompagnait. La mort, sans doute pas. Mais le poivre souvent les assaisonne !

— Pour moi, point d'alternative à la vertu. Que dis-tu de la belle ?

— Que nous en avons connu du même acabit et qu'elle n'est ni pire ni meilleure que les autres. Fais enquêter sur le tabletier, son logis, sa dépense. Reste aussi à interroger Tiburce.

— Celui-là, comment pouvait-il concilier sa double vie avec ses fonctions auprès de M. de Chamberlin ?

— Prends en considération qu'à onze heures du soir, le vieux monsieur n'avait plus besoin de son valet et que, par conséquent, celui-ci était libre de ses mouvements. Il avait la nuit pour les médianoches et les crapuleries, réjouissances qui, vu son âge, n'étaient sans doute pas approfondies ni quotidiennes.

— À bien considérer, c'est en effet vraisemblable. On met tout ce beau monde sous surveillance.

Ils rejoignirent le Grand Châtelet afin d'organiser leur expédition de la nuit. Rabouine fut chargé de donner à son homme les instructions en vue d'occuper le portier de l'hôtel de Ravillois et, pour ce faire, l'attirer dans un estaminet voisin afin de l'abrutir de beuverie et de tabagie. En cas d'insuccès, il faudrait tenter de l'enivrer dans sa loge et, dans ce cas, signaler à qui de droit cette situation pour n'être point surpris au moment de l'action. Les préparatifs devaient être affûtés, tout pouvant survenir. Les lieux seraient environnés de mouches qui ne devraient quitter leur poste sous aucun prétexte et être prêts à toute éventualité. Bourdeau aurait ses pistolets de manche, version nouvelle du pistolet dans l'aile du tricorne dont usait Nicolas. Ils préparèrent aussi des rossignols destinés à forcer les serrures, des lanternes sourdes, une corde, des loups en velours noir et des poignards, au nombre de trois car Naganda les accompagnerait. L'habit noir serait de rigueur et Bourdeau repasserait chez lui se changer avant le souper chez Semacgus. Il reviendrait prendre Nicolas rue Montmartre dans la voiture, toujours disponible, de Le Noir.

Comme prévu les invités se retrouvèrent à neuf heures de relevée dans la demeure de Semacgus à Vaugirard. La douceur de la nuit tombante avait permis d'installer une table sur la terrasse qui, de quelques degrés, dominait le verger. Des flambeaux éclairaient gaiement une table décorée des fleurs du jardin. En raison de son âge Marion était restée rue Montmartre, gardée par Catherine et Pluton. Poitevin avait conduit Noblecourt et Naganda. Il aiderait Awa qui virevoltait, éclatante dans sa robe brodée, et servirait à table. Chacun s'égailla au milieu des cris et des rires des retrouvailles. Noblecourt accapara Naganda et, appuyé sur son bras, l'entraîna dans les allées pendant que les autres rejoignaient Semacgus qui officiait en cuisine.

— La chose est délicate, marmonnait-il, l'habit tombé et le visage congestionné d'attention. Il va falloir réussir sans déchirer... Point trop épaisse, point trop fine...

Les visages intrigués de ses trois amis se penchèrent sur la table de l'office.

— Est-ce une ouverture ? Va-t-il manier le scalpel ? plaisanta Bourdeau.

— Peuh ! Bien plus compliqué, dit le chirurgien qui, après avoir étendu une nappe saupoudrée aussitôt de farine, y avait étendu un pâton que peu à peu il aplatissait avec un rouleau pour en former une abaisse.

— Pâte brisée, évidemment ? demanda La Borde dont la dévotion au dieu Comus était connue de tous.

— On retrouve l'habitué des petits soupers dans les cabinets du feu roi. Plutôt une pâte aux œufs.

— Et que comptez-vous donc nous préparer ?

— Une *strouille*.

— Une *strouille* ! s'écria en chœur l'auditoire étonné.

— Oui, une *strouille à l'italienne* car il faut varier la matérielle et ne jamais mépriser ce qui est bon chez les nations étrangères.

— Et en quoi consiste ce mets ?

— Voyez, ma pâte est abaissée... Je vais lui fournir de quoi la nourrir et vous satisfaire.

Il se porta vers le potager et leur montra un plat contenant des tronçons de moelle qu'il fit prestement pocher dans un bouillon odorant. Ensuite, il fit revenir au beurre des oignons coupés en dés et un hachis de jambon de Westphalie. Après quelques minutes il y ajouta de la mie de pain, du parmesan, sel, poivre, cannelle, muscade ainsi que la moelle.

— Il faut laisser refroidir le tout et rafraîchir le cuisinier, dit-il, en ouvrant un antique flacon. C'est le dernier qui me reste d'une certaine expédition à Vienne. Chère Awa, quatre verres. Tant pis pour les bavards du jardin !

— Et pourtant, dit Nicolas, nous en avions ramené plusieurs caisses de ce vin de Tokay-là !

— Au milieu de quels périls !

Semacgus aligna les verres, les emplit et les tendit à ses amis.

— Quelle admirable couleur d'ambre ! dit La Borde, élevant son verre pour mirer la robe du vin.

Il le respira les yeux fermés.

— Du raisin d'hiver confit avec une légère senteur poivrée. Une merveille ! On se félicite que vous ayez sauvé votre bagage. Et ce petit coquin-là me paraît des plus propres à préparer nos ventres à ce que Guillaume nous concocte, et puisque je parle de ventres, connaissez-vous la dernière histoire qui court la ville ?

— Je ne sais qui l'informe, dit Nicolas ; il est plus au fait des choses qu'une mouche du Pont-Neuf ou qu'un huissier du Palais.

— Eh bien ! Apprenez, messieurs, qu'un certain chevalier de Modène, le nom est emprunté à coup sûr, s'est impatronisé chez Monsieur comme gouverneur du Luxembourg. Poussé par un lucre sordide, il a aussitôt ordonné des patrouilles sévères dans les jardins pour soumettre à l'impôt les ventres relâchés. Surpris dans l'attitude que vous imaginez, le quidam est aussitôt menacé. On s'empare de son épée, de son chapeau posé à terre, on lui crie dans les oreilles et on le force à payer une amende plus forte que le tribut ordinaire.

Tout en parlant, il mimait la situation. Awa interrompit l'éclat de rire qui saluait ses propos et sa pantomime.

— Guillaume, dit-elle avec ce joli mouvement de tête qui dévoila la nacre ébène de son épaule, le bouillon est chaud et votre farce est froide.

Semacgus étendit avec amour les ingrédients sur la pâte, rectifia les assaisonnements avant de la rouler en boudin qu'il plaça dans un torchon et ficela avec soin à ses deux extrémités.

— Nous allons le faire cuire deux bons quarts d'heure. D'ici là je serai à table, mais la chère Awa y pourvoira. Une fois déballé, elle le découpera en rondelles, dressera le tout sur un plat et le recouvrira de fromage de Parmesan et de beurre frais fondu. Avec la pelle rougie au feu, elle fera enfin surgir un léger gratin et nous nous...

— ... régalerons ! cria Bourdeau d'enthousiasme.

Quand ils rejoignirent la terrasse, une scène touchante les attendait. Noblecourt et Naganda étaient assis côte à côte ; l'un babillait et l'autre, tête penchée, l'écoutait avec respect.

— Ah ! dit le magistrat apercevant les arrivants. Bénis soient ceux qui nous abandonnent pour une aussi plaisante conversation. Sachez et retenez, messieurs, que chez le peuple micmac ce sont les vieillards qui enseignent la sagesse et le jugement aux plus jeunes. Apprenez que notre ami m'a offert une plume d'aigle, des griffes d'ours et une dent de lion de mer pour mon cabinet de curiosités. Cela dit, j'ai bien soif. Le temps se fait lourd et l'orage menace.

Chacun prit place autour de la table sans protocole.

— J'ai pensé, dit Nicolas, que la peau d'ours dans l'atelier du roi était un présent du Nouveau Monde.

— Tu as vu juste ; je l'ai tué près de Cap-Breton.

— Peste, dit La Borde. Quels privilégiés que ces deux-là ! Il y en a qui se damneraient pour une minute dans ce cabinet.

— Peuh ! dit Nicolas faussement faraud, j'y suis demeuré une demi-heure et Naganda le triple au moins. Un peu plus nous faisions attendre Necker.

La Borde, qui faisait face au jardin, hochait la tête en le contemplant. Il semblait qu'il en mesurât les perspectives.

— Mon cher Guillaume, que voilà un beau terrain qui m'inspire et me fait rêver. Il donne matière à mon imagination.

— Les imaginations d'un fermier général ? Tout m'est doute et méfiance.

— Voilà bien notre réputation, mais je ne donne pas dans la construction des nouveaux faubourgs et dans le rachat des terrains. Rassurez-vous, c'est l'amateur de la Chine qui s'exprime. Lorsque l'horizon est borné, l'art des célestes consiste à étendre les dimensions en multipliant les objets et les représentations multiples. Artifice et trompe-l'œil alimentent l'illusion. À notre différence, ils considèrent en particulier leur jardin comme un peintre sa toile et groupent les arbres de la même manière que ce dernier placerait ses figures. Ils utilisent des vues en perspectives dissimulées par des massifs, ayant compris que la grandeur apparente des objets diminue et que les couleurs s'affaiblissent à mesure qu'ils s'éloignent de l'œil du spectateur. Les formes et les couleurs des arbres varient toujours et, lorsqu'il existe de l'eau, je vois au fond de votre jardin un petit étang informe…

— … informe ! gronda Semacgus. Et s'il me plaît à moi qu'il le soit, informe ?

— Plaise à vous ! Informe, je maintiens. Romanesques, les Chinois multiplieraient les scènes plaisantes ou horribles. Ici, des arbres difformes, des édifices en ruine et des cavernes obscures et puis, aussitôt, en transition, des scènes riantes. Dans votre étang, je verrais bien des rochers aux formes usées liés entre eux par des mortiers, des retenues et des cascades. Et des saules, oui, des saules pleureurs.

— Ne se prend-il pas pour M. de Sainte-James, *l'homme au rocher* ?

— Moi, s'exclama Bourdeau, je crois que plus il agite sa marotte, plus l'heure du souper s'éloigne !

— Point de précipitation, dit Noblecourt se jetant dans la bataille avec une fougue juvénile, la chose est d'importance et *messer gaster* attendra. M. de La Borde, avec qui j'aime croiser le fer, tend à l'ordinaire à révolutionner nos habitudes et nos traditions. Et Gluck par-ci et Gluck par-là ! Quand ce n'est pas cette nouvelle musique, c'est la nouvelle cuisine dont il nous rebat les papilles. Non content d'imiter l'ennemi anglais dans nos jardins, il faudrait, à l'entendre, se livrer désormais aux imaginations dépravées des talapoins et abandonner notre belle et admirable raison et son ordre immuable.

— Si je puis me permettre de vous interrompre, je vous répondrais qu'il y a quelque inconséquence de votre part – et foin de votre belle et admirable raison – à soutenir, dans le même temps, la dépravation jardinière des Chinois et chanter à tout va l'intelligence et la subtilité de leur philosophie en bon disciple de Lao Tseu. Chez vous, le vrai est-il vraiment le contraire du faux ou votre plein n'est-il que vide ?

— Oh ! Le méchant *loyoliste*. Je ne répondrai pas à d'aussi faux arguments fondés sur de fallacieuses prémisses. Quoi de plus beau en effet qu'un jardin à la française ? Ses lignes droites ou doucement courbées, cette régularité, cette écriture géométrique de verdure et de fleurs, cette symétrie qui flatte l'œil et l'entendement, cette nature dominée prête à entendre des vers et des cantates. Nos jardins, monsieur, sont des alexandrins en musique !

— Si je puis glisser le mot candide d'un naturel des Amériques où la nature est si grande, si variée et si nourricière que nous ne voyons plus sa beauté qui participe de l'air que nous respirons, il me semble, avec tout le respect que je vous dois, que l'un et l'autre vous torturez la nature, alors qu'il la faudrait conserver telle que les dieux l'ont faite.

— Le candide tient du Salomon ! remarqua La Borde. Et il est vrai, qu'il y a quelque paradoxe à forcer la nature pour lui rendre, par artifices, son aspect premier.

— Et j'ajouterai, dit Noblecourt, en propos de pure aménité, quoi de plus magnifique qu'une belle et haute futaie de nos forêts ?

— Ou qu'une lande de chez moi en mai avec ses ajoncs et ses genêts dorés ?

— Ou qu'un coteau de Chinon à l'automne quand la vigne est pourpre et le raisin épais ?

Un double sentiment s'imposa à Nicolas qui le sépara soudain des autres. Certes, il éprouvait un accès de bonheur, c'est-à-dire un bref instant vécu sans passé ni futur, un de ces moments fugitifs qui se reproduisait à chaque rencontre entre Noblecourt et La Borde. De peur qu'il ne se dissipât, il en épuisait tous les agréments dans une plénitude dont il avait déjà éprouvé le déroulement et deviné les risques. Et de cela, un contentement le poignait, une bouffée d'immobilité heureuse. Le temps n'existait plus, ce qui avait eu lieu s'imposait à nouveau avec l'espoir que ce moment, rare, reparaîtrait avec la régularité du parcours des astres. Placé entre deux miroirs qui lui renvoyaient son image, le temps, pour lui, n'était plus rien qu'un moment arrêté. Cependant, en contrecoup, tout ce qu'il croyait et ressentait défilait soudain à

une vitesse folle au point qu'il crut en entendre le sif-
flement. La machine se remettait en marche, le reje-
tant dans la vie. De même, jadis, les gravures de son
enfance l'expulsaient après qu'il s'y fut introduit
pour y vivre d'imaginaires aventures.

Combien de fois encore Noblecourt et La Borde,
jusqu'ici immuables, répéteraient leurs joutes, ranimant ces instants de bonheur ? Combien de temps
vieilliraient-ils indemnes ? La réponse était impossible, sinon tragique, il le savait. Et de cette impossibilité d'y répondre l'angoisse montait dont rien ne
pouvait diminuer le poids. Il revit, au retour des funérailles, la cape et le chapeau râpé du chanoine Le
Floch pendus à un crochet derrière la porte. Ces
pauvres vestiges l'avaient ravagé de chagrin. Il respira à longs traits l'air parfumé du soir que le serein
ne parvenait pas à rafraîchir. Il fit le vide en lui et
l'apaisement revint peu à peu.

— Voilà qui est réglé, concluait Semacgus. Je
garde mes fruitiers et j'annonce le menu. J'observerai
tout d'abord que M. de Noblecourt, mon hôte et mon
patient, devra se conformer…

— Point du tout, monsieur, point du tout ! En rien.
Je ne me conformerai en rien. M'avez-vous tiré de
ma rue Montmartre, obligé à me vêtir en freluquet, à
subir comme un jardin chinois la torture de la frisure
sur mes derniers cheveux, à me faire enfariner
comme un hareng avant friture et à supporter les
cahots d'une équipée à Vaugirard pour y entendre des
propositions d'innovations condamnables et pour, en
plus, devoir me conformer… me conformer… et à
quoi d'abord ? À la diète ? À la sauge ? Au bouilli ?
Aux herbes ? Ah non !

L'éclat de rire fut général.

— Il m'aurait laissé achever qu'il se serait évité
cette tirade. Je réponds : se conformer au menu com-

mun, mais, sous la surveillance de ses amis, s'engager à n'en point abuser.

— Ouf ! dit Noblecourt.

— Aussi, après une *strouille à l'italienne…*

Il expliqua la chose à ceux qui n'étaient pas présents lors de sa préparation.

— … nous passerons à une terrine de galantine de veau en gelée accompagnée d'une salade d'herbes.

— Pouah ! Encore des herbes ?

— Vous trouverez celles-ci particulièrement succulentes. Et pour les douceurs, outre mignardises, croquets, macarons et croquignoles, je vous réserve une surprise. Pour arroser tout cela…

Il plongea la main dans un rafraîchissoir pour en sortir un flacon renflé.

— … du vin de Champagne, le plus léger pour l'estomac et pour l'âme.

— Voilà un menu qui me complaît tout à fait et pour lequel je n'entends pas me conformer.

Awa, chantonnant et dansant, fit apparaître le premier plat, tout fumant. Poitevin rajeuni par la gaieté de l'assemblée versait le vin de champagne. Aussitôt le silence s'établit et chacun se concentra sur son assiette, puis les félicitations fusèrent. Noblecourt résuma l'avis général.

— Voilà un plat de haut goût, raffiné, subtil et léger qui surprend et nous ravit les sens. Nous savons que la cuisine est un art dans lequel Semacgus excelle, mais vous d'où tenez-vous, mon cher La Borde, cette science des jardins ? Je vous sais une sorte de Pic de la Mirandole, mais à ce point !

— C'est trop d'honneur que vous me faites ! Il se trouve que le libraire Le Rouge a fait paraître, il y quatre ans, le *Traité des édifices, meubles, habits, machines et ustensiles des Chinois,* ouvrage traduit de l'anglais. Son auteur, William Chambers, aujourd'hui architecte réputé, a voyagé, jeune homme, pour le compte de la Compagnie des Indes orientales. Un précédent ouvrage, que je possède également, rassemblait le recueil de ses dessins pris sur le vif.

— Je sais qu'il domine les mers et le commerce, mais n'y a-t-il que l'Anglais pour nous décrire l'univers ?

— Non, je possède également le *Nouveau Voyage autour du monde* d'un commerçant, La Barbinais Le Gentil. Une mine d'informations sur la Chine. Ainsi, voyez-vous, les livres font la science et non pas le lecteur.

— Il paraît, dit Noblecourt souriant, que Mme de La Borde serait appelée auprès de la reine comme lectrice.

— Il ne bouge pas du coin de sa fenêtre et parvient à tout savoir, dit Semacgus.

— Il feint de n'en point bouger... Il est comme le soleil, rien n'arrête son cours ! En effet, ma femme aura cet honneur.

— Je dispose, reprit Noblecourt, d'une vieille mouche à la cour.

— Compte tenu de vos rayons c'est une mouche à miel, dit La Borde sous les applaudissements et les rires.

— Je laisse passer *la bordée,* renchérit Nicolas, déclenchant de nouveaux rires. Cette vieille mouche, votre illustre aîné, m'a prié de vous adresser ses amitiés et doit venir sous peu vous demander un bout de conversation.

— Ah ! dit Naganda, le héros que l'on repère avant de le voir.

Interdits, ils regardèrent le Micmac.

— Notre ami veut signifier par là que des senteurs aphrodisiaques précèdent le maréchal.

Ce fut un éclat général.

— J'admire notre homme, constata La Borde. Se remarier à son âge pour la troisième fois !

— On rapporte que ce fut toute une aventure.

— Et on dit vrai ! Au début de l'année, le duc de Richelieu avait encore une maîtresse en titre, Mme de Rousse. En faisant le *jeune homme,* sans doute pour justifier ses senteurs, il eut un accident et tomba sans connaissance sur le parquet. La belle crut à une *attaque à la régent* et qu'il n'en reviendrait pas. Elle fouilla *en belette*, mit tout sens dessus dessous, s'empara de la cassette, força les tiroirs pour rafler ce qu'il y avait de plus précieux dans le cabinet. Dans les entrefaites, le maréchal était revenu à lui sans pourtant pouvoir donner aucun signe de vie. Cependant, il suivait des yeux le manège et la fureur qui s'ensuivit procura la secousse nécessaire à son salut. L'une l'avait perdu, l'autre le secourut ! Revenu pour le coup à la vie, il chassa sur-le-champ l'infidèle et purifia son hôtel, expulsant les roués, les entremetteurs et les coquines dont il était infesté. La dame eut beau pleurer, il fut impitoyable. Elle a loué depuis aux Capucines l'ancien appartement de Mme de Pompadour.

— À la suite de cette belle aventure, ajouta Noblecourt, en morale conclusion, il a épousé Mme de Roothe de Nugent, trouvant en elle l'attention et les soins qu'il recherchait. Elle est issue d'une famille chapitrale de Lorraine et chanoinesse de Remiremont à seize quartiers. Excusez du peu ! Quelle fin !

— Le duc de Fronsac a fort mal pris la chose, d'autant que son père, le maréchal, a marqué vivement qu'il était plus honnête que lui, qui ne l'avait point averti de son mariage. Il le prévenait du sien et, aussi, que malgré ses quatre-vingt-quatre ans, il comptait avoir un enfant dont il espérait qu'il serait meilleur sujet que son premier-né.

— Il est vrai, reprit Noblecourt, que ce rejeton indigne avait pris peu de soins du duc lors de l'accident et que ce dernier en avait été indigné. Or la dame, quoique fort pauvre, a eu l'honnêteté de n'accepter qu'un douaire de vingt-cinq mille livres de rente pour ne pas nuire à la fortune de M. de Fronsac. Pourtant, elle avait grandement à se plaindre d'un butor qui ne l'avait pas épargnée.

Awa arrivait avec la galantine de veau dont les tranches découpées reposaient sur une masse tremblante de gelée dorée.

— Alors, s'écria Noblecourt, pour celle-là, j'en veux connaître la recette, n'ayant pas eu la chance de percer les secrets de votre… votre ?

— *Strouille*. La base de cette galantine est une belle épaule de veau. La partie coupée en petits morceaux est mêlée à une belle couche de godiveau à laquelle je joins du lard, de la langue écarlate et du jambon. Pour le principal de la pièce, il faut l'ouvrir et l'étendre, la bien assaisonner et étaler dessus la farce que j'ai dite.

— De quelle sorte, le godiveau ? demanda Nicolas. J'en ai rencontré de différentes manières.

— Le mien est un hachis de porc, de blancs de poulet, de graisse de rognons de veau, de ciboulette, de persil et d'herbes. Je pile le tout avec des jaunes d'œufs durs. Certains y ajoutent de la farine, mais j'estime que c'est gâter la partie. En revanche, si je dispose d'un peu de jus de viande ou d'essence de gibier, je l'ajoute sans hésiter avec un trait d'eau-de-vie.

— Et ce bel appareil dont nous voyons l'achèvement, comment y parvenez-vous ?

— Je roule mon épaule et la ficelle comme une grosse carotte de tabac.

— Ah ! dit Semacgus, que voilà une comparaison qui plaît à un marin.

— Je place au fond de ma daubière des couennes, des bardes, deux pieds de veau fendus, quelques os, du bouillon et un litre de vin blanc un peu suave, sans compter les épices. Je laisse mijoter quatre heures tout doucettement. J'égoutte, je sors la pièce...

— Vous la déballez ?

— Point du tout, malheureux ! Vous la voudriez répandue et molasse ? Je ne procède qu'une fois refroidie.

— Mais cette belle gelée ?

— Dans le jus de la cuisson passé et dégraissé, je fouette des blancs d'œufs pour le clarifier. Je porte à ébullition, je mets à part, je place dessus un couvercle avec des braises et cela continue à chanter un temps. Les blancs vont absorber toutes les impuretés. Je place une chaise à l'envers sur une table et, entre ses quatre pieds, je tends une étamine et place une terrine au-dessous pour y tamiser le tout.

— De quoi obtenir cette pureté de topaze !

— J'admire, dit Naganda, la science des Français et le temps qu'ils dépensent pour se nourrir. Et cela deux fois, par le manger et le parler !

— Ne craignez-vous pas, Guillaume, que ce plat ne soit un peu trop riche pour notre magistrat dont la santé demeure notre souci permanent ?

— Comment, Nicolas ! rugit Noblecourt. M'en priver ? Moi, procureur du roi ? Oubliez-vous ce que vous devez aux magistrats que le souverain a rendus dépositaires de son autorité, des organes de sa volonté et de ses droits ? Me priver de galantine, c'est pire qu'une injure. Voilà un mal qui commence à se répandre. Chaque jour, je constate que, faute de pouvoir les récuser, on cherche en quelque sorte à les forcer à se récuser eux-mêmes par des imputations, honteuses ou publiques, qu'on ne craint pas de hasarder contre leur honneur et leur intégrité !

— Oh ! Je crains, dit Semacgus, que le sérieux ne se mêle que trop à la plaisanterie. Quelque excès de bile, sans doute ? Raison de plus pour veiller à l'état de notre procureur et s'attacher à lui fournir un régime sain, composé de racines bouillies qui peuvent, sans flatter voluptueusement son goût, épargner sa santé.

— Mais, diantre ! Que faudra-t-il leur dire ? pouffa Noblecourt. Mesurez que vous me brisez le cœur et songez que la bouchée que je vous demande – que dis-je ? –, que je vous supplie de m'octroyer, est un devoir d'équité que le ciel vous impose et que le respect vous dicte.

Poitevin surgit avec un immense saladier dont le contenu coloré intrigua l'assemblée.

— À condition d'accompagner la viande de ses herbes, je consentirai à vous régaler, un peu.

— Soit ! Ces couleurs me mettent l'eau à la bouche.

— Oui, c'est l'effet apéritif et rafraîchissant d'une salade variée. Oh combien ! Elle se présente à vous composée des trois romaines blanches, panachées et foncées, de laitue, de chicorée et de pourpier auxquelles l'estragon, la pimprenelle et le passe-pierre confit donneront du goût et du caractère. Un fil d'huile d'œillet et du bon vinaigre d'Orléans et, pour la rosace en couleurs, œuvre délicate d'Awa, elle réunit des pétales de capucines, de mauves, de bourrache, de pensées et de campanules.

— On se damnerait, dit Bourdeau, pour un jardin botanique aussi ragoûtant !

— Rien ne vaut ce godiveau onctueux et toutes ces saveurs qui parfument cette galantine ! s'écria Noblecourt, s'étouffant.

Le souper se poursuivait gaiement. Nicolas, toujours sous l'impression de sa méditation précédente, tentait d'en fixer les épisodes, les visages et les paroles. Soudain, il se rendit compte que seuls le laisser-aller et l'absence d'*efforcement* lui permettraient un jour de rappeler à lui ces moments précieux. Tenter en conscience de les imprimer sur-le-champ était une quête vaine au bout de laquelle il perdrait sur les deux tableaux, celui du présent et celui du souvenir.

— Dites-moi, Nicolas, la ville bruisse des projets de M. Necker. Il voudrait vendre certains édifices publics pour renflouer les caisses du Trésor. On prétend que la prison du Fort-l'Évêque disparaîtrait et que le capital qui en proviendrait suffirait à la nouvelle dépense en vue d'agrandir l'Hôtel-Dieu ?

— Ah ! Le fermier général entendrait-il investir ? Je crois la chose bien engagée pour cette prison. Des frelons bourdonnent autour.

— Vous avez raison, certains pions iront à dame et y feront leurs mains, mais pas moi. Et *quid* du Grand Châtelet ?

— Je puis vous assurer qu'il subsistera, mais destiné aux seuls prisonniers en matière criminelle. On envisage aussi de supprimer les cachots souterrains qui valent leur pesant d'arsenic et d'arranger l'intérieur. Sa Majesté a donné des instructions en ce sens. C'est un souci d'humanité que je partage et qui honore M. Necker.

— Oh ! s'écria Naganda, de la neige en couleur.

Awa apportait des coupes emplies d'une crème colorée.

— C'est la surprise que je vous avais promise...

— Il est expert en ce domaine, dit Nicolas. Je me souviens d'une monstrueuse omelette soufflée qu'il nous confectionna sur le chemin de Vienne, un soir en Champagne.

— Rabouine en reprit quatre fois. Il est vrai que j'avais usé deux douzaines d'œufs, force sucre et un flacon de rhum ! Aujourd'hui, je vous ferai déguster un sorbet de griottes de mon jardin dans lequel j'ai mêlé un peu de ratafia de cerises afin d'en relever le goût.

— Mais de la neige à Paris, en été ? Par quel miracle ?

— Sachez qu'en profondeur d'un tertre de mon jardin, j'ai fait creuser une fosse étanche bien tapissée de bois avec une rigole pour écouler les eaux. En hiver, j'y recueille la neige et la glace. Je couvre de planchettes et d'épaisseurs de paille et dispose ainsi, toute l'année, du moyen nécessaire. Quant à mon sorbet, la crème est placée dans un pot de fer-blanc, lui-même plongé dans son frère plus grand, empli d'eau, de glace et de sel. Il suffit alors de tourner régulièrement pour obtenir cette douceur.

— À propos de vente, avez-vous vu, demanda Bourdeau qui croquait déjà un macaron, ces annonces qui couvrent nos murs ? L'une d'elles est particulièrement plaisante. Écoutez…

Il sortit de sa poche un petit papier couvert de mine de plomb.

— … *Un grand et bel appartement à vendre avec une très grande entrée, fort fréquentée sur le devant et une porte bâtarde sur le derrière, qui l'est presque autant. S'adresser à Mlle Rosalie, dite Le Vasseur, à toute heure du jour en la maison rue Trousse-Vaches, qui le fera voir avec la plus grande facilité, excepté depuis six heures du soir jusqu'à huit, qu'elle travaille aux Tuileries.*

Ils s'esclaffèrent. Il fallut dévoiler au Micmac tout le plaisant de la chose.

— Quelle insolence ! dit La Borde. Pour les non-initiés, la Rosalie en question se trouve être la maîtresse du comte de Mercy-Argenteau, ambassadeur de l'Empereur et de la reine de Hongrie. Il n'en possèderait point l'exclusivité…

— Chez vous, dit Naganda, les absents sont tués à coups de langue.

— Un mot de bon sens, dit Noblecourt, vaut un siècle de raison. Voilà une parole de sagesse dont nous devrions nous inspirer. On ne refait pas les Français et, sans toujours y penser à mal, le persiflage est devenu trop souvent le fond et le sel de nos conversations.

La soirée se poursuivait ; Naganda évoqua longuement la guerre contre les *habits rouges*. Désormais les siens la menaient aux côtés des colons américains, les mêmes qui, naguère, Benjamin Franklin à leur tête, les avaient massacrés. La fidélité des Algonquins au roi de France demeurait inaltérée, même si l'espérance d'un retour des lys en Nouvelle-France leur paraissait illusoire. À la demie de onze heures, Nicolas, prétextant le respect du sommeil de M. de Noblecourt que la meilleure chambre de la maison attendait, donna le signal du départ. Ce fut en vain que l'intéressé protesta. M. de La Borde repartit dans sa voiture, les policiers et Naganda dans la leur. Ils prirent par le pont de Sèvres, évitèrent la ville par la route de la Révolte et rejoignirent les Porcherons. Ils s'arrêtèrent un peu avant dans une petite ruelle donnant sur la rue de la Chaussée d'Antin pour changer de costumes, masquer leurs visages de loups de velours et vérifier une dernière fois leurs armes.

Au moment où ils se dirigeaient à pied vers leur destination, un violent orage éclata. Fréquents en cette fin de printemps, leur déchaînement n'avait d'égal que leur soudaineté. Des gouttes d'eau commençaient à tomber. Nicolas se félicita de la circonstance qui dissimulerait leur approche et viderait les rues de tout témoin importun. De fortes rafales éteignirent les réverbères et c'est à la lueur des éclairs qu'ils atteignirent l'hôtel de Ravillois. À son approche, ils redoublèrent de prudence. Nicolas tentait de prêter l'oreille à l'un de ces signaux sonores, sifflements ou cris d'oiseaux, qui d'ordinaire marquaient la présence de Rabouine. L'endroit paraissait désert. Les mouches postées auraient dû se manifester d'une manière ou d'une autre. Voilà que l'inquiétude le gagnait. Il en fit part à ses compagnons qui, impuissants, hochèrent la tête. Le guichet de la porte cochère était entrouvert ; ils s'y glissèrent aussitôt. Plongée dans l'obscurité la loge du portier semblait abandonnée. Naganda, dont le regard perçait les ténèbres, pressa le bras du commissaire et lui désigna la porte qui battait, agitée par les ressauts du vent. Ils s'approchèrent. Bourdeau la poussa, dégagea le cache de sa lanterne sourde et éclaira l'intérieur. Il laissa échapper une exclamation.

— Là, un corps étendu !

Les trois hommes entrèrent et aperçurent sur le carreau une silhouette couchée sur le ventre. Bourdeau s'accroupit et tâtonna le corps.

— Il respire, mais paraît bien avoir été bellement assommé. Il a une sacrée bosse à la base du crâne.

Ils se concertèrent à voix basse. Devaient-ils poursuivre ? Ils convinrent de pousser plus avant, tout en multipliant les précautions. L'orage se calmait peu à peu en s'éloignant. La porte de l'hôtel donnant sur le vestibule était, elle aussi, ouverte. Bourdeau entra le premier. Nicolas le vit glisser et tomber en arrière sans qu'il parvînt à le retenir. Une odeur métallique trop connue lui monta aux narines. Bourdeau se releva en jurant. Sa lanterne tombée illuminait un sol rouge de sang. Vers l'escalier ils aperçurent un autre corps, comme recroquevillé sur les premiers degrés. D'évidence un combat avait eu lieu, les marques de piétinement l'attestaient. Bourdeau examinait le blessé. Il secoua la tête.

— Mort, d'un coup d'épée en pleine poitrine. Il y a eu combat car il a d'autres blessures. Cela ne remonte pas à très longtemps, il est encore chaud.

— Ferme-lui les yeux, soupira Nicolas. Non… Attends.

Il se pencha à son tour, considérant avec attention le visage figé dans une dernière expression de surprise.

— Je connais cet homme-là.

Il se redressa et réfléchit un moment.

— Je l'ai croisé plusieurs fois chez Sartine. C'est un des sbires qu'il utilise pour des opérations contre les menées des espions anglais. De ces gens de sac et de corde qu'il a fait recruter pour ce nouveau service dans l'impossibilité de disposer aussi aisément des ressources de la police.

— Nous voici en bel équipage ! dit Bourdeau. Je présume les suites plus fâcheuses à l'événement. Chipotier comme il est, Sartine aura beau jeu de s'abandonner à ses saillies habituelles et de mettre à notre bon dos la responsabilité de tout cela.

— Il n'est que trop vrai que notre présence ici de nuit lui semblera intrigante et le poussera trop rapidement dans des voies hasardées.

— Reste, remarqua Naganda, que vous-mêmes pourriez légitimement vous étonner de celle de son homme, jeté en secret par le travers d'une enquête en cours.

— Procédons avec méthode. Tout d'abord, pour éviter de mêler nos traces avec celles révélées par le sang répandu, ôtons nos souliers et marchons prudemment sur nos bas.

— Nous n'aurons garde d'y manquer. Par où commençons-nous ?

Nicolas entrevit un flambeau posé sur une desserte.

— Faisons d'abord grand jour.

Il joignit le geste à la parole et alluma les chandelles. La lumière accentua encore l'horreur de la scène.

— Ne bougez pas ! Naganda va sortir dans le jardin et relever jusqu'à l'entrée les indices que la pluie n'aura pas fait disparaître. Quant à moi…

Il tira de son habit des feuilles de papier dont il avait coutume de se munir. Bourdeau, intrigué, observait son manège. Nicolas ôta ses souliers et se déplaça sur la pointe des pieds sur les emplacements non souillés du travertin. Il le vit se baisser et chercher du regard les empreintes les plus précises et leur appliquer ses feuilles en pressant avec soin pour qu'elles s'impriment au mieux. Il murmurait, comme se parlant à lui-même.

— Aucune erreur possible… Deux hommes… Les traces en témoignent. Un fort soulier clouté et une botte plus petite à semelle lisse. Celle-ci…

Il paraissait suivre une invisible ligne.

— Celle-ci, la plus petite, appartient à l'assassin, ou du moins à celui qui a été le vainqueur de ce combat à mort. Donc deux protagonistes, pas plus. L'un surprend l'autre, ils tirent l'épée. L'un est tué et le vainqueur se retire.

Avec prudence Nicolas longeait le mur. Au pied de l'escalier, il s'accroupit et le nez au sol demeura immobile comme à l'arrêt.

— Une piste ? demanda l'inspecteur.

— Davantage qu'une piste, une constatation.

— Qu'entends-tu par là ?

— Que l'homme sorti sauf du duel ne s'est pas retiré aussitôt, mais… Oui, c'est cela !

— Eh bien ?

— Il a retiré ses bottes, car autrement comment expliquer ces deux empreintes qui se touchent presque, semblables à celles d'un garde-à-vous ? Il a gravi les degrés sur ses bas. Reste qu'éclaboussé sans doute du sang de sa victime...

Il passa son doigt sur l'une des marches.

— Ou d'une blessure reçue, des gouttelettes ont glissé et ont taché les degrés en d'infimes proportions pourtant encore bien visibles.

Naganda réapparut et fut aussitôt informé des premières constatations.

— De fait, dit-il, un homme blessé est bien sorti de l'hôtel. Dans la rue un cavalier a dû quitter les lieux peu de temps avant nous ; il pleuvait déjà. Il tirait une autre monture.

— Pardi ! dit Bourdeau, celle de sa victime. Reste que je ne comprends toujours pas le pourquoi de la disparition de nos gens.

— Nous aviserons. Et en attendant, allons visiter la maison. Naganda demeurera ici en sentinelle. Ou plutôt non, ne nous séparons pas et fermons les issues.

Il alluma un second flambeau et entraîna l'inspecteur dans l'enfilade des pièces du rez-de-chaussée. Rien n'indiquait le passage d'inconnus ; tout était en ordre. Les clés de la porte d'entrée et de celle donnant sur les arrières furent tournées. Ils décidèrent de fouiller le premier étage. Nicolas les conduisit vers la chambre de M. de Chamberlin dont la porte paraissait entrebâillée. Naganda sortit un poignard et Bourdeau son pistolet tandis que Nicolas, plaqué le long du chambranle, poussait l'huis d'un vigoureux coup de pied. Nulle présence humaine ne se manifesta. En revanche, l'état de l'appartement du défunt les stupéfia. La lumière du flambeau éclairait un champ de ruines. Tout était sens dessus dessous.

Les meubles fracassés jonchaient les tapis lacérés. La grande table servant de bureau gisait renversée sur le côté. Plus, le cuir du vieux fauteuil de M. de Chamberlin avait été crevé et son gaufrage laissait échapper la bourre et le crin. La tablette de la cheminée descellée n'était plus que morceaux épars. Le pire, et ce spectacle serra le cœur du commissaire, c'était le ramas de livres aux reliures arrachées qui avaient d'évidence fait l'objet d'une fouille minutieuse. Quant aux éléments du lit à baldaquin, eux aussi avaient subi un examen en règle. Les deux cabinets en bois précieux demeuraient un souvenir qu'évoquaient leurs débris tant il semblait qu'on se fût acharné à les détruire. Dans le cabinet de toilette, la chaise percée avait subi le même sort, son revêtement de velours rouge pendait en lambeaux.

— Je crains, suggéra Bourdeau, qu'il n'y ait plus rien à espérer de cette pièce.

— Pourtant ces ravages confirment éloquemment que l'un des visiteurs de ce soir avait pour mission de retrouver un document. Sa tentative a-t-elle été couronnée de succès ? Je n'en suis pas sûr. En tout cas, cet acharnement sur les livres me suggère certaines hypothèses dont je te reparlerai.

Naganda, agenouillé, considérait ce capharnaüm.

— Je suis sûr que le chasseur en toi tient une piste.

— Tu as raison Nicolas. Je puis affirmer que l'auteur de ce désastre a déjà payé de sa vie ce forfait. C'est lui qui a tout détruit ici.

— Le cadavre du vestibule ?

— Oui, l'autre, son assassin, est monté ici après l'avoir tué. Du sang répandu sur le dessus des débris le prouve sans conteste.

Leurs recherches dans les appartements de M. et de Mme Ravillois, de la veuve Bougard et du fils aîné, demeurèrent vaines. Nul indice ne signalait qu'ils avaient été l'objet d'une quelconque perquisition. En revanche, quelle ne fut pas leur surprise en découvrant l'état de la chambre du fils cadet. Tout n'y était que bouleversements et un désordre intrigant y régnait. Tous les objets propres à l'enfance couvraient le sol : jouets, totons, pantins, volants, une petite carte de l'Europe, des livres. L'armoire et la commode n'avaient pas échappé à la fouille et leur contenu se retrouvait éparpillé un peu partout dans la pièce.

— Que pouvait-on rechercher chez cet enfant ? murmura Nicolas.

— Hé ! Un bocal de billes. Elles se rappellent soudain à nous. Là, sur cette planchette.

Bourdeau se haussa pour saisir l'objet qui lui échappa des mains, tomba et se brisa, son contenu s'éparpillant sur le sol.

Naganda commençait à ramasser les billes quand Nicolas l'arrêta.

— Inutile. Cela ne fera qu'un désordre de plus.

Pourtant son ami ne se relevait pas.

— Qu'as-tu trouvé ?

— Il n'y a pas que des billes…

— Comment cela ?

— Les billes ont roulé tout autour de la pièce. Mais celles-ci sont demeurées… groupées d'étrange manière.

Il se pencha pour mieux voir et demanda à Bourdeau d'approcher la lanterne.

— *Noyées dans ce qui leur ressemblait, elles disparaissaient*.

— Comment ?

Naganda ramassa les prétendues billes et les tendit à Nicolas.

— Considère-les avec attention.

Bourdeau dirigea le flux de lumière sur le commissaire qui poussa une exclamation.

— Pierre, tu as raison ! Ce ne sont pas des billes. Sans doute des morceaux de verre taillé.

— Celui-ci ressemble bien à un diamant. Et de quelle dimension ! D'ailleurs il est bien aisé de s'en assurer.

Il prit la pierre, s'approcha de la croisée et passa l'une des arêtes de la taille sur le verre. Il y eut comme un crissement.

— Cela coupe le verre, c'est un diamant.

— Alors, dit Nicolas. Si ce morceau est un diamant, alors, ma foi, ceux-ci sont des rubis, des émeraudes, des perles. Je n'en ai jamais vu de si énormes.

— Était-ce cela que recherchait celui qui a fouillé la maison ?

— Là encore, c'est possible, mais je n'en jurerais pas.

— Qu'allons-nous faire de ce trésor de Golconde ?

— Le saisir. En dresser procès-verbal. Mais nous garderons le secret de cette découverte. Je suis très curieux de connaître les réactions de la famille et pourquoi ce trésor se trouvait dans cette chambre. Et d'abord, en connaissait-elle l'existence ?

Il restait un étage, celui où demeuraient les domestiques. Selon Rabouine, aucun d'eux ne serait là pendant le voyage en Champagne. Ils accompagnaient le convoi pour assurer leur service habituel dans le château de la famille à Sézanne. Ils visitèrent ainsi plusieurs galetas pauvrement meublés de couchettes et d'armoires en bois de pin. Une nouvelle fois Nicolas s'effara des conditions de vie misérables réservées au domestique dans l'hôtel d'une riche famille. Une nouvelle porte fut poussée, qui donnait sur un petit salon.

— Voilà sans doute le logement de notre Tiburce.

Une tenture tirée séparait cette pièce de la chambre. Ils y pénétrèrent. La lumière éclaira un lit où une forme reposait.

— La couchette a dû être repliée, dit Nicolas.

Il s'approcha du lit. Soudain son attention fut attirée par des cheveux blancs qui dépassaient de la courtepointe. Il tira sur le drap et appuya sa main sur une épaule dont le froid le frappa au travers du tissu de la chemise de nuit.

— Tiburce, Tiburce, appela-t-il en le secouant doucement.

Il tira sur l'épaule, le corps bascula sur le côté, et la faible lueur de la lanterne découvrit une face au regard trouble. Le vieux valet avait les yeux ouverts et la bouche avalée comme contractée. Nicolas sortit de sa poche un petit miroir qu'il approcha des lèvres de Tiburce et secoua la tête. Naganda dansant d'un pied sur l'autre psalmodiait d'incompréhensibles formules.

— Messieurs, dit Nicolas froidement, voilà un de nos témoins, et non des moindres, qui nous échappe. Premières questions, que fait-il mort dans son lit alors qu'il était censé accompagner la dépouille de son maître ? Cette mort est-elle naturelle ou s'agit-il d'un meurtre ? Depuis combien de temps a-t-il cessé de vivre ? Cette mort est-elle liée aux événements qui se sont déroulés à l'hôtel de Ravillois cette nuit ? Appliquons nos règles habituelles.

Commença alors en silence la traque systématique d'indices qui pourraient permettre de reconstituer les faits survenus et leur chronologie. Nicolas se consacra au cadavre qu'il examina avec soin, en particulier l'oreiller sur lequel la tête était enfoncée au moment de la découverte du corps. Il le renifla à plusieurs reprises. Avant de fermer les yeux du mort, il remarqua l'expression générale du visage, celle d'une surprise terrifiée. Elle lui fit souvenir de celle imprimée sur celui de M. de Chamberlin. La victime paraissait avoir suffoqué, sa face était congestionnée, de petites taches violacées parsemaient son visage. Nicolas réfléchit un moment.

— Il paraît qu'on meurt très souvent étouffé dans cette maison. L'ouverture nous en dira plus, mais je parierais gros pour un acte criminel, même si quelqu'un a tenté de faire accroire une autre version.

Bourdeau et Naganda s'affairaient autour d'un petit secrétaire dont la serrure avait été forcée. L'inspecteur feuilletait une liasse de papiers tandis qu'au sol le chef micmac passait la main sur le parquet puis, se déplaçant à quatre pattes, paraissait suivre les fumées d'un invisible gibier.

— Rien dans ces tiroirs… Des factures. Le meuble ayant été forcé, on aura retiré l'essentiel. Reste que cela renforce l'hypothèse que tu viens de soulever. Il doit bien s'agir d'un assassinat.

— Et d'un cavalier ! s'écria Naganda, se relevant.

— Ah ! Voilà qui m'intéresse, dit Nicolas. As-tu trouvé quelque chose qui t'engage dans cette voie ?

— Certes ! Le meuble a été forcé et fort méchamment, car sans doute résistait-il à l'effraction. Le coupable s'est arc-bouté, le corps porté en arrière, pour disposer de plus de force…

Devant le secrétaire, Naganda mimait l'action.

— Et alors ?

— Alors ? Ses talons ont touché le plancher ou plutôt les roulettes des éperons, dont ses bottes devaient être munies. Vois ces piqûres profondes, elles ont égratigné le parquet.

— Compliments ! dit Nicolas, c'est presque un portrait que tu nous dresses là. Une question : ces bottes appartiendraient-elles à l'inconnu qui s'est battu et qui s'est envolé ?

— Mais, objecta Bourdeau, il a pu passer ici après le duel du rez-de-chaussée.

— Je ne crois pas. Aucune trace de sang… Or nous savons qu'il en a perdu en visitant le premier étage. Cela ne concorde pas. En outre il y a beaucoup de poussière ici et à y bien regarder on peut encore discerner la taille de la botte dont nous allons recueillir l'empreinte. Elle ne correspond nullement avec celles des traces du vestibule.

— Voilà un vrai argument !

Nicolas recouvrit le visage de Tiburce d'un drap et parut s'isoler dans une profonde méditation avant de reprendre la parole, l'air déterminé.

— Il est temps de faire le point. Notre plan prévoyait une perquisition secrète cette nuit à l'hôtel de Ravillois. Les occupants sur la route de la Champagne et son portier écarté, l'endroit restait sous la surveillance de Rabouine et de nos gens. Pour une raison inconnue qui reste à déterminer, ils en ont été éloignés, de gré ou de force. À notre arrivée, nous découvrons le cadavre d'un homme des services de Sartine, assassiné ou tué dans un combat à mort. Tout laisse à penser que sa mission consistait à fouiller la maison à la recherche d'un objet ou d'un papier dont nous ignorons la nature et l'importance.

— Tout cela, interrompit Bourdeau, ne laisse pas de nous procurer quelque lumière sur les causes de l'abandon de la surveillance par nos mouches. Si le ministre de la Marine a dépêché ici un de ses sbires sans daigner nous le faire savoir, il a logiquement tout machiné pour écarter Rabouine. L'un ne va pas sans l'autre !

— J'opine dans ton sens sur ce point. Mais poursuivons. Cet homme en mission et sur ordres bouleverse l'appartement de M. de Chamberlin et celui de son petit-neveu. Pour le premier, on peut comprendre, mais le second ?

— Et dans quel ordre a-t-il procédé ? ajouta Naganda. La chambre de l'enfant a allumé ma curiosité. Pourquoi le deuxième visiteur, après son duel victorieux, n'inspecte-t-il que la chambre de M. de Chamberlin ? Il n'y a en effet aucune trace de sang dans celle de son petit-neveu. Les deux mystérieux visiteurs étaient-ils animés par le même motif ?

— Voilà une fine remarque à prendre en compte, dit Bourdeau qui paraissait, à la grande satisfaction de Nicolas, tenir en sympathie le chef micmac. J'avancerai que le troisième n'avait peut-être rien à voir avec les deux autres.

— Nous ne sommes pas encore en mesure de répondre à ces questions. Enfin Tiburce sur lequel pèsent de lourds soupçons est trouvé mort, sans doute assassiné, en tenue de nuit dans sa chambre. Qu'y faisait-il alors qu'il devait accompagner son défunt maître à sa dernière demeure ? D'y penser me tourmente furieusement la tête. Pourquoi ? Pourquoi ? Et pour compliquer la donne son assassin paraît être un troisième larron. Un cavalier botté et éperonné comme l'a démontré Naganda. Je corrobore cette hypothèse. M'avez-vous vu renifler l'oreiller ? Eh, bien ! Il pue le cheval.

— Qu'est-ce à dire ?

— Qu'on a étouffé Tiburce, l'ouverture devrait le prouver. Son assassin s'est acharné en pesant sur l'oreiller de tout son corps. Il devait avoir fait un long trajet à cheval et est demeuré imprégné de l'odeur de sa monture.

— Ah ! C'est donc cela, ces débris recueillis dans les papiers.

Il les tendit à Nicolas qui les examina à l'aide d'une petite lentille grossissante.

— Tu as tout du colporteur, les poches pleines. *À la demande, mesdames !*

— Vois-tu, ce n'est pas sans raison. Tiens donc ! Des crins de cheval bai ! Nous reconstituons le carton découpé[1]. Le *modus operandi* pourrait laisser à penser que le même homme qui a tout machiné pour faire périr M. de Chamberlin s'est évertué aussi sur Tiburce. Mais pourquoi Tiburce était-il couché ?

Ils furent interrompus par des coups violents et des appels provenant du rez-de-chaussée.

VII

CHEMINS DE TRAVERSE

« Une des erreurs les plus communes est de prendre
la suite d'un événement pour sa conséquence. »

Levis

Ils se précipitèrent tous dans le couloir.

— D'évidence, dit Nicolas, cela provient du rez-
de-chaussée. On cherche à forcer la porte. Deux voies
nous sont ouvertes : ou nous dissimuler ici, ou descendre en bataille. J'avoue que la seconde a ma
préférence. Reste à s'y porter en silence.

— Je peux surprendre le visiteur à revers, dit
Naganda. Les fenêtres de cet appartement donnent
sur la façade arrière de l'hôtel. Il est probable qu'on
n'y prête point attention.

— Comment diable t'y prendras-tu ?

— Par les encorbellements de la façade, à la force
des bras. Les gouttières sont neuves, elles supporte-
ront mon poids.

— Et le vertige ? Moi j'y suis sujet.

— Il m'est étranger. Enfant, je gravissais des pics autrement périlleux pour prendre des plumes dans le nid des aigles.

— Voulez-vous un pistolet ? dit Bourdeau, attentionné. J'en possède deux.

— Grand merci ! Mon poignard suffira.

Dès qu'il eut disparu dans la pénombre, Nicolas et Bourdeau mouchèrent leurs chandelles et commencèrent une descente précautionneuse, essayant d'éviter le craquement des marches. Des êtres couinant détalèrent dans leurs jambes.

— Peste ! Des rats, et pourtant la maison est neuve.

— La chose ne fait rien à l'affaire ; c'est une engeance qui s'installe aussitôt les plâtres secs.

Soudain, les cris et les coups redoublèrent.

— Entends-tu ? Je n'en crois pas mes oreilles... Il me semble...

— Je connais cette voix... Ma foi, oui ! C'est Rabouine, murmura Bourdeau, c'est bien de lui d'arriver à point.

Ils dévalèrent l'escalier pour se retrouver hors d'haleine dans le vestibule juste au moment où la porte volait en éclats et que surgissait Rabouine, suivi d'un groupe d'exempts munis de masses et de flambeaux.

— Sacrédié ! Je suis bien aise de te revoir, Nicolas, et toi aussi, Pierre. Vous serait-il survenu du mal que jamais je ne me le serais pardonné. Je m'en veux mille morts.

— Et de quoi, mon Dieu ?

— On m'a trompé ! J'avais tout préparé comme convenu. Or voilà que, sur le coup de six heures...

— Six heures, dis-tu ? En es-tu sûr ? La chose a son importance.

— Je maintiens, six heures. Un homme, un inconnu de mine basse... mais pouvais-je supposer ? Aussi, lorsque j'ai eu le papier de ta main...

— Signé de moi ?

— Oui.

— Auparavant, t'en avais-je jamais adressé de la sorte ?

— Jamais. C'est bien ce qui me poigne. Suis-je assez sot ! Ah, le butor !

Il se donna de violents coups sur la tête.

— Ce n'est que plus tard que le doute m'a saisi. Aussitôt, j'ai galopé jusqu'à la rue Neuve-des-Augustins. Le valet de M. Le Noir qui me connaît de belle lurette a bien voulu m'introduire entre deux audiences.

— Et alors ? Qu'a constaté le lieutenant général de police ?

— Que c'était un faux, et du meilleur aloi, que je n'étais qu'à moitié fautif de m'y être laissé prendre. Une vraie *bride à veau* !

Il tendit le papier à Nicolas qui l'examina avec soin.

— En effet, on pouvait s'y tromper. Un faux furieusement bien forgé.

Rabouine, jusque-là tout à son récit, prit soudain conscience du carnage environnant, éclairé désormais par la lumière vacillante des torches.

— Quelle boucherie ! C'est pire que rue du Pied-de-Bœuf un jour d'abattage. Vous ne l'avez pas raté ! J'ai manqué cela !

— Point du tout ! Que vas-tu imaginer ? Nous avons découvert ceci en l'état, commenta Bourdeau que l'ébaudissement de la mouche amusait.

— Allons, poursuivit Nicolas, cesse de bayer aux corneilles et considère ce quidam. Dis-moi si, par hasard, tu le connaîtrais.

Rabouine s'approcha du corps étendu, se pencha, le morgua avec attention et laissa échapper une exclamation de surprise.

236

— Ma foi, c'est bien ce crapoussin-là qui me l'a conté si belle hier soir. Bien estourbi ! En voici donc une autre !

Il cracha de côté. Un tumulte marquait l'arrivée de Naganda, aussitôt environné des exempts menaçants. Nicolas calma l'émotion, fit faire silence et donna ses instructions.

— Agissons au plus vite et sans barguigner. Rabouine, au troisième, tu trouveras le corps de Tiburce, valet de M. de Chamberlin. Il y a apparence qu'il soit mort étouffé. Comment ? L'ouverture nous l'apprendra sans doute. Organise son transfert à la basse-geôle ainsi que celui de ton homme qui, pour ta gouverne, appartenait à Sartine.

— On lui fera un compliment. Il sait les choisir de bon aloi !

— Ensuite, plis portés à Semacgus et Sanson. Scellés posés sur la porte de l'hôtel et sentinelle en permanence. Il faut prendre soin également de ce pauvre bougre de portier qui a été assommé. Nous disposons de quelques jours, la famille est en Champagne. Cela nous laisse le loisir de démêler tout cela. Encore que...

— Et Sartine ? demanda Bourdeau.

— Son attitude sera édifiante lorsqu'il apprendra le récit de cette nuit. Pour moi, comme à l'accoutumée je monterai à la tranchée et lui dirai son fait : on ne peut tirer à hue et à dia sans dégâts et c'est affaire déplorée d'avance que celle que l'on traite ainsi, détruisant d'une main ce que l'on fait de l'autre.

Ils retrouvèrent leur voiture. Un étrange accablement s'empara d'eux. Nicolas savait d'expérience que la mort comme l'amour exigeait ce tribut. Aucune parole ne fut échangée. En dépit de ses protestations, Bourdeau fut reconduit à sa demeure du faubourg Saint-Marcel. La nuit était très avancée quand Nicolas et Naganda rejoignirent l'hôtel de Noblecourt endormi. Dans sa lassitude le commissaire entendit son ami évoquer le jardin de l'hôtel de Ravillois. La remarque surnagea sans atteindre sa conscience. Mouchette, les yeux rougeoyants à la lueur des chandelles, les attendait, petit sphinx immobile, en haut de l'escalier.

Jeudi 8 juin 1780

Le réveil fut difficile. Étaient-ce les agapes chez Semacgus ou les événements de la nuit, toujours est-il que son sommeil pourtant lourd ne lui avait guère apporté de repos, peuplé d'ombres et d'indéchiffrables énigmes. Mille pensées l'assaillirent aussitôt, se pressant et se mélangeant sans lui donner loisir de la moindre réponse. Il s'y efforça en vain, tout en vaquant à sa toilette. Rendez-vous avait été pris pour dix heures à la basse-geôle. Auparavant, il comptait passer à l'hôtel de police rendre compte à M. Le Noir de la situation et de ses possibles conséquences. Après les ouvertures et suivant les conclusions auxquelles elles aboutiraient, il aviserait. L'explication nécessaire avec Sartine ne pouvait être remise à plus tard. Il espérait encore sans parvenir à s'en convaincre lui-même que des arguments recevables éclairciraient cette trouble conjoncture.

Nicolas prit un soin extrême à sa toilette, changeant de linge, d'habit, de souliers. Il souhaitait effacer toute trace de cette familiarité obligée avec la mort qu'il retrouverait pourtant au Grand Châtelet. Ces états d'âme auraient dû depuis longtemps lui être étrangers, mais les rencontres avec la camarde, la liste qui s'allongeait de ces vies moissonnées, lui pesaient. Était-il donc, comptable impuissant de cette danse macabre, condamné à cette quête sans issue ? Parfois la tentation l'envahissait de tout abandonner, de rejoindre les rivages du grand océan, de se cloîtrer à Ranreuil dans sa tour d'angle. Il se consacrerait à la lecture, à la chasse, à l'amélioration des cultures de ses terres et au bonheur de ses paysans. Dans les cris des mouettes et des goélands, il marcherait sur les grèves étincelantes battues et rebattues d'eau et de sel. Il tenterait d'atteindre les pointes inaccessibles qui se profilaient à l'horizon brumeux. Il éprouvait à ces perspectives comme une envahissante douceur. Ces velléités ne duraient guère. Il y avait Paris, Louis et Aimée, ses amis et le service du roi. Pour tout cela il se sentait Ranreuil ; un homme qui, à l'instar de ses ancêtres tous hommes de cœur et de fidélité, restait prompt à verser l'impôt du sang, celui qui justifiait – ou excusait, il s'interrogeait parfois – ses privilèges.

Ces réflexions eurent l'avantage de lui vider l'esprit et de lui rendre une manière de sérénité propre à aborder la dure journée qui s'annonçait. Avant de descendre il n'oublia pas de récupérer les pièces à conviction recueillies aux Porcherons, crins de cheval, pierres précieuses et empreintes de pas relevées sur papier. Il transféra tout cela dans l'habit du jour et n'oublia ni son épée ni ses pistolets. L'expérience lui avait enseigné à prendre cette précaution, nécessaire dès qu'on s'engageait dans une affaire extraordinaire.

Il poussa doucement la porte de la chambre de Louis. Naganda dormait paisiblement. Il préféra le laisser reposer. À l'office Catherine lui avait préparé un solide déjeuner. Son appétit se réveilla devant le chocolat fumant, un kougelhof fleurant le beurre, empli de raisins et couvert d'amandes grillées. Il dut payer son écot en racontant par le menu la soirée chez Semacgus sous le contrôle sévère de son amie qui entendait qu'on n'omît rien des détails et des plats servis. Nicolas enfin lui recommanda Naganda. Qu'elle le serve comme s'il s'agissait de lui-même, qu'elle le présente à Pluton dans les formes et qu'elle l'avertisse que, devant se rendre à Versailles dans la journée, il viendrait le prendre si toutefois l'accompagner lui convenait. Sur ce, il demanda à Poitevin de seller Sémillante et, chose faite, entraîna sa monture au petit trot dans les rues encombrées.

À l'angle de la rue Saint-Honoré et de la rue Saint-Nicaise, un attroupement attira son attention. Il envisagea son collègue du quartier qui parlementait, la baguette d'ivoire à la main, avec un groupe d'hommes et de femmes du peuple offrant l'image de la plus grande exaltation. Nicolas approcha d'un garde-française posté là pour l'interroger.

Le soldat le toisa, mais, vu l'allure et le ton de Nicolas, il accepta de répondre.

— Ce n'est qu'une femme qu'on veut arrêter. Le peuple s'y oppose.

— Et pourquoi donc ?

— Tiens, donc ! Elle a volé un pain de huit livres. Mari malade. Ne peut plus subvenir à leurs besoins. Quatre enfants et la dernière misère. Le commissaire a cru devoir vérifier pour éclaircir la vérité de ses dires. Il a trouvé là-haut... sous le plomb...

Il désigna une maison étroite. De huit étages.

— ... l'homme pendu et les enfants en pleurs.

Nicolas fendit la foule qui s'écartait en grondant. M. Lamay, son confrère, le reconnut et, s'échappant du groupe qui l'encerclait, s'approcha de lui.

— Triste affaire, monsieur Le Floch.

— En effet, ce soldat m'a tout raconté.

— L'homme s'est pendu, ayant appris qu'on avait surpris sa femme à voler.

— Et que comptez-vous faire ?

— Eh, quoi ? Que voulez-vous que je fasse ? L'arrêter, pardi !

— Ne craignez-vous pas de déclencher l'émotion du peuple ? Déjà, avec ce qui est survenu au cimetière des Innocents, les esprits sont échauffés…

— Mais que diable me chantez-vous là ? On ne peut passer sur un vol ! Et du pain de surcroît ! Ce serait donner la voie libre à bien d'autres méfaits.

— Et cette mère en prison ? La cascade d'injustices pour les enfants orphelins ? Y songez-vous ?

— Si vous voulez en prendre la responsabilité, nul doute que vous saurez vous faire absoudre en haut lieu. Il vous est facile de jouer sur plusieurs tableaux.

— Vous vous oubliez, mon ami…

La foule s'était approchée et, comprenant l'enjeu de l'échange entre les deux commissaires, approuvait bruyamment.

— Allons, disons qu'il y a eu malentendu. Lamay, je vous connais, vous êtes un brave homme. Cette femme est allée chercher mon pain.

Il sortit sa bourse et tendit des louis à une mégère qui paraissait être la boulangère lésée.

— Ma commère, dit Nicolas, du pain, et du bon, à cette famille pour un mois.

La femme pleurait, les mains élevées au-dessus de sa tête comme pour conjurer le malheur, mêlant dans ses propos injures et bénédictions. Sous les applaudissements de la foule, Nicolas piqua des deux. De vieux scrupules resurgissaient. Qu'avait-il à intervenir dans cette affaire ? La révolte de Lamay n'était pas sans fondement. Une petite voix lui suggéra que c'était peut-être le vœu de la providence et qu'une famille lui devrait la chance d'échapper à la misère. Agissant ainsi, ne se donnait-il pas bonne conscience ? Avec peine il se convainquit de s'être trouvé là au bon moment pour écarter le pire. Au même instant, sans doute, dans d'autres quartiers de la ville, des situations similaires trouvaient leur règlement dans l'application des lois les plus cruelles. La pointe acerbe du commissaire l'avait meurtri tant lui-même était exempt d'une telle bassesse. Quand donc son cœur serait-il suffisamment bronzé ? Après tout son confrère appliquait la loi. Pour un canard, un fruit ou du pain, la peine était de trois ans de galères et pour une femme le placement dans une maison de force après le fouet. La récidive impliquait un *W* au fer rouge appliqué sur l'épaule. La plupart des coupables issus du même peuple venaient des campagnes et se trouvaient aussitôt confrontés aux difficultés innombrables de logement et de nourriture. Ouvriers au chômage, domestiques sous conditions, soldats déserteurs, gagne-deniers, toute une humanité que la *grand'ville* avait attirée mais qu'elle rejetait comme un corps étranger dangereux. Les femmes payaient un lourd tribut pour ces délits. La maison de force leur était échue, d'autant que rien n'était plus ordinaire que de répandre des doutes sur leur vertu, même de celles dont la conduite était irréprochable.

À peine entré dans le bureau du lieutenant général de police, Nicolas comprit que ce qu'il appréhendait ne serait rien auprès de ce qui se préparait. L'air ennuyé de M. Le Noir ne trompait guère et son regard de côté vers un fauteuil placé devant la croisée en contre-jour, dont le commissaire ne distinguait pas l'occupant, pouvait tout faire craindre. Une voix ironique s'éleva qu'il reconnut aussitôt.

— Alors, monsieur l'enquêteur aux affaires extraordinaires, il vous arrive de venir présenter à vos chefs les désastreuses conséquences de vos initiatives nocturnes ?

Il reprit un ton au-dessous, plus menaçant encore.

— Ne vous avais-je point prié, avec tous les égards dus à votre excessive susceptibilité, de tenir pour obligé de m'informer sur-le-champ – sur-le-champ, était-ce clair ? – de tout ce qui pourrait alimenter la cabale contre moi ?

Le ministre jaillit de son fauteuil, diable vêtu de noir, une boucle de sa perruque blanche déroulée lui battant la joue. Il se mit à son habitude à arpenter la pièce sous le regard de plus en plus désolé de Le Noir.

— Hein ! Hein ! Que dites-vous de cela ? Aurez-vous le dernier mot ? Ce serait bien la première fois !

— Nous procéderons par ordre, répondit Nicolas, impassible. Permettez d'abord que je rende compte au lieutenant général de police sous l'autorité duquel je sers. Lorsque vous exerciez ces fonctions, vous n'auriez pas toléré d'autres façons d'agir.

Sartine, pourpre mais coi, s'accouda à la tablette de la cheminée.

— Jeté dans une affaire dont nous connaissons tous le détail et le délicat, je constate qu'à l'hôtel de Ravillois chacun s'attache à mentir, même le domestique. Tous ont quelque motif de souhaiter la disparition de M. de Chamberlin. Il appert également que le dernier testament, disparu, fonde le soupçon qu'il a été soustrait. Enfin, on peut supposer que des documents liés aux fonctions d'État du vieux Chamberlin pourraient avoir été dissimulés par lui-même, ou déjà volés. Dans ces conditions une perquisition s'imposait au plus vite en profitant de l'absence de la famille, en Champagne pour les obsèques.

Sartine finit par éclater.

— Et vous, hurla-t-il tendant un doigt vengeur vers Le Noir, ne pouviez-vous empêcher cette folie ? Il faudrait de temps à autre que les écailles vous tombent des yeux !

— Le lieutenant général de police n'en avait point été informé au préalable. Ceux qui m'ont précédemment employé m'ont toujours incité, dans les affaires extraordinaires que je traite, à ne les point compromettre en les rendant détenteurs de ces projets-là !

— Vous avez vraiment réponse à tout ! Reconnaissez que vous avez perdu le sens commun en agissant ainsi. Fracturer un domicile privé. Un contrôleur général de la Marine ! Un fermier général. Le Noir, il faut reprendre la main et ne point vous laisser mener à la lisière par ce…

— Commissaire au Châtelet, monseigneur, à qui naguère vous ordonnâtes bien plus. Vous trouvez bon de juger ma conduite condamnable, mais le secret de mener sa barque à bon port au milieu de tous les orages et bourrasques que vous déclenchez ? Sachez qu'en toute occasion, je ne consulte que le bon sens, la probité et les intérêts du roi. La mort sans doute machinée de M. de Chamberlin dont il demeure séant de taire, pour le moment, la perspective n'autorisait pas une perquisition en forme.

— Le pire, Le Noir, le pire c'est qu'avec lui il y a toujours un sanglant carnage à la clé. Un homme a été tué. Le soupçon peut se porter sur vos policiers. Mesurez-en les conséquences !

— Je crains, monseigneur, que vous ne soyez mal informé. La nouvelle trop pressée de vous joindre est erronée. Il y a deux morts.

— Deux morts !

— Certes. Un homme tué d'un coup d'épée et Tiburce, le vieux valet de M. de Chamberlin.

— Assassiné ? demanda Sartine que la nouvelle parut surprendre.

— Les apparences incitent à le supposer. L'ouverture nous en dira davantage. Que ne venez-vous y assister ?

— Fi de vos macabres distractions ! Et l'autre, quel est-il ?

Nicolas estima le moment venu de porter une botte à l'italienne, son intuition lui disant que, pour une fois, il jouait avec Sartine en disposant d'un coup d'avance. Le ministre semblait avoir été mis au fait de bien incomplète manière. Il fallait se ruer dans cette faille-là.

— Rue des Mathurins, nous avons croisé votre homme. C'était pour moi une vieille connaissance souvent rencontrée à Versailles. Me voyant, il m'a confié l'objet de sa mission, persuadé que notre présence venait la renforcer.

— L'imbécile ! éructa Sartine de nouveau en mouvement.

— Je suis heureux, monseigneur, que vous reconnaissiez vos gens et ce pour quoi vous les mandatez. J'ignore qui vous a rapporté les faits survenus aux Porcherons, mais ce fut inexactement. Trop vite, trop mal fait ! Au fait, compliments pour le faux. Il était d'une qualité !

— Je distingue dans vos propos d'étranges sous-entendus. Que signifie ce galimatias ?

— Que vous avez envoyé un homme du secret rue des Mathurins. Sachez que le rapport qu'on vous a rendu est infidèle tout autant que le conte que je viens de vous faire. Reste, comme le remarquerait un ami commun, que le faux conduit souvent au vrai.

— Que me chantez-vous là ?

— Votre homme, qu'au passage nous n'avons rencontré qu'occis, a été tué par un inconnu qui auparavant avait mis à sac l'appartement de M. de Chamberlin, y recherchant quelque chose qu'il a découvert, ou non.

J'insiste, *ou non*. Je serais aise – et vous aussi, j'en suis assuré – de tenir ce bougre-là. Monseigneur, libre à vous de jouer sur deux tableaux, mais sachez que ces mauvaises manières ne fatigueront jamais la loyauté que je vous dois. Une mutuelle ouverture demeure la meilleure politique pour aboutir dans cette affaire.

Sartine demeurait de marbre, souriant même. Cette attitude à qui le connaissait comme Nicolas pouvait être tout aussi redoutable que les feintes colères dans lesquelles il excellait.

— On ne lui échappe point et sa sagacité m'a toujours émerveillé. Ce fut mon élève. Soit, j'avoue. J'avais dépêché, ignorant, je le répète, votre projet de perquisition, un de mes hommes à l'hôtel de Ravillois. Il ne s'agissait pas de marcher sur vos brisées, mais d'une démarche parallèle et complémentaire. Était-ce pendable ?

— Ainsi votre homme a péri. Qu'escomptiez-vous qu'il pourrait découvrir ?

— Je vous l'ai dit. Les fonctions de M. de Chamberlin le faisaient détenteur de papiers d'État.

— Mais nous avions déjà examiné l'appartement.

— Sans succès. La deuxième tentative aurait peut-être donné un résultat plus fécond. Je regagne Versailles. Voyez comme une franche conversation peut éclairer le débat.

Sur ce, dans un nuage de poudre que répandait sa longue perruque, le secrétaire d'État à la Marine se retira, laissant ses interlocuteurs médusés.

— Changera-t-il jamais ? murmura Le Noir, les yeux au ciel. Il y a longtemps que j'ai pris mon parti d'être considéré comme une roue de carrosse inutile. Et quoi maintenant, mon cher Nicolas ?

— L'enquête se poursuit pas à pas et je ne désespère pas de disposer sous peu d'éléments nouveaux qui permettront de l'approfondir.

Il relata longuement les événements de la nuit, qui plongèrent le lieutenant de police dans une silencieuse réflexion.

— Sartine, dit-il tout à trac, ne s'en prendra jamais à vous, mais songez à prendre garde aux gens qu'il emploie. Si ses sbires commettent des abus et, osons le mot, des crimes, c'est peut-être moins à cause de leur détermination propre qu'en raison de la faiblesse qui est au-dessus d'eux et qui leur laisse le champ libre. Mesurons son tourment de venir à Paris alors que les affaires de la guerre lui dévorent son temps. Dans tout cela, il y a un mystère que je ne démêle pas.

Les confidences de Sartine résonnaient encore aux oreilles de Nicolas. Sa hantise était-elle en relation avec les opérations financières consenties au profit de la Marine ? Pourquoi cette réticence à révéler son tracas ? Quel secret inavouable scellait ses lèvres ?

— Sans doute. Nous nous conformerons à ses désirs, mais c'est partie inégale, car s'il se flatte que nous entrions dans ses desseins, il ne nous dévoile aucune de ses craintes qu'il laisse…

— *Environnées de ténèbres !*

Ils éclatèrent de rire à la mention de cette expression si familière au ministre.

— Enfin, nul ne conserve un secret de manière plus exacte que celui qui l'ignore !

L'audience prit fin sur cette philosophique sentence.

Piaffante et pointant les oreilles en tous sens, Sémillante le porta jusqu'au Grand Châtelet. À son arrivée le père Marie se livra à une sorte de gigue entrecoupée de lourds entrechats. Il roulait les yeux, puis, portant ses doigts à ses narines, il exprima une sorte d'extase.

— Nous voilà bien ! Holà, aurais-tu par hasard abusé de ton cordial ? On dirait l'ours du Pont-Neuf.

— Point, Nicolas, point. Tu as un visiteur dans ton bureau. Et quand je dis un visiteur, hi, hi ! C'est plutôt une visiteuse. Elle s'est présentée en grand équipage avec quatre heiduques[1] aux coins d'un carrosse timbré. Lequel la doit reprendre dans une demi-heure. Je l'ai bien mijotée[2]. Sais-tu qu'elle est douce et aimable ? Elle n'a point fait la regoulée[3] devant un vieux singe comme moi.

— Calme ton enthousiasme et veille à ce que je ne sois pas dérangé.

Le père Marie cligna de l'œil, geste auquel Nicolas répondit par un haussement d'épaules. Dès avant la porte du bureau de permanence, il perçut le parfum d'Aimée d'Arranet. Elle l'attendait, chantonnant, assise sur un tabouret dans sa robe de fine mousseline jonquille rayée ton sur ton.

— Monsieur le commissaire, dit-elle sur un ton mutin, je vais tout vous avouer. Vous vous faites rare et on se languit de vous. À peine apprend-on que vous êtes à Versailles que vous voilà à Paris. Aussi ai-je décidé de vous venir surprendre dans votre antre. Et cela d'autant plus que…

Il s'était approché d'elle, l'avait relevée. Il serrait ce corps qu'il revoyait toujours mouillé et sans connaissance, gisant sur la mousse des bois de Fausses-Reposes. Elle voulut parler, il écrasa ses paroles sur ses lèvres et sans desserrer son étreinte la porta sur le bureau. Elle ne résistait pas, murmurant à son oreille des mots sans suite. Il dut mettre la main sur sa bouche pour étouffer ses cris.

— Voyons, monsieur, dit-elle après un moment, comme il est judicieux de souhaiter vous joindre. Vous devez m'être reconnaissant des égards que j'ai pour vous, les prodiguant sans relâche et sans espoir de retour.

Il la reprit dans ses bras.

248

— Allons, soyez sage, Nicolas. Songez qu'on aurait pu entrer ! À mon arrivée, j'ai vu Semacgus et Bourdeau. Ils vous attendent. Avant cela, je dois vous parler. Vous m'avez fermé la bouche tout à l'heure…

Il lui prit les mains et les baisa dévotieusement.

— C'était pour une bonne cause.

— Et vous dire que j'ai accompagné Madame Élisabeth.

— Certes ! C'est votre occupation habituelle.

— Ne faites pas l'enfant et laissez-moi parler.

— Soit, je me tais.

— Donc, hier après-midi nous avons gagné le carmel de Saint-Denis. Pour être exacte, Madame devait rencontrer sa tante Madame Louise. Il faut vous dire que, de notoriété, Madame est en froid avec sa tante.

— Voilà une nouvelle d'importance qui fait frémir et la cour et la ville !

— Ah ! Point de persiflage. Écoutez-moi.

— Je vous contemple sans me lasser.

— Bon, en voilà bien une autre ! Je reprends. La guerre règne dans la famille…

— Quelle famille ?

— Vous m'excédez ! La famille royale. Depuis l'automne dernier, Madame est en froid avec sa tante Adélaïde. Vous connaissez l'altière et susceptible princesse. Un brimborion est à l'origine de tout cela. Elle s'est trouvée fort mécontente de ce que Madame, ayant subi l'inoculation, ne lui ait pas écrit pour l'en avertir. Et ajoutez à cela la reconnaissance qu'elle aurait dû manifester pour telle et telle chose. Bref, Madame Adélaïde s'est imaginé que le sentiment de sa nièce à son égard s'était refroidi au point de s'amoindrir et depuis ne cesse de se fâcher et de gronder. La reine s'est entremise, ce qui n'a fait qu'aigrir la querelle. Madame n'en pouvait mais. Elle s'afflige, se lamente et pleure tout au long du jour. Du coup, on a eu recours à Madame Louise qui, du fond de son couvent, conserve quelque autorité sur ses sœurs. La sainte fille a commencé à faire la morale et à tancer sa nièce qui a éclaté en sanglots. Peignez-vous le tableau ! Émue, la carmélite a enfin promis de parler à Madame Adélaïde, tout en engageant la princesse à solliciter son pardon.

— Je constate que la vie est difficile dans ces royales maisons.

— Vous moquez-vous ? La conversation s'est poursuivie, car la tante n'a nullement perdu son goût de tout savoir. De là a suivi un sermon en forme appelant Madame Élisabeth à considérer les inconvénients des grandeurs de ce monde et le peu qu'il faut pour les dissiper. Elle l'appelait à distendre les liens avec le siècle et de vivre à la cour d'une manière toute religieuse. N'avait-elle pas elle-même connu cette vie pour la détester à jamais, et que l'éclat de carmélite valait mille fois mieux que celui de princesse. Et c'est là que, soudain…

— Que ?

— Que votre nom a surgi.

— Mon nom ? Cela m'étonne. Elle ne me connaît point. Je ne l'ai approchée qu'à la chasse lors d'un incident dont elle n'a sans doute nulle souvenance. Et de loin, dans les cérémonies de cour et à sa prise de voile où j'avais accompagné le feu roi. J'aurais mieux compris pour Mesdames Adélaïde et Victoire à qui j'ai eu l'occasion de rendre quelques services.

— En fait, elle a demandé à sa nièce si elle connaissait le marquis de Ranreuil, signalant que son père l'appréciait fort. La princesse, ignorante, s'est tournée vers moi. Avec pudeur…

Elle éclata de rire.

— ... je lui ai indiqué que vous étiez proche de mon père, l'amiral d'Arranet.

— Je vous félicite de votre prudence.

— Mon Dieu, oui ! Devant une carmélite et une jeune fille innocente.

— Et la suite, me la direz-vous, à la parfin ?

— Que Madame Louise entend vous rencontrer. J'ai donc reçu mission de vous communiquer la nouvelle. Le plus tôt sera le mieux. Il faut, monsieur, obéir aux filles de France, fussent-elles religieuses.

— Cela va sans dire. Et vous ne possédez aucune lumière du pourquoi de cette convocation ?

— Vous lui poserez vous même la question, mon ami.

Elle disparut un moment dans le petit cabinet de toilette qui jouxtait le bureau du commissaire. Il l'entendit murmurer.

— Vous avez de quoi monter une troupe de baladins avec toutes ces défroques. Je ne vous connaissais pas ce goût du travestissement.

— Il est parfois nécessaire de paraître ce que nous ne sommes pas. Pour les besoins des enquêtes, bien sûr.

— Que ne m'invitez-vous à ces divertissements-là ?

— On vous a enlevée[4] une fois. Cela suffit. Ce sont des expéditions périlleuses.

Elle reparut, consulta une petite montre émaillée entourée de brillants, présent de Nicolas, lui sauta au cou et l'embrassa.

— Le carrosse doit être revenu me prendre.

Il l'accompagna jusqu'au porche de la vieille forteresse et l'aida à monter dans la voiture sous le regard égrillard du père Marie qui les avait suivis et se frottait les mains d'excitation. Il rejoignit la basse-geôle où il trouva Bourdeau, la pipe aux lèvres. Sanson et Semacgus, habits tombés, préparaient leurs instruments. Nicolas s'empourpra sous le regard amusé du chirurgien de marine.

— J'ai eu le privilège de saluer Mlle d'Arranet. Eh, eh !

> *Et quelques instants de folie*
> *Valaient un siècle de raison.*

— Taisez-vous, vieux galantin.

— Galantin certes, vieux point encore. Je vois que vous ne niez pas.

Nicolas ouvrit sa tabatière, jeta un œil mélancolique sur le portrait du feu roi qui l'ornait et y puisa les pincées de tabac habituelles. Les éternuements le secouèrent à plusieurs reprises.

— Par lequel commencerons-nous ? demanda Sanson.

— Par celui qui a péri à coups d'épée.

Sanson appela ses aides et leur donna ses instructions. Aussitôt ils apportèrent le corps qui fut déshabillé. Bourdeau se chargea de fouiller les hardes qu'on lui tendait au fur et à mesure de l'opération.

— Rien que de très habituel. Quelques pièces, un écu double et une poignée de liards, un miroir de métal… Un mouchoir… sale… Il prisait. Une petite tabatière en écorce. Tiens ! Voilà qui est plus intrigant, un rossignol et… encore… oui, une poire d'angoisse.

— Bien équipé, l'animal ! dit Nicolas. Ce qui m'afflige c'est que nous ignorons toujours ce qu'il était chargé de rechercher.

— As-tu vu Sartine ?

— Oui, il n'a pas nié que l'homme fût à lui. Mais rien de plus.

— Sur le faux ?

— Pas un mot. Vu l'humeur, j'ai préféré ne pas approfondir.

— J'ajouterai à la liste un petit poignard caché dans le revers d'une manche. Il n'y a pas que nous qui prenons des précautions.

— Il est à bonne école avec Sartine.

— Y songes-tu ? Un ministre ne s'abaisse point à des détails aussi communs !

— Messieurs, intervint Semacgus, en accord avec maître Sanson, j'estime qu'un examen superficiel suffira. Une ouverture ne nous apprendrait rien de plus.

Le bourreau approuva.

— Il n'y a aucun mystère. Trois coups d'épée, semble-t-il, l'un à la cuisse, bénin. L'autre a traversé l'épaule, le troisième, d'ailleurs redoublé, a été porté en plein cœur, tranchant une artère. De là, sans doute, le considérable épanchement de sang que vous avez dû constater. Que doit-on faire du corps ?

Ce que le ministre de la Marine décidera. Sinon, au cimetière de Clamart.

Le corps fut enlevé et celui de Tiburce le remplaça sur la lourde table de bois au préalable lavée à grande eau. Nicolas soupira et prisa une nouvelle fois. Pour éprouvantes que fussent les ouvertures, elles l'étaient encore davantage lorsqu'il s'agissait d'une personne connue de son vivant.

— Encore du curieux, et pas du moindre ! s'exclama l'inspecteur qui examinait un à un les vêtements. Notre homme est en culotte d'habit et bas de jour !

— Nous sommes presque en été. Le temps est plus que chaud. Cela ne se conçoit pas.

— Il y a mieux. Des morceaux d'un papier… déchiré.

Bourdeau chaussa ses besicles et considéra un fragment plus gros que les autres.

— Il semble qu'il s'agisse d'un mémoire de frais provenant d'un relais de poste. On distingue sur cet autre fragment la date... Ma foi, c'est celle de la journée d'hier.

— À considérer de très près. Et que cela te suggère-t-il ?

— Pour la première constatation, qu'à moins d'être furieusement frileux le valet a été en hâte déshabillé et couché après... Et pour la seconde qu'il serait du domaine du possible qu'il soit revenu hier à Paris...

Nicolas méditait sur ces surprenantes découvertes pendant que les praticiens s'affairaient. Après s'être longtemps acharnés sur le corps du vieillard, ils portaient leur attention sur l'oreiller rapporté des Porcherons. Semacgus, après un court échange avec Sanson, se retourna vers le commissaire perdu dans la contemplation d'une vieille hache d'exécution rongée par la rouille.

— Vos premières suppositions ne laissaient pas d'être avérées, cependant nous souhaiterions y apporter quelques ajouts circonspects. L'homme a bien été étouffé, et dans des circonstances rigoureusement définies et particulières.

— Où nous conduisent toutes ces précautions oratoires ?

— Laissez-moi achever. Ce que nous voulons dire c'est que le *modus operandi* mêle deux actes différents qui se succèdent dans le temps. Premier geste, l'assassin immobilise sa victime, la maintient de force contre lui jusqu'à ce que mort s'ensuive. *Secundo*, il la déshabille, la vêt de sa chemise de nuit et la dispose sur le lit, le nez dans ledit oreiller sur lequel, par précaution, il pèse. Il espère sans doute que cette mise en scène superficielle suffira à tromper. Plusieurs constats nous incitent à penser cela. Comme tu l'avais remarqué, l'oreiller, selon ce que nous a dit Bourdeau avant ton arrivée, sentait le cheval. De fait, nous avons retrouvé dans la gorge de la victime d'infimes crins qui correspondent très bien à ceux recueillis sur le plancher de la chambre de la victime. Ainsi pouvons-nous reconstituer le déroulement du crime : l'homme maîtrise le vieillard, le presse contre lui, utilise l'oreiller dans le but de faire accroire que l'homme s'est étouffé dans son sommeil, ce qui advient parfois pour ceux qui souffrent de catarrhe ou de faiblesse du cœur. Ce que nous avons relevé ne peut s'expliquer qu'ainsi.

— Malepeste, commenta Bourdeau, deux victimes étouffées dans la même demeure, cela fait beaucoup ! Et chaque fois de manière si ambiguë que le doute peut subsister sur la vérité de l'acte criminel.

Sanson hocha la tête.

— Mon ami, sur ce coup-là aucun doute ne subsiste.

— Bon, dit Nicolas, la répétition ne signifie rien. Soit c'est le même assassin et il a jugé que deux meurtres de même nature annulaient en quelque sorte le soupçon sur le second, ou bien c'est un autre et il estime qu'on fera porter son acte à celui qui a commis le premier.

— Et cela n'implique en rien qu'il le connaisse.

— Non plus que le contraire !

— C'est un coup en aveugle, mais qui démontre une certaine réflexion dans le crime.

— Autre point, ajouta Semacgus.

Il se rapprocha du corps, désigna à Nicolas la main droite du cadavre et lui tendit un verre grossissant.

— Considérez l'index. Chez les vieillards les ongles sont fort durs.

— Je constate une petite plaie qui a saigné.

— En effet. Une partie de l'ongle a été arrachée. La victime s'est sans doute défendue ou a tenté de le faire. Elle s'est agrippée à son agresseur. Un de ses ongles a cassé. Je vous le signale, car il existe une chance sur mille que ce fragment soit resté accroché au vêtement du meurtrier.

— Voilà un ensemble d'indices qui peuvent tout aussi bien nous conduire au but que nous dérouter en multipliant les pistes. Quelle force faut-il pour étouffer un vieillard ?

— Une femme serait capable d'y parvenir. Encore que souvent la vie est chevillée au corps et que la résistance dans ces conditions… Tout est possible.

Nicolas regarda Bourdeau.

— Je crois indispensable de savoir de la manière la plus précise quand et comment Tiburce a quitté le convoi funèbre de son maître.

L'inspecteur, accroupi devant un tabouret, leva la tête, triomphant.

— D'autant plus que nous savons maintenant qu'il a pris hier une chaise au relais de poste de Jossigny[5], grâce à laquelle il a dû arriver aux Porcherons peu après six heures. Et plus étrange encore, il était prévu qu'il rejoignît le relais dans la nuit même, le prix en était réglé.

— Qu'avait-il de si pressé qu'il ne pouvait faire auparavant dans cette maison ?

— Sans doute, conclut Nicolas, la même chose que les deux autres ! Combien faut-il de temps pour revenir aux Porcherons ?

— À mon avis, avec une chaise de poste rapide à deux chevaux, trois heures suffisent. Le départ de la famille et de sa suite était prévu fort tard le matin ; donc étape dans ce relais aux environs d'une ou deux heures de relevée.

Nicolas se tourna vers Semacgus et Sanson.

— Avez-vous une idée sur l'heure de la mort ? Des morts, devrais-je dire.

— L'homme de Sartine, entre neuf et onze heures, Tiburce entre six et huit heures.

— Cela pose question. Rabouine nous dit avoir quitté le poste à six heures. Le portier se trouvait-il là ?

Bourdeau approuva.

— A-t-il seulement remarqué le retour de Tiburce ? Et, sinon, pourquoi ? Aussi convient-il de déterminer le moment où il s'est fait *matrasser*[6].

— D'autant que dans cette rue tranquille, l'arrivée de la chaise a dû faire du carillon[7] et être remarquée.

Nicolas remercia Semacgus et Sanson, et donna ses dernières instructions à Bourdeau. Celui-ci devait interroger Rabouine pour préciser la chronologie des faits survenus la veille aux Porcherons. Ensuite, il le dépêcherait à la poursuite du convoi de la famille Ravillois, avec tous les moyens nécessaires et notamment un blanc-seing signé du ministre de la maison du roi pour les autorités locales de police et de justice. Le commissaire savait qu'il pouvait faire fond sur la capacité d'initiative et l'intelligence de la mouche. Ce qu'il avait accompli dans le passé plaidait en sa faveur. Quant à lui, il irait prévenir Naganda qu'ayant rencontré Sartine, la visite à Versailles était remise. Puis il répondrait, avec tous les égards dus à une fille de France, à la demande de Madame Louise en se rendant au carmel de Saint-Denis. Rue Montmartre, il trouva Noblecourt et Naganda installés dans le jardin. Ils y devisaient comme de vieux amis.

— Ah ! Mais c'est notre Nicolas qui survient. Je suis en train de commenter, avec la passion d'un vieux bourgeois de Paris, l'*Almanach parisien en faveur des étrangers et des personnes curieuses* dont j'ai fait présent à notre ami. Il souhaite en effet approfondir ses connaissances sur tout ce qu'il y a de plus remarquable et digne d'intérêt dans notre capitale et ses environs, monuments, églises et palais.

Il agitait un petit in-octavo fatigué relié en veau.

— Cet ouvrage, d'un format commode, permet de surcroît de signaler à un étranger le prix des voitures publiques et celui de quantité de marchandises dont il peut avoir le besoin. Cela est indiqué dans le dernier détail.

— Il va pouvoir en user, car notre promenade à Versailles est hors de question ; j'ai rencontré Sartine et je ne peux me soustraire à une obligation particulière et impérieuse.

— Notre ami m'a raconté avec talent vos aventures de cette nuit. Qu'en a-t-il été des ouvertures ? Y avez-vous trouvé motif à éclaircissement ?

— D'abord, je souhaiterais prendre des nouvelles de votre santé après notre festin d'hier soir.

— C'est bien urbain de votre part, mais rassurez-vous, jeune homme, le patriarche se porte bien. J'ai dormi comme un loir dans le calme et le silence des champs. Guillaume et Awa m'ont prodigué les attentions les plus touchantes. Mais, ce midi, prenez mesure de ma sagesse, je me suis contenté d'un œuf mollet et d'une compote de cerises, le tout arrosé du nectar du grand roi, une sauge. Naganda a bien voulu m'accompagner d'un poulet froid et d'une salade améliorée. En voulez-vous ?

— Bien volontiers.

Catherine, qui suivait de loin la conversation, s'empressa d'apporter le nécessaire et le superflu, et le commissaire se mit à informer ses amis des dernières péripéties de l'enquête. Pluton vint les rejoindre et, la tête sur le genou de Nicolas, considéra avec inquiétude le pilon que celui-ci déchiquetait à belles dents.

— Prenez garde ! Point d'os de volailles aux chiens : c'est en respectant cette règle que j'ai conservé si longtemps le pauvre Cyrus.

Nicolas poursuivit. Noblecourt hochait la tête à chaque nouveau détail et au terme du récit médita un moment.

— À bien y songer, le mystère réside dans l'entêtement de Sartine à ne point vous faire partager ses secrets et ses craintes.

— Il est accoutumé à agir de la sorte. C'est une manière de religion du secret. Secret auquel il a appartenu du temps du feu roi.

— Mais vous aussi vous y aviez part. Alors ?

— En fait, j'ignore ce qui le hante, tout en redoutant de l'imaginer.

— Je crois, hélas, trop bien le comprendre. Se pourrait-il qu'il éprouvât quelque gêne, de la vergogne pour tout dire, à vous confier, à vous, qu'il connaît depuis si longtemps, dont il a éprouvé à maintes reprises la fidélité, la loyauté et l'amitié, des faits dont il pourrait ne pas devoir s'enorgueillir ? Oui, il est possible qu'il fasse rechercher des pièces par des hommes qui ne sauraient en comprendre l'importance et à qui la gravité de certains faits échapperait. Bêtes brutes, dont se servent et abusent les puissants, chargées d'une tâche accomplie sans conscience et où elles excellent sans réfléchir. Le secret dans ce royaume et la raison d'État procurent trop souvent une couverture commode à l'arbitraire.

Il joignait les mains dans une sorte de déploration.

— Imaginez ce qu'il peut ressentir à voir menacée la mission que le roi lui a confiée, à laquelle il se consacre avec le cœur qu'on lui sait. Il fait de son mieux pour pourvoir aux besoins de notre Marine et, quoique disposant des moyens les plus bornés, se flatte d'y parvenir avec succès. Et ce ne sont pas les obstacles qui manquent sur sa route, jusques aux marches du trône, hélas !

— Pensez-vous qu'il se considère comme perdu si ce qu'il cherche tombe en de certaines mains ?

— Je le crois et je le crains. Il y va de son honneur et du succès des armes de la France. De là cette humeur cassante et ce désespoir gazé sous l'aigreur.

— Cependant, intervint Naganda, le salut est parfois au fond du désespoir.

— Bien dit ! Aussi, Nicolas, le devez-vous aider malgré lui comme d'ailleurs vous l'avez toujours fait en d'autres temps. Et cela malgré les coups de caveçon qu'il ne vous épargne pas. Autre chose. À vous écouter, je m'interrogeais. Deux ou trois meurtres dans la même maison. Que cherchent les inconnus qui se succèdent et se massacrent aux Porcherons ? Il n'y a pas apparence que ce soit la même chose. Pourquoi a-t-on tué le valet de M. de Chamberlin ? D'où proviennent les pierres précieuses que vous avez découvertes dans la chambre de l'enfant ? Qui savait qu'elles se trouvaient là ? Il faut, à tous coups, répondre à ces questions.

Songeur, Nicolas quitta ses amis. Les remarques de Noblecourt, il savait bien qu'elles stagnaient incertaines ou informulées dans son esprit sans qu'il les sollicite autrement. Sémillante, mutine, encensait. Sensible à l'humeur chagrine de son maître, elle changeait d'allure selon son caprice pour attirer son attention et le distraire des soucis dont elle le sentait agité.

Parvenu à Saint-Denis, Nicolas ne put résister au mouvement qui l'entraîna dans l'église. Six ans auparavant, à quelques jours près, étaient célébrées les funérailles du feu roi. Il y avait assisté aux côtés de Naganda éploré[8]. Il se porta vers l'entrée de la crypte

du caveau des Bourbons. Là, sous une simple drape-
rie, le cercueil de Louis le Quinzième attendait celui
de son successeur avant de prendre sa place définitive
quelques toises plus bas. Cette tradition manifestait la
continuité des rois. Il se souvint d'une horloge jadis
admirée à Strasbourg. Au fur et à mesure que le jour
s'écoulait, son savant mécanisme faisait défiler différents personnages. Ainsi en était-il du temps, de la
monarchie et de ceux qui l'incarnaient. C'était une
mécanique immuable et rassurante. Le cœur serré, il
médita et pria un long moment devant les restes d'un
souverain à qui il devait tant. En traversant le chœur
désert qu'éclairaient les rayons colorés tombant des
rosaces, il s'interrogea. Étaient-ils nombreux, ceux
qui, comblés de faveur par le souverain disparu,
venaient prier pour son salut ? Il ressentit avec force
que l'ingratitude s'adressait encore davantage,
comme un privilège à rebours, à ceux qui avaient
beaucoup donné. Il alla saluer Messire Bertrand du
Guesclin, Breton fidèle, qui reposait aux pieds de son
roi. Il envia son destin. Il lui sembla que les gisants,
attendris, le suivaient de leurs regards de marbre. Il
se sentit appartenir à quelque chose d'immense et qui
dépassait de beaucoup son humaine destinée.

Il gagna le carmel tout proche. En dépit de son
royal voisinage, le choix d'un pauvre couvent sans
prestige avait fait gloser lors de la prise de voile de la
princesse. On avait évoqué *une trappe du carmel*,
plaignant celle qui allait s'y enfermer à jamais. Les
bâtiments austères, froids, sombres à l'excès, ne
payaient guère de mine. Une silhouette muette le
conduisit au parloir. Il entendit le bruit d'une porte
qu'on ouvrait, le rideau fut tiré découvrant la grille
et, dans une semi-obscurité seulement percée par la
lumière d'une chandelle qui faisait danser les ombres,
il distingua Madame Louise, celle que *papa-roi* nom-

mait affectueusement *chiffe*. Dieu, qu'elle semblait fluette dans sa tenue de carmélite ! En habit brun et manteau blanc, elle se tenait debout, un peu penchée comme pour mieux le distinguer. Le voile noir cernait un visage diaphane d'un blanc cireux. L'émotion lui serra le cœur : les yeux bruns, doux, étaient ceux du feu roi. L'amaigrissement de la face accentuait encore la force du nez propre aux Bourbons. Il s'inclina profondément. La religieuse lui rendit son salut et l'invita à prendre place dans le fauteuil placé devant la grille. Elle-même s'assit sur un tabouret paillé.

— Je vous sais gré, monsieur le marquis, d'avoir avec tant de diligence répondu à mon souhait de vous entretenir.

— Je suis aux ordres de Son Altesse royale.

— Non, par pitié, non ! Sœur Thérèse de Saint-Augustin, seulement. Je redoute à l'excès ce qui tient à mon ancien rang et fuis même les choses qui pourraient m'en faire souvenir. Toutes mes sœurs ont plus sacrifié à Dieu que moi, elles lui ont offert leur liberté. Au temps où j'étais esclave à la cour, mes chaînes, pour être plus brillantes, n'en étaient pas moins des chaînes.

Elle soupira et demeura plongée en elle-même. Nicolas vit que ses lèvres bougeaient ; elle priait.

— Pourtant, nous sommes de vieux complices, dit-elle avec un petit rire aigrelet.

— Madame ?

Elle eut un mouvement contenu d'impatience. Il comprit que c'était ce titre qu'il lui donnait. Mais qu'y pouvait-il ? L'appeler *ma sœur* ? Il ne s'y résoudrait jamais.

— Oui, à Compiègne… À la chasse.

— Je pensais que vous aviez oublié.

— Point, monsieur, point. Vous m'avez pris mon paradis ! Mais heureusement, car cela m'a permis de tout faire pour le gagner. Les princes n'oublient rien. Voyez ! Même moi, je m'abandonne aux formes de mon passé ! Je m'en accuserai, il n'y a point de rampe à mon étourderie. Ainsi à Compiègne, une chasse au daim, mon cheval s'est cabré, effrayé par une feuille. Désarçonnée, j'ai roulé sur le chemin alors qu'une chaise, suivant la chasse, arrivait à vive allure. Un cavalier a surgi qui a dévié la voiture au risque de sa vie, sauvant ainsi la mienne. Personne ne l'a su, vous n'en avez rien dit.

— C'était mon devoir d'assurer votre sécurité et de n'en point parler. Effrayée, Sa Majesté vous eût interdit ce plaisir...

Elle paraissait attendrie à cette évocation.

— Et, ajouta Nicolas, vous êtes aussitôt remontée en selle, gaillarde, maîtrisant votre monture à coups de cravache.

— Pauvre bête !

— Et, tête haute, vous êtes rentrée au château.

— Oui, pour me jeter à genoux devant mon oratoire et remercier le Seigneur de sa protection. Il avait guidé votre geste. C'était un signe pour moi. Est-ce pour cela, m'a-t-on dit, que la reine, ma nièce, vous a surnommé le *cavalier de Compiègne* ? Aurait-on appris l'épisode en dépit de votre discrétion ? Je n'aimerais point qu'on vous persiflât pour cela.

— Hélas non !

Il souriait.

— C'est pour être tombé de cheval sous les yeux de la Dauphine et du roi, mon maître, lors de son arrivée en France. Sa Majesté a la bonté de s'en ressouvenir avec bienveillance.

Elle rit, puis le regarda émue.

— Vous aimiez le roi, mon père ?

— Beaucoup, madame.

— Allez à Saint-Denis, parfois.

— Je viens de m'y recueillir.

De nouveau elle soupira.

— À vous, monsieur, je puis beaucoup dire. J'ai en effet des choses graves à vous confier. Sachez tout d'abord que mon influence est obscure ou nulle à la cour…

Il ne le croyait pas, mais n'en marqua rien.

— Mon âme est libérée, mais ma parole demeure serve des contingences qui la poursuivent. Tout du monde m'est indifférent et je n'ai de désir que pour l'éternité. Reste que l'adoration de l'Époux divin ne me ferme pas toujours les yeux sur le siècle. Je crains, pour tout vous dire, que le roi, mon neveu, ne soit incité par l'esprit des temps et par ceux qui le conseillent au plus près, à manifester une coupable indulgence touchant les hérétiques.

Elle respirait à petits coups hachés comme si cette pensée l'oppressait, lui était insupportable.

— Je perdrais mon salut à demeurer tiède quand je vois menacée la foi qui est la mienne et mon roi risquer de manquer au serment de son sacre qui lui commande de la protéger. Ne parle-t-on pas de donner carrière aux gens de la religion réformée ? N'avions-nous pas suffisamment de soucis avec les jansénistes ? On va jusqu'à évoquer un édit de tolérance… Je ne saurais l'admettre. Je n'ai point de haine contre les religionnaires ; je ne puis que prier et supplier le Seigneur de les éclairer. Qu'ils reprennent le droit chemin et rentrent sous l'autorité de notre sainte Église.

— J'entends ce que vous dites, mais…

— Je comprends aisément que vous n'y puissiez rien. Cependant, écoutez-moi. Mon éloignement du monde n'empêche pas celui-ci de venir à moi. Le roi est entouré de bons serviteurs et certains d'entre eux sont plus menacés que d'autres. Je sais votre attachement pour M. de Sartine. Vous fûtes du Secret du feu roi, mon père. Il me revient que de dangereuses menaces risquent de le mettre à bas. Il faut l'aider, monsieur ! Tout ce qu'il a accompli pour le service du roi et la sauvegarde du royaume se retourne aujourd'hui contre lui. Les attaques viennent de loin et font le lit de ce Necker, protestant de Genève qui soupe avec l'archevêque ! Tout me laisse à penser que votre dévouement peut aider notre ami. Me promettez-vous de n'y point manquer ?

— C'est une tâche déjà engagée et je vous donne ma parole que je la poursuivrai.

La petite forme semblait frémir.

— Oh ! Seigneur, aidez votre serviteur. Prenez en compte ce monde qui me poursuit sans que je le puisse tout à fait fuir ni m'en détourner.

— Madame, dit Nicolas ému, votre influence et votre conseil pourraient-ils s'exercer sur le ministre afin qu'il baisse sa garde et accepte de s'en remettre à ceux qui ne veulent que son salut de bon serviteur de Sa Majesté ?

— Je m'y efforcerai, monsieur, je m'y efforcerai. Je vous le répète, mon influence ne s'étend guère au delà des novices de cette sainte maison. Je prendrai des moyens de faire connaître mon conseil à M. de Sartine.

— Puis-je, madame, vous présenter une requête ?

— Monsieur, je suis votre servante.

— J'enquête, depuis quelques jours, sur une affaire dans laquelle je crains qu'on ne tente de compromettre le ministre. Sa Majesté y tient la main. M'autorisez-vous, madame, à lui faire part du souci qui est le vôtre à ce sujet ?

— Ne l'auriez-vous pas demandé, que j'en aurais été déçue. Cela va de soi et je n'agis jamais hors la volonté du roi, placé là où il est par la volonté de Dieu !

Nicolas pensait que l'entrevue était achevée et que la princesse allait le lui signifier. Trop au fait de l'étiquette de cour, il savait qu'il ne pouvait, de lui-même, rompre la conversation. Même carmélite, et soucieuse de l'être absolument, Madame Louise ne l'eût sans doute pas compris. Cependant, elle paraissait vouloir lui conter autre chose. Elle joignit les mains et, les yeux clos, sembla prendre une inspiration.

— Monsieur le marquis, je suis chargée d'une mission plus particulière, même si le hasard est l'autre nom de la providence…

Elle semblait gênée, cherchant ses mots. Nicolas, interdit, écoutait cet exorde mystérieux.

— Je suis chargée d'une mission, redit-elle, la voix à peine audible. Une de nos sœurs a souhaité qu'on vous remît, comment dire ? qu'on vous transmît deux témoignages de l'intérêt qu'elle porte à votre famille.

— Qui est-elle ? Puis-je le savoir, madame ?

— Je n'ai pas… Je ne puis vous le dire, non plus si elle est encore de ce monde. J'entends votre étonnement. Je vais venir au fait.

Elle sortit de sa manche gauche deux objets que, tout d'abord, Nicolas ne distingua pas et qu'il prit, attendant des explications.

— Vous trouverez dans ce rouleau, dit-elle, parlant vite et butant sur les mots, un brevet de lieutenant au régiment des carabiniers de Monsieur au nom de Louis de Ranreuil, page de la grande écurie, votre fils, et la finance[9] qui en justifie l'acquittement.

— Madame, je…

— Non ! Je n'y suis pour rien. C'est notre sœur qui a voulu cela. J'ai juste poussé un peu la chose auprès du roi. Vous le remercierez. Nul doute que votre fils honorera la tradition des Ranreuil. *Bon chien chasse de race*, comme aimait à le répéter le roi mon père. Mais ce n'est pas tout…

Elle lui tendit un petit paquet carré enveloppé de papier et qui lui sembla fort lourd quand il le reçut.

— Ceci, commun dans nos maisons, est l'œuvre de cette sœur à votre personnelle attention. Elle avait demandé, enfin… vous prie, de le toujours porter sur vous. Ne me posez pas de questions. Le carmel est lieu de silence et les secrets du monde n'y ont plus place. Monsieur le marquis, je prierai pour vous.

Elle se leva, le regarda avec une intensité qui le frappa et disparut dans les profondeurs du couvent. Une main invisible tira le rideau derrière la grille. Il demeura un moment prostré dans son fauteuil, incapable de mesurer ce que signifiait ce que la princesse venait de lui confier. Enfin, il sortit. Il sentait dans la poche de poitrine de son habit le petit présent et dans sa main les rouleaux de parchemin. Sans rien voir autour de lui, et dédaignant les agaceries de Sémillante, qui manifestait sa joie de le revoir, il sauta en selle et partit au grand galop. Il dut surprendre la jument accoutumée à sa conduite courtoise, mais ferme. Son cavalier marquait d'habitude ses volontés par de douces pressions des cuisses, aussi s'étonna-t-elle d'être ainsi laissée à elle-même. Elle l'emporta à un train d'enfer sans qu'il parût s'en soucier. Ce n'est qu'à la porte Saint-Denis qu'il reprit conscience et que son esprit bouleversé tenta de mettre un peu d'ordre dans ses idées.

VIII

TRIBULATIONS

« Nous portons tous un démon qui nous tourmente. »

Scaliger

Au Grand Châtelet où personne ne l'attendait, il se reprit dans la solitude du bureau de permanence. Mille questions l'agitaient. D'abord il n'en examina aucune et se plongea dans la lecture des documents remis par Madame Louise. L'*Almanach royal* pour l'année 1780 lui apprit que le régiment auquel Louis était affecté était commandé par le marquis de Poyanne, mestre de camp, au nom de Monsieur, comte de Provence. Il se promit d'interroger le maréchal de Richelieu sur l'intéressé. Nul doute que le frère du roi avait eu son mot à dire dans la dévolution si exceptionnelle d'un brevet de lieutenant. Certes, Nicolas mesurait l'honneur fait aux Ranreuil, mais il éprouvait quelque désagrément de savoir son fils sous l'autorité, même nominale, d'un prince dont il avait pu mesurer, naguère, l'attitude pour le moins ambiguë et l'insigne fausseté.

Que Louis fût brutalement jeté dans la carrière militaire flattait en lui l'orgueil du nom, mais la perspective d'une nécessaire séparation lui serrait le cœur. Le nouveau lieutenant devrait résider à Saumur où son régiment tenait garnison. Du moins serait-il à quelques lieues de l'abbaye de Fontevraud où sa tante Isabelle de Ranreuil était religieuse. Tous ces détails envisagés achevèrent de le calmer et lui firent reprendre une sérénité apparente. Il fut cependant étonné par le montant considérable de la finance déboursée pour cette nomination. Ainsi, le privilège et la faveur dispensés à Louis étaient-ils d'importance. D'ordinaire, une carrière militaire commençait par des grades de sous-lieutenant ou de cornette. Celui accordé à Louis dans un régiment d'élite donnait la mesure de l'influence de celle qui avait organisé ce coup de théâtre. Il remit à plus tard le soin de réfléchir à ce que cela impliquait.

La peine et l'angoisse le reprenaient. Il sentait bien que ce fils qui lui avait été tardivement offert risquait de s'éloigner. Il prendrait son envol pour un destin auquel il aspirait avec une impétuosité conforme au sang généreux qui coulait dans ses veines. Nicolas tenta de se persuader qu'il était en tout point préférable de le savoir à Saumur faisant son apprentissage d'officier que d'apprendre un beau matin qu'il s'était embarqué, comme tant de têtes folles, pour l'Amérique. Il serait toujours temps d'aller au combat dans un royaume désormais en guerre. Il chassa ces pensées redoutables mais égoïstes pour revenir avec curiosité au petit paquet remis par Madame Louise.

Ôté le papier brun tenu par un ruban bleu, apparut un petit rectangle de la taille d'une demi-main enveloppé d'un morceau de vieille soie. Celle-ci, dépliée, révéla une sorte de coussinet, encadré sous un verre épais, brodé et surbrodé de fils d'or et d'argent, orné de petites perles et de dentelles au canivet. Il semblait impossible qu'on pût faire tenir davantage de détails sur une surface aussi réduite. Un fond de fleurettes, de cornes d'abondance, de licornes et de colombes entourait une vierge à l'enfant. Son attention fut aussitôt frappée par de petites esquilles d'os, retenues par de minuscules papiers noués, portant le nom de saints, cousus et comme incorporés dans le tissu. Des reliques ? Il dut user d'une lentille pour lire deux inscriptions en bandeaux. La première portait la mention : *Ce que je vous demande, c'est de vous souvenir de moi à l'autel du Seigneur*, et l'autre avait l'apparence d'un poème :

> *Que rien ne te trouble*
> *La patience triomphe de tout*
> *Dieu seul suffit*

Il se souvint avoir admiré de semblables objets lors de sa dernière visite à sa sœur Isabelle, alors qu'il se rendait en Bretagne pour accueillir et escorter Benjamin Franklin, envoyé extraordinaire des *Insurgents*. Les religieuses confectionnaient de petits reliquaires portatifs, censés protéger le croyant des aléas des voyages. Il remit celui-ci dans son enveloppe de soie et, respectant le vœu que lui avait transmis la princesse, le replaça dans la poche intérieure de son habit.

Une pensée longtemps écartée finit par se frayer un chemin jusqu'à sa conscience. Qui était cette religieuse mystérieuse dont le crédit était si efficace ? Pourquoi s'attachait-elle à la carrière de Louis ? Déjà, lors de l'admission de son fils chez les pages de la Grande Écurie, il s'était interrogé sur l'influence occulte qui s'était exercée. L'entrée dans ce corps prestigieux de jeunes nobles n'était pas acquise de soi. Il fallait en effet prouver au moins deux cents ans de noblesse directe. Les rumeurs avaient brui autour de cet événement. À une parole sibylline du maréchal de Richelieu s'étaient ajoutés un haussement d'épaules de Sartine et des sous-entendus glanés çà et là. Lui-même pourtant refusait d'y songer, dressant une barrière dans son esprit. Fortifié dans ce bastion, il s'était interdit toute hypothèse, réfutant, aussitôt qu'effleuré, le moindre début d'explication. Tout en lui se rebellait contre l'éventualité d'une découverte qu'il repoussait même si sa raison lui soufflait qu'un jour une vérité ne manquerait pas de surgir et qu'il en ferait les frais pour l'avoir trop longtemps fuie.

Soudain il se sentit seul et désemparé. Il décida de regagner la rue Montmartre où il surprit Noblecourt dans son fauteuil, contemplant la foule du soir qui se promenait sous ses croisées. Il se retourna et jeta un œil intrigué sur Nicolas.

— Auriez-vous vu le diable, par hasard ? Quelle est cette mine offensée, troublée, presque agitée ? Je vous connais trop bien pour ne pas déceler chez vous les traces évidentes d'un souci. Vous voilà tout ruminant. Non ! Ne le niez pas, cela se lit comme le nez au milieu du visage ! Je sais votre habituelle assiette et votre âme si claire qu'aujourd'hui tout agite. Appréhenderiez-vous quelque mal à venir ?

À ce flot de paroles qui ne faisait que manifester l'attentive sollicitude du vieil homme, Nicolas opposa tout d'abord de faibles dénégations. On ne l'écouta point et on insista tant et tant qu'il finit par dévider son paquet à Noblecourt qui n'en perdit rien, dodelinant doucement du chef.

— Je ne vois rien dans tout cela qui justifie votre état et vous mette martel en tête. Voilà que, par une occurrence inattendue, vous échoit une étonnante faveur, votre famille est distinguée en la personne de votre fils. Par un hasard si peu fréquent dans nos cours, sa bonne mine et ses talents ont attiré les regards bienveillants de l'olympe souverain.

— Mais…

— Point de mais. Alors quoi ? Le pourquoi de ces sentiments mêlés ? Allons, rentrez en vous-même et considérez votre position. Il faut accepter ce que l'on est. Vous voyez le roi comme d'autres l'horloge du Palais, vous parlez aux ministres auxquels à l'occasion vous désobéissez…

— Soit, mais…

— … Sous deux rois, les secrets de l'État ont été pour vous des livres ouverts. Vous avez des aïeux à l'antiquité vérifiée, un château, le droit de justice sur vos gens, une sœur à l'abbaye royale de Fontevraud, vous poursuivez sur terre les ennemis du souverain et vous les combattez sur mer et vous voilà chevalier de Saint-Louis, bref vous êtes un seigneur…

Nicolas fit un geste de dénégation.

— Ma foi, oui ! Que vous le vouliez ou non. Et même, il ne vous manque que d'avoir des dettes pour être un *grand* seigneur. Maître Vachon, votre tailleur et le mien, se plaint d'ailleurs que vous payiez ses mémoires rubis sur l'ongle, ce qu'il trouve furieusement bourgeois. *Un homme*, répète-t-il à satiété, *qui a parlé de moi au roi !*

Cela tira un sourire à Nicolas.

— Et maintenant, ne pensez-vous pas que vingt ans de services éminents justifient la faveur dispensée à votre famille ? Ce n'est point par brigue, cordieu, que cela s'est obtenu ! Vous n'étiez pas né pour être courtisan et le chanoine Le Floch n'était point archevêque. Vous n'avez jamais rampé, comme tant d'autres, pour remplir votre destin. Aussi prenez ce qui vous est donné d'une âme égale, la même que vous opposeriez à des revers de la fortune. Comme ses pères et comme vous, Louis servira le roi. Il promet beaucoup. Préféreriez-vous pour lui le sort commun d'avoir à se jeter dans d'autres voies pour lesquelles il n'aurait ni vocation ni dispositions ? Le verriez-vous avec plaisir tonsuré avec un gras bénéfice ? Peuh !

— Vous avez raison, je ne suis qu'un sot.

— Sans aller jusqu'à ces extrémités oratoires, je pense que ce qui vous étreint est d'une autre nature. Votre affaissement inquiet suggère des soucis dont le principal, que je devine, est d'un domaine si intime que je me garderais bien d'y pénétrer. Il ne faut point tenter d'ôter les épines de l'âme... Suivez mon conseil, prenez ces choses comme elles vous sont données. Comme le répète notre ami La Borde, *le souverain bonheur est de posséder ce qu'on aime et d'aimer ce qu'on possède.* Un jour, la vérité surgira sans que vous l'ayez voulue ni recherchée. *Il n'est point de secret que le temps ne révèle.* Alors, vous vous direz : le vieux Noblecourt avait raison. En attendant, monsieur le commissaire, replongez-vous dans une enquête qui me semble de plus en plus confuse et difficile à éclairer.

— Comme toujours, vous avez raison, mais j'avais besoin de vous ouvrir mon cœur.

— Enfin... de l'entr'ouvrir.

Naganda apparut qui fit diversion.

— Ah ! Voilà *l'homme du Nouveau Monde.* Paris a-t-il tenu ses promesses ?

— Monsieur, mille fois ! J'y ai admiré des splendeurs à nulles autres pareilles. Mais quelle presse effroyable ! J'ai vingt fois failli me faire écraser par d'insolents équipages précédés de molosses qui ne respectent rien ni personne. J'ai même dû me réfugier sous la flèche d'un carrosse et, dans cette situation, je fus très heureux de n'avoir que le corps macéré. Pour le coup, ma vigilance d'esprit m'a sauvé la vie.

— Dieu soit loué ! dit le procureur qui se souvenait parfois être marguillier de sa paroisse. Je vous suppose un corps souple de coureur des bois, apte à échapper aux dangers de la ville. Et quelles furent vos autres occupations ?

— J'ai visité le Louvre, émerveillé de la beauté de ses appartements. Arrivant à l'improviste dans l'un de ses salons, j'ai eu la chance d'assister à une séance de l'Académie des sciences. L'un des savants, après m'avoir envisagé, m'a interrogé sur mon peuple. La conversation fut bientôt générale et M. de Buffon, j'ai pensé que c'était lui, a souhaité des précisions sur les habitudes des ours de nos régions.

— Les ours ! M. de Buffon ? Peste, comme vous y allez ! La *Gazette de France* et le *Mercure* vont s'empresser de parler de vous. Vous voici lancé !

— Hélas ! Ce n'était que l'abbé Bexon, l'un de ses correspondants. Il m'a confié que l'illustre naturaliste était actuellement à Montbard en Bourgogne où il souffre fort de la chaleur et de ses yeux et se plaint que ses fruits à noyaux sont tous perdus.

— Et quoi encore ?

— J'ai trouvé le Parisien aimable et curieux. S'apercevant que j'étais étranger, chacun m'a témoigné beaucoup d'attentions et cela avec un naturel qui témoigne du fond chaleureux de ce peuple.

— Hum ! Cela est encore à voir… Mais, as-tu fait quelques emplettes ? demanda Nicolas que l'enthousiasme de son ami distrayait et sortait, peu à peu, de sa morosité.

— Oui, une canne-parasol pour ma femme Nahua, et des boîtes en écaille à l'hôtel de Jabac, rue Saint-Merry.

— Un vrai Parisien !

— Certes ! Les indications de l'*Almanach* ont fait merveille. Quatre aunes de drap des Gobelins écarlate, deux aunes de damas de Lyon chenillé et une lunette d'approche acquise chez un marchand du quai de l'Horloge. Enfin, des livres…

— Ah ! Et quels sont-ils ? demanda Noblecourt, affriandé.

— Molière, Racine, La Fontaine, Montesquieu et quelques autres pour offrir à mes fils quand ils seront en âge et leur donner regret de n'être plus sujets du royaume de ces grands hommes.

Un silence d'émotion passa.

— Et point Voltaire ?

Naganda sourit en regardant Nicolas.

— Un mien ami m'a transmis ses réserves. Je suis au recul devant un auteur qui prend plaisir à composer des épigrammes sur une défaite des armées de son roi.

— Bien, bien, dit Noblecourt un peu marri de voir ainsi traité son vieux condisciple. Je n'insiste pas. Messieurs, soupons-nous ensemble ?

Il jeta un regard vers la rue Montmartre.

— C'est l'heure, chacun rentre au logis.

À ce moment, Catherine surgit, les poings sur les hanches.

— Dressons-nous le zouper dans la bibliothèque ?

— Vous précédez mes désirs, bonne Catherine. Naganda et Nicolas me tiendront compagnie. Y a-t-il céans de quoi les traiter dignement ?

— Pour vous, monzieur, des blettes bouillies et votre combote de bruneaux, arrozées de l'eau claire de notre puits.

— Pouah ! Les malheurs sont souvent enchaînés l'un à l'autre et la blette engendre le pruneau ! Et vous voulez faire partager ce festin à mes hôtes ?

— Yo, yo, que non bas ! Bour eux, je leur brébare un bon betit en-gas.

— Hors de ma vue, cruelle harpie !

Catherine sortit en pouffant après un semblant de révérence. Jamais Nicolas n'aurait cru, quelques heures auparavant, qu'il prendrait part à une soirée dont il garderait le souvenir d'un moment rare d'équilibre et d'intelligence. L'hôte, stimulé par la présence de Naganda, brilla de tous ses feux et mena, de bout en bout, une conversation où il sut offrir à son invité l'occasion de déployer toutes les facettes d'un esprit brillant, curieux, émaillant ses propos des aperçus originaux d'un natif de l'Amérique. Nicolas, presque toujours silencieux, se complut à leurs échanges, et admira des joutes qui rappelaient, sous d'autres formes, celles qui, régulièrement, opposaient le vieux magistrat à M. de La Borde. Catherine les régala d'un reste de daube en gelée, allégée par une grande salade d'herbes aux œufs mollets. Ce plat de haut goût fut précédé d'un potage froid aux moules qui fit l'unanimité des convives, y compris Noble-court, autorisé à tâter d'une tasse de cette splendeur. À grands cris, Catherine fut priée d'en dévoiler la recette.

Il fallait, dit-elle, se lever de bonne heure pour aller chercher les coquillages à la halle aux poissons, car rien n'était plus dangereux que ceux-ci s'ils n'étaient pas de la dernière fraîcheur. Et se méfier des harengères, femmes de caractère, dont le babil toni-truant pouvait dissimuler bien des pièges. Ces moules arrivaient dans la capitale, comme les huîtres, par des chalands qui remontaient la Seine depuis la Norman-die. On les faisait ouvrir dans de l'eau, du cidre et des oignons piqués. Celles qui ne s'ouvraient pas étaient rejetées, l'honnêteté de la bestiole consistant juste-ment à offrir aux regards un ventre gras, blanc et jaune tirant sur l'orange. On enlevait la chair des coquilles et on passait le bouillon. Quelques moules entières étaient conservées pour garnir le potage, les autres, finement hachées, étaient poêlées avec du beurre, des champignons, des truffes en tranches, des laitances de poisson, des culs d'artichauts et tout l'assaisonnement nécessaire. Ce mélange versé dans le bouillon devait être lié d'un peu de crème et d'un soupçon de farine avec fines herbes et un filet de limon. Le plat, en période d'été, se dégustait tiède accompagné de croûtes rôties. Comme de tradition à l'hôtel de Noblecourt, le souper fut arrosé, de vin blanc de Jasnières et de vin rouge d'Irancy. En dessert, les convives virent apparaître un pot de la fameuse confiture de Mme Sanson, de cerises farcies aux framboises, servie avec des croquets.

Naganda, enthousiasmé de la chair et du récit, pria *Madame Catherine* de consentir à ce qu'il l'accompagnât un matin à la halle pour admirer en détail la variété des produits présentés à la gourmandise des Parisiens. L'intéressée, retrouvant le langage des camps, s'en déclara flattée, jura qu'elle le trouvait à son goût car il ne fallait pas lui en promettre à table, signe toujours encourageant chez un homme, et qu'elle serait ravie d'apparaître à la halle, flanquée d'un aussi fier gaillard. Noblecourt s'étouffant de rire l'envoya chercher les liqueurs. La soirée se poursuivit, l'hôte, décidément en forme, ayant souhaité les régaler de quelques airs de flûte traversière qui troublèrent tard dans la nuit le silence de la rue Montmartre.

Vendredi 9 juin 1780

Au petit matin, devant le chocolat brûlant, Nicolas demanda à Naganda de prendre une voiture, de se rendre à Versailles et de ramener Louis à Paris, si toutefois son service aux pages le permettait. Il lui fit confidence des raisons de cette convocation tout en le priant de n'en rien dévoiler à son fils. Au Châtelet, Bourdeau l'attendait, disposant désormais des comptes rendus des rapports et des témoignages qui autorisaient l'établissement d'une chronologie précise des événements survenus rue des Mathurins. Il revenait de tout cela que le sérieux de la surveillance avait quelque peu cédé à la longueur et à la monotonie des attentes.

Penaud, Rabouine exposa les faits. Dans l'après-midi, il était parti se restaurer dans une guinguette proche. En son absence, la mouche de permanence, altérée par la chaleur, avait décidé d'avancer sa tâche qui consistait à *dissiper* le portier. Il l'avait donc prématurément entraîné dans un cabaret des barrières. À leur retour, vers cinq heures, le portier ivre mort avait été jeté sur sa couchette et la mouche, croyant son travail achevé et ne voyant pas son chef, avait cru sa consigne levée et s'en était allée. Entre-temps, Rabouine réapparaissait. À six heures, l'homme de Sartine lui remettait le message forgé de Nicolas. L'inconnu espérait, sans doute, écarter la police et revenir à la nuit tombée pour fouiller en toute tranquillité l'hôtel de Ravillois. Rabouine, n'ayant pas revu son homme, avait lui aussi levé le camp. Tout cela démontrait que, même avec les éléments les plus avertis, il arrivait que des failles désorganisassent un plan fixé. Désespéré, Rabouine s'en voulait beaucoup de n'y avoir point veillé avec plus de précision. Nicolas laissa Bourdeau le secouer d'importance.

Ainsi, à partir de six heures, en gros, l'accès de l'hôtel était libre. Des témoignages recueillis chez des voisins, et notamment chez une vieille dame aveugle mais de ce fait très attentive aux bruits du quartier, il apparaissait qu'on n'avait rien entendu. Le silence avait régné dans la rue jusqu'à l'arrivée d'un cavalier vers neuf heures, puis d'un autre quelque temps après. Ensuite, l'ancêtre s'était endormie. Pour Nicolas, il était évident que l'homme de Sartine était revenu vers neuf heures, suivi peu après par son assassin. Dans tout cela rien n'indiquait ni n'infirmait un lien entre les deux meurtres, et c'était bien là le nœud du problème.

— Le vin est tiré, reprit Nicolas, il faut le boire. Cela apprendra à chacun d'entre nous à être à l'avenir plus circonspect. Le diable niche dans les détails. Avant de réfléchir à nos prochaines investigations, je vais donner à M. Necker, pour répondre à ses souhaits, une pâture où il pourra s'ébattre à sa guise.

Bourdeau se mit à rire.

— Du foin, du trèfle, de l'orge ou quelque bon picotin ?

— Non, quelques plats réchauffés de ma façon. J'étais sur le sujet depuis belle lurette et je tiens sous le coude des esquisses de mémoires qui répondent à ses desseins. Je vais relier le tout dans un portefeuille et l'adorner à tout va d'une lettre de cour.

Il s'assit au bureau, prit une feuille de papier, trempa sa plume et, lisant à haute voix ce qu'il écrivait, se mit à noircir son pensum.

Monseigneur,

Désireux au plus haut point de satisfaire aux demandes que vous avez formulées, je m'empresse de vous adresser le résultat de mes réflexions concernant l'amélioration des prisons et maisons de force du royaume accompagnées des états qui, le cas échéant, justifieraient en masse les augmentations de dépenses indispensables.

— Là, tu le crucifies !

— Si tu veux qu'une réforme aboutisse dans des prisons qui datent des rois Valois, il te faut des crédits. Et c'est la manne la moins disponible par les temps qui courent !

— Je poursuis : *À celles-ci je joins l'étude sur la suppression de la question préparatoire sur laquelle vous m'avait fait l'honneur de me consulter...*

— *Consulter* ? N'est-ce pas un peu provocant ?

— À dessein, mon cher Pierre, à dessein ! Écoute la suite : *Il me semble cependant difficile dans l'état où sont les affaires du royaume engagé dans la guerre, de fournir des dépenses nouvelles sans le secours de moyens extraordinaires qui mobiliseraient les fonds utiles. Pour rendre plus intelligibles les nécessités de cette réforme, j'ai pris la liberté de marquer en détail les défauts que j'ai pu observer depuis longtemps dans ces entreprises afin de montrer le bien qu'on dispenserait à l'État en remédiant à cet état de choses. L'expérience qui est la vôtre dans les affaires de finances ne pourra que vous convaincre de la sagesse de mes propositions.*

Ainsi je crois devoir répondre en détail à tout ce que vous m'avez demandé, et j'ose espérer que vous serez aussi satisfait des raisons que j'ai le privilège de vous soumettre, que convaincu du profond respect avec lequel j'ai l'honneur d'être, monseigneur, votre très obéissant et fidèle serviteur.

Nicolas Le Floch, marquis de Ranreuil.

— Hum ! dit Bourdeau ironique, voilà quelques quartiers de noblesse mis à bon escient dans la balance pour écraser le bourgeois ! Et te voilà parlant carats à un orfèvre ! Impertinent et présomptueux ! J'aime foutrement le *privilège* ! On sent que tu as de la ressource et des soutiens en cour.

— Le fait est que la politique de Necker, à y bien réfléchir, ne va pas dans le bon sens. Il y a impossibilité manifeste qu'un État puisse subsister si tous les sujets qui le composent ne l'assistent et ne le soutiennent par une contribution de leurs revenus capable de satisfaire à ses besoins. Feu monsieur de Saint-Florentin soulignait souvent que le royaume paierait à terme cruellement l'échec de la réforme de Machault d'Arnouville. Son projet de vingtième visait à assujettir chacun sans aucune exception, clergé et noblesse compris, à une contribution universelle. J'ajouterai que l'esprit outré d'économie du Genevois, propre à sa patrie, prend le chemin de tout rapetisser et diminue les moyens de grandeur et de force nécessaires au royaume.

— Il faudra que tu résolves un jour tes contradictions, tu excipes de tes quartiers et une minute après tu tiens de révolutionnaires propos d'égalité en philosophe éclairé !

— Il faut t'y faire, je suis ainsi. *Juge de toutes choses, imbécile ver de terre, dépositaire du vrai, cloaque d'incertitude et d'erreur, gloire et rebut de l'univers.*

— Quelle mouche te pique ?

— Je cite seulement M. Pascal.

— Un janséniste !

— La raison ne s'attache pas aux étiquettes. Et d'ailleurs il est temps d'agir. Nous sommes évidemment dans l'attente de nouvelles de Champagne. Père Marie ?

L'huissier venait d'apparaître, un pli à la main.

— Nicolas, un freluquet de grison, doré sur tranche, vient d'apporter ceci pour toi.

Nicolas brisa le sceau et déplia la lettre. Il ne put s'empêcher de pousser une exclamation de surprise.

— M. de Besenval m'informe qu'un inconnu lui a proposé d'acheter un vase céladon qui lui est apparu sans conteste comme proche de l'exemplaire entrevu lors du souper à l'hôtel de Ravillois. Il m'en fait part et m'attend rue de Grenelle dès que possible pour m'apporter plus de détails. Voilà qui ne laisse pas d'ordonner aussitôt nos priorités et dessine notre plan de bataille. Allons, pas une minute à perdre !

Un fiacre de police les conduisit au plus vite chez Besenval. Nicolas en profita pour révéler à son ami le nouveau destin de Louis. Bourdeau hocha la tête en silence sans faire aucun commentaire. Dans la cour de l'hôtel, un équipage s'apprêtait pour un départ imminent. Le même laquais hautain les accueillit, mais cette fois, avec la déférence que l'on concède, chez le domestique, aux habitués d'une maison. Le baron, en habit de cour, les attendait.

— Ah ! Monsieur le marquis et vous, monsieur Bourdeau, je suis fort aise de vous voir. Merci de votre diligence. Je craignais vous manquer, devant à l'improviste gagner Versailles où la reine me demande.

— Je m'en veux, monsieur, de prendre ainsi sur votre temps. Je crois comprendre que l'événement dont vous m'avez parlé a suscité votre curiosité.

— Il y a du nouveau dans nos affaires de vases. J'ai jugé pour extraordinaire qu'on vienne, avant-hier soir, me proposer une pièce dont on s'est refusé à me fournir l'origine. Dans ces conditions, après y avoir mûrement réfléchi, j'ai décidé de vous informer de la chose.

— Nous vous écoutons avec la plus grande attention.

— Avant-hier soir, donc…

— Puis-je vous demander de préciser l'heure ?

— Disons vers les huit heures. Je quittais mon hôtel pour l'Opéra afin d'assister au dernier acte. Le moment était mal choisi pour me déranger. Ma passion de collectionneur l'a emporté et j'ai reçu l'intrus.

— Le connaissiez-vous ?

— Point. C'est un grand vieillard que je vis venir à moi, courbé, boitillant, maquillé à l'excès, tout drapé de noir, chapeau enfoncé, perruque à l'ancienne aux rouleaux défaits lui flottant au visage. Rien de nature à rappeler à mon souvenir le moindre précédent. D'une voix chuintante, l'inconnu m'a dit avoir appris par la rumeur des boutiquiers que je m'intéressais aux porcelaines de Chine. Il a alors sorti de sa manche, enveloppé dans de hideux chiffons, un vase céladon, splendide, que dans un premier regard j'ai cru être celui qui m'avait été montré lors du souper chez Ravillois. Cependant un examen moins sommaire m'a convaincu du contraire. Le décor de bambous était identique, mais le style de la monture de bronze était différent.

— L'œil du collectionneur !

— Oui, c'est en contemplant avec soin qu'on apprend beaucoup et peu à peu la connaissance s'affine. Et comme, dans la plupart des cas, on ne peut séparer une porcelaine de sa monture sans la briser, ce ne pouvait être le même céladon.

— Et qu'avez-vous répondu à la proposition ?

— Ma foi, que je devais réfléchir, car la somme exigée était considérable et sans commune mesure avec les prix habituels. J'ai peu apprécié son insistance. Eh quoi ! Que venait faire cette ardeur excessive dans ce qui aurait dû n'être qu'un débat d'affaires honnête ? Pour en rajouter, il m'a assuré pouvoir me procurer son pendant, ce qu'il n'avait pas indiqué au début, assuré sans doute qu'en crédulité je donnerais dans le panneau. Je lui ai alors demandé s'il agissait bien en tant qu'intermédiaire. Ce qu'il m'a certifié, indiquant que son mandant, personne de qualité, souhaitait se défaire de ces objets dans la discrétion et le silence. L'argumentation avait bon dos, je n'en crus pas un mot. D'autant plus que... Enfin, ce fut une impression fugace...

— Que voulez-vous dire ?

— Il m'est apparu étrange qu'un vieillard égrotant laisse paraître sous son infâme manteau, au demeurant fort incongru par les chaleurs que nous subissons, d'élégantes et fines bottes de cavalier ! Ce soupçon se fonde-t-il sur la pointe d'une aiguille ? Je ne le crois pas. À ce point de doute, l'idée m'a effleuré de faire saisir l'homme par mes gens. Puis j'ai songé à ce que je vous avais promis. Il était plus opportun de vous faire mander et vous prévenir de cet événement intrigant. La chose m'a trotté dans la tête et m'a convaincu de vous adresser un message au Châtelet. Sur ce, messieurs, je dois prendre la route. Comptez sur moi, monsieur le marquis, pour témoigner auprès de Sa Majesté que vos absences à la cour ne sont que trop justifiées par le service du roi.

— Monsieur, je vous en rends mille grâces et vous remercie de ces informations si utiles dans l'enquête que nous menons. Cependant, deux dernières questions, si vous le permettez ? Lors du souper, le jeune Ravillois est-il remonté pour replacer le céladon qu'il vous avait présenté ?

— Je me souviens seulement qu'il est sorti, le vase à la main. Pour aller où ? Cela, je ne le saurais dire.

— Enfin l'inconnu doit-il derechef prendre langue avec vous ?

— Il l'a annoncé, mais je n'en crois rien ! Enfin, c'est une impression...

Dans le fiacre que Nicolas avait fait mettre au pas, ils confrontèrent leurs impressions sur ce que le baron de Besenval venait de leur révéler.

— Ce qu'il nous a dit, Nicolas, présente plus de questions sans réponses que d'indications utiles.

— C'est vite dit ! Procédons avec méthode.

Il ouvrit son petit carnet noir et se mit à écrire tout en parlant.

— Avant-hier soir, vers huit heures, le baron reçoit un inconnu vraisemblablement grimé qui lui propose une pièce rare qui n'est pas celle du souper à l'hôtel de Ravillois.

— Ajoute à cela que cette visite intervient vers huit heures de relevée. Il suffit d'y réfléchir pour constater que c'est après la mort de Tiburce et avant le meurtre de l'homme de Sartine.

— Cela signifierait que si ce vase appartient au groupe des trois porcelaines de l'hôtel de Ravillois, il a été dérobé.

— Soit ! Mais à quel moment ? Par le jeune Ravillois lors du souper ? Ou alors l'autre soir dans la chambre de M. de Chamberlin ?

— Non, je crois que le vase présenté à Besenval est celui qui se trouvait sur le bureau et contenait les plumes. C'est à vérifier. Les autres ont été volés lors du meurtre ou peu après puisque nous en avons uniquement retrouvé les traces. Ou plutôt ils servaient de presse-papiers à des documents eux aussi volés ! L'inconnu s'est contenté d'en présenter un pour appâter M. de Besenval.

— Mais pourquoi pas la paire ?

— Nul doute qu'il détient désormais les trois vases. Il pouvait supposer que le baron ne disposerait pas sur-le-champ de la somme considérable exigée. Il agit finement en pariant sur la passion du collectionneur. En outre, lui offrant d'acquérir un exemplaire différent, il peut penser que Besenval ne fera pas le rapprochement avec celui du souper.

— Il y a dans tout cela un ragoût de complexités qui me stupéfie et semble écarter tout ordre raisonnable.

— En tout cas, cela oriente les soupçons, tu le pressens, sur Armand de Ravillois. D'où l'importance de la mission de Rabouine. A-t-il, comme Tiburce, quitté le convoi, et le départ inopiné de l'un est-il la conséquence ou la cause du départ de l'autre ?

— Un autre élément me turlupine. Pourquoi Tiburce et Armand de Ravillois retournent-ils aux Porcherons alors qu'ils peuvent supposer que l'hôtel demeure sous la surveillance de la police ? Pour quelle raison viennent-ils ingénument se jeter dans la gueule du loup ?

— Je crois détenir quelques lumières là-dessus. Un propos de Naganda dont, sur le moment, la fatigue m'a gazé l'importance. Tu sais qu'il est descendu par les gouttières à l'arrière de la maison...

— Comme un chat, au risque de se rompre le cou !

— Tu ne crois pas si bien dire. Du chat il possède, outre la souplesse, des yeux perçant la nuit...

— Et un petit rayon de lune. Et alors ?

— Il a remarqué qu'au bout du jardin il y avait un mur, un de ces vieux pans de pierres, couvert de lierre et probable vestige de la clôture d'un ancien verger. Imagine que dans ce mur il existe une porte en arcade, donnant, sans doute, sur des terrains vagues non bâtis de ce nouveau quartier.

Bourdeau claqua des doigts.

— Tout s'explique ! La nasse était imparfaite et le goujon y pénétrait. Il faut y aller voir.

— Oui ! Sur-le-champ.

Ordre fut aussitôt intimé au cocher de gagner les Porcherons. À l'hôtel de Ravillois, désormais environné de mouches, ils trouvèrent le portier dans sa loge, la tête enrubannée de pansements. Ils n'en tirèrent rien, sinon qu'ayant beaucoup bu avec un inconnu qui avait eu l'amabilité de le reconduire à son logis, l'ivresse l'avait plongé dans un profond sommeil. Réveillé dans sa torpeur par un bruit, à peine avait-il ouvert les yeux qu'il avait reçu un coup violent sur la tête, porté sans doute avec le pot de faïence dont il avait retrouvé les débris sur le sol. Il n'y avait rien dans tout cela qu'ils ne sussent déjà.

Dans la maison tout avait été laissé en l'état. Le sang avait coagulé sur le sol du vestibule et Nicolas songea qu'au terme de leur visite il serait bon de donner les instructions nécessaires en vue de nettoyer le carnage. Ils parcoururent, attentifs, l'ensemble des pièces du rez-de-chaussée sans que rien de particulier n'attire leur attention. Au premier, dans l'appartement de M. de Chamberlin, ils s'évertuèrent à déblayer le monceau de livres et de débris pour redonner à la pièce un semblant d'ordre. Leur effort eut sa récompense, aucune trace ne fut décelée du porte-pinceaux en céladon qui, auparavant, se trouvait sur le bureau. Or, Nicolas l'avait vu lors des premières constatations sur le décès du vieillard. Ainsi, le vol avait été accompli soit avant, soit après le départ de la famille pour les funérailles en Champagne. C'était donc bien ce vase qui avait été présenté à M. de Besenval. Cela posait un autre problème ; pourquoi Armand de Ravillois avait-il prétendu que le second vase ne pouvait être montré ? Était-il l'auteur du vol de la paire placée sur la cheminée ? Ou en avait-il alors constaté la disparition ? Les autres chambres de l'étage n'apportèrent rien, sauf celle d'Armand de Ravillois, qui possédait une garde-robe de muguet de cour avec une étonnante collection de paires de bottes et d'éperons.

Le logement de Tiburce Mauras fut lui aussi passé au peigne fin. L'investigation permit de constater l'absence de manteau ou de redingote d'hiver. Outre cela, Nicolas, qui avait en sainte horreur les tableaux accrochés de travers, remit d'aplomb une gravure encadrée représentant les festivités de la paix en 1763. La saisissant, il se rendit compte de l'aspect et surtout du poids anormal de l'ensemble. Le papier et le carton de l'assemblage avaient-ils gonflé en raison de l'humidité ? Il décrocha le tableau, en décolla le fond et mit au jour une liasse de documents qui se révélèrent des reconnaissances de dettes d'un montant important signées par Armand de Ravillois et endossées par le valet de chambre de M. de Chamberlin. Enfin, au fond d'une commode, tassées sous de vieux gilets, ils trouvèrent plusieurs perruques grises.

— Voilà qui est furieusement éclairant.

Nicolas hocha la tête, faisant la moue.

— C'est peu dire, les présomptions concernant le jeune Armand s'accumulent.

— Tu n'as pas l'air convaincu ?

— Je n'aime pas les preuves qui s'offrent avec autant de facilité.

— Voyons, considère-les de sang-froid. Armand regagne Paris. Il a su que Tiburce revenait. Peut-être, l'a-t-il filé ? Il s'ensuit une discussion qui a pour objet les reconnaissances compromettantes que détient le valet de chambre et qui lui permettent d'exercer un chantage sur le jeune homme. Armand exige, menace, le ton monte, de rage il étouffe le vieil homme et organise la mise en scène que l'ouverture du cadavre a permis de révéler. Les dettes qu'il a contractées vis-à-vis de Tiburce ne sont pas les seules. Il est harcelé par des créanciers ; nous en serons un jour informés. De là jaillit l'idée de profiter des céladons. Les a-t-il cachés ? Est-ce Tiburce qui les a subtilisés ? Il se grime avec ce qu'il a sous la main…

— Avec le rouge et la céruse dont usent à outrance les vieillards libidineux…

— … enfile perruque et vieille cape d'hiver, mais oublie qu'il est en bottes à éperons. Celles-là mêmes qui laisseront sur le plancher les traces que Naganda avait repérées. Il file rue de Grenelle et propose un vase à Besenval.

— J'avance que les conjonctures sont si fortes et si logiquement liées les unes aux autres qu'elles donnent lieu à de raisonnables présomptions et qu'elles emportent la conviction. Et cela d'autant plus qu'on ne saurait remplacer ton récit par un autre tant les éléments séparés s'imbriquent entre eux en parfaite cohérence. Reste à examiner cette porte sur l'arrière.

Après avoir mis des scellés signés sur la porte du logement de Tiburce Mauras, ils gagnèrent le jardin situé à l'arrière de l'hôtel. Il suffisait de pousser la vieille porte de bois pourri pour qu'elle s'ouvre en raclant le pavé. Elle donnait sur un chemin presque champêtre bordé de ronciers et de champs d'ivraie. On pouvait donc accéder à la maison en voiture et à plus forte raison à cheval. Bourdeau, courbé, se mit à examiner les abords de cette ouverture. Il poussa bientôt une exclamation satisfaite. Il désigna un vieil anneau rouillé dans le mur et un tas de crottin.

— Il y a peu, on a attaché ici une monture. Les traces en sont indéniables. Voilà qui complète heureusement mes constatations.

— Le crottin n'a rien d'une preuve péremptoire. Depuis deux jours d'autres chevaux ont pu passer par ici.

— Près de cet anneau ? Cela me surprendrait. C'est bien par cette issue que Tiburce et Armand ont dû pénétrer dans le jardin. Ensuite ils disposaient sans doute des doubles des clés pour entrer dans l'hôtel par l'office placé à l'arrière du bâtiment.

Soudain, Nicolas se retourna et observa attentivement les taillis qui bordaient le chemin. Il clignait des yeux, ébloui par le soleil de midi.

— Que t'arrive-t-il ?

— Rien… J'ai cru… Enfin, la fugitive impression que quelqu'un nous regardait.

Bourdeau, à son tour, porta les yeux sur les broussailles, avança, ramassa une vieille branche et écarta des ronciers.

— Il n'y a personne et l'endroit est inextricable.

— C'est sans doute la fatigue…

Ils repoussèrent la porte branlante et contournèrent la masse de l'hôtel de Ravillois. Tout en marchant, Nicolas feuilletait les reconnaissances et les lettres de crédit. Son visage refléta une telle perplexité qu'elle frappa Bourdeau.

— Qu'as-tu donc découvert ?

— Dans notre précipitation, nous n'avons pas suffisamment parcouru ces papiers. Sais-tu que si certains sont endossés par Tiburce, beaucoup, les plus nombreux d'ailleurs, le sont par M. de Chamberlin ?

— Et tu en conclus ?

— Que le supposé valet fidèle a non seulement dérobé les céladons, enfin tout le laisse supposer, mais s'est aussi emparé de ces papiers compromettants. Ils valent ce qu'ils valent et plus encore !

— En effet, leur poids de créance augmenté de leur capacité de chantage.

— Dans ces conditions, le Tiburce nous l'a débitée belle, et cela depuis le début. Avec ses *contes à la cigogne*[1], il n'a eu de cesse de nous lancer sur des pistes dont il avait lui-même ménagé les brisées. S'il a dérobé les céladons de la cheminée, il peut tout aussi bien s'être emparé des documents qui se trouvaient dessous.

— Cela ne lui a pas porté chance, il n'a guère eu le temps d'en profiter !

— Soit, mais cela nous complique la tâche. Tout est suspendu à ce que Rabouine va découvrir. Je lui fais confiance, mais…

Oh ! C'est un garçon qui a de l'initiative. Je l'ai toujours pris pour un esprit curieux, délié, propre aux affaires épineuses et, surtout, fertile en expédients. Nicolas, il me vient une idée que je dois te soumettre. Nous avions noté le dérangement étrange des livres dans certaines parties de la bibliothèque de M. de Chamberlin.

— En effet, constatation intrigante chez un homme si soucieux, par ailleurs, de l'ordre de ses ouvrages. Et donc ?

— Peut-il avoir souhaité que ce désordre attirât l'attention ? Un message ou un signe dissimulé pour quelqu'un d'initié ?

— Nous avons feuilleté les livres, un par un, page après page. À quoi songes-tu ? Je crains de ne t'avoir interrompu.

— Rappelle-toi cette affaire du prisonnier du Fort-l'Évêque[2]. Nous avions découvert un papier illisible, ou plutôt dont le sens nous échappait, que ton ami, l'écrivain public du faubourg Saint-Marcel, avait déchiffré en un rien de temps.

— Oui, M. Rodollet à qui M. de Séqueville, secrétaire du roi à la conduite des ambassadeurs, m'avait un jour adressé. L'homme est étonnant de subtile sagacité. S'il n'est point mort, il pourra sans doute nous aider. Quoi qu'il en soit, tu as raison, il est toujours de bon conseil.

Ils donnèrent instruction au portier de recruter quelques gagne-deniers qui, sous la surveillance des mouches, nettoieraient le vestibule de l'hôtel, et reprirent leur fiacre. La traversée de la ville fut comme à l'accoutumée retardée par les embarras de la circulation. Passant sur le Pont-Neuf, juste en face la pompe de la Samaritaine, l'attention de Nicolas fut attirée par l'enseigne portant l'inscription THOMAS, TONDEUR DE CHIENS.

— Oh ! dit-il, la désignant à Bourdeau, je suis une de ses pratiques. Il est aussi décrotteur, mais remplit fort habilement son second office. Avec lui, les chiens sont paisibles sous le ciseau sans avoir besoin de les museler ou de les tenir. Il ne les blesse pas. Cela me fait songer que par ce temps de canicule, il faudrait que je fasse rafraîchir le pauvre Pluton.

— Comment se porte le noble animal ?

— Il prospère à vue d'œil, gâté à l'excès par Marion et Catherine quand ce n'est point par Noblecourt. Mouchette l'a complètement enchaîné à ses charmes. Il paraît qu'il est devenu son chevalier servant, lui rabattant dans l'écurie rats et souris à foison.

— Tu le sors peu.

— Si, quand je vais donner de l'exercice à Sémillante aux Champs-Élysées. En fait, je crains pour lui.

— Les équipages ?

— Pas seulement. Il y a les chiens errants toujours agressifs et, désormais, ces tueurs patentés qui, le bâton ferré à la main, massacrent sans distinction toute bête isolée ou à contenance suspecte. Tête baissée ou queue traînante sont des motifs suffisants. Il est vrai que c'est le lieutenant de police qui stipendie ces gens, tant on craint cette maladie effroyable dont le seul nom fait frémir.

Ils s'arrêtèrent quai des Grands-Augustins au marché des volailles où, appuyés sur une pierre de taille en guise de table, ils partagèrent un poulet au sel et deux douzaines d'huîtres, à l'abri d'un parasol. Cela fut inévitablement suivi d'une régalade d'un pichet de vin blanc rafraîchi chez un limonadier de la rue Dauphine. Par la rue Mouffetard, ils rejoignirent la rue Scipion. Le cocher les déposa à l'entrée de cette artère puante, étroite et sombre. L'écrivain public les accueillit aimablement et s'empressa de les faire entrer.

— Si j'en juge, monsieur, à la rareté de vos visites, j'ai tout lieu de penser que vous avez besoin de mes faibles lumières.

— Elles ont toujours su éclairer les complexités les plus obscures.

— De quoi s'agit-il cette fois ?

Nicolas exposa, avec sa clarté coutumière, l'état de leurs investigations et la nature du mystère sur lequel ils butaient. Il déploya, devant M. Rodollet attentif, la liste des livres en désordre relevés dans la bibliothèque de M. de Chamberlin. Le praticien chaussa ses besicles et contempla longuement l'énumération. Il soupira et, regardant les deux policiers avec un rien de commisération, se mit à leur faire la leçon.

— Tout cela est d'un enfantin ! Le problème avec les amateurs, c'est qu'ils recherchent de midi à quatorze heures, compliquent la chose et font fuir la solution. Et pourtant, le système ne vaut pas les *quatre fers d'un chien.*

— C'est bien pourquoi nous nous adressons à vous, pauvres ignorants que nous sommes.

Il fut morgué sévèrement.

— Il ne faut pas être grand clerc pour découvrir le système qui gouverne cette énigme-là, ajouta

M. Rodollet, qui paraissait prendre un malin plaisir à redoubler son ironie. Il n'est pas malaisé à deviner, ce galimatias-là !

L'air dédaigneux, il se saisit d'une mine de plomb et traça une série de lettres.

— À quoi correspondent-elles ? demanda Nicolas.

— Vous êtes uniquement attiré par les titres des livres, alors que ce sont les majuscules qui comptent. Ainsi, S de Scarron, E de Érasme, L de Lesage, tiens, un Breton comme vous-même…

— Tu vois ! dit Nicolas hilare, poussant Bourdeau du coude. Chacun sait que c'est un Breton.

— Et ainsi de suite. Ah ! Un livre retourné. La marque d'un nouveau mot.

Il continua jusqu'à épuisement de la liste du petit carnet noir.

— Voyons ce que cela nous donne :

S E L R A H C
E D E S S O P
L A N I G I R O

— Faut-il, demanda Bourdeau, comme dans notre précédente consultation, prendre une lettre au milieu et marcher en avant et en arrière ?

— Que non point ! C'est curieux, ma foi, que la solution ne nous apparaisse pas plus éclatante. Reprenons les trois mots en les lisant à l'envers.

— LANIGIRO… Oui ! ORIGINAL ! C'est prodigieux !

— Peuh ! En effet pour un apprenti. C'est le contexte de la bibliothèque qui trompe son monde.

Bourdeau poursuivait.

— POSSEDE… CHARLES. Charles, le neveu. *Original possède Charles*. Cela n'a aucun sens.

— Je ne vois pas pourquoi vous compliquez les choses pour le coup en lisant à l'envers. Charles possède original, c'est tout.

— Monsieur, que de reconnaissance nous vous avons !

— Je n'en vois pas le motif. Il n'y a pas de prétexte à faire le crâne pour une telle babiole. Apportez-moi plus souvent des mystères qui en valent la peine et, alors, je pourrai faire le rodomont. C'est toujours un plaisir renouvelé de vous recevoir. À l'occasion, présentez mes respects à M. de Sartine.

Ils reprirent la ruelle ombreuse, méditant sur ce qu'ils venaient d'apprendre. Passant devant une porte cochère, elle s'ouvrit brusquement et, avant que l'un ou l'autre ait pu faire le moindre geste, un pistolet cracha sa charge sur Nicolas. Aussi vite qu'il avait paru, l'agresseur se volatilisa et le commissaire, portant sa main à sa poitrine, s'effondra livide dans les bras de Bourdeau éperdu.

....

— Il ouvre les yeux ?

— Il aura un bleu d'importance ; c'est bien le moins après un coup presque tiré à bout portant.

— Cela tient du miracle.

— Le salut est venu de ce petit paquet qu'il portait sur la poitrine. Considérez comme la balle s'est écrasée…

M. Rodollet approcha l'objet de ses besicles.

— Tiens ! Un objet de piété, comme ceux que l'on fait dans les couvents… Très abîmé. Il y avait un petit médaillon de métal à l'intérieur. Il est enfoncé et le plomb s'y est incrusté.

Nicolas, dans une sorte de rêve, entendait des voix autour de lui, celle angoissée de Bourdeau, et celle plus calme de l'écrivain public. Il respirait avec peine, la poitrine comme trouée d'une douleur qui, pourtant, diminuait. Il y porta la main, mais ne sentit que sa peau souffrante. Aucune blessure ouverte n'était sensible.

— Ah ! Il ouvre derechef les yeux. Nicolas, comment te sens-tu ?

— Oppressé, mais plutôt mieux.

M. Rodollet revint avec un petit flacon dont il lui fit avaler dans un verre à liqueur la valeur d'un dé à coudre. Un fleuve de feu lui inonda la poitrine, mais, après quelques instants, il se sentit dispos et gaillard.

— C'est pire que la potion du père Marie.

— Pire ! Comment pire ? Comme vous y allez ! Une liqueur venue de Chine procurée par mon fournisseur de tablettes d'encre. Une goutte vaut de l'or ! Je dispose aussi d'un baume de la même provenance qui, dans votre état, sera du plus heureux effet.

Il ouvrit délicatement un petit pot de porcelaine blanche dans lequel il recueillit un peu d'une substance brunâtre. Ses doigts habiles massèrent légèrement la partie douloureuse du torse de Nicolas.

— Quelle est cette panade ?

— Une mixture chinoise. Elle contient du camphre, des épices, de la menthe et de la graisse de castor.

— ... *Tandis que les Chalybes nus nous donnent le fer, le Pont son fétide baume de castor, l'Épire les palmes des cavales d'Élis.*

— Mon Dieu ! s'écria Bourdeau. Ne voilà-t-il pas qu'il délire ?

— Après cette émotion, j'admire plutôt son froid tempérament, dit Rodollet, avec un rien de condescendance. Et reconnaissez que citer Virgile dans ces conditions n'est pas donné à tout le monde !

— Rassure-toi, Pierre, je n'ai rien.

— Désolé pour tes reliques. Ah ! Tu es bien breton de porter cela sur toi.

— Cela lui a sauvé la vie.

Nicolas se redressa, se leva du coffre où il avait été allongé et rajusta son habit perdu. Il s'écarta légèrement de ses amis et considéra les restes lamentables de ce que lui avait remis Madame Louise. Ce n'était plus qu'un petit médaillon doré, bosselé et troué. Il l'ouvrit avec difficulté. Le cœur serré, il découvrit le portrait d'une jeune femme et une lettre pliée et repliée qu'il entreprit de déchiffrer :

Gabrielle,

J'ai recueilli le bien précieux que vous m'avez fait tenir. Ce que tu m'as demandé a été accompli et je veillerai à ce que les suites en soient favorables.

Adieu encore, je sais qu'il est temps que je finisse... Je romprais mon serment et en serais au désespoir. Je suis si hors de moi que je peine à tracer ces lignes. Adieu, adieu, mon amour, mon dernier soupir sera pour toi.

Louis

Autant le *contrecoup* de M. Rodollet l'avait inondé de chaleur, autant les mots qu'il déchiffrait pour la seconde fois le glaçaient. Il se revit enfant, l'hiver, dans un marais de Brière alors que la glace trop nouvelle avait cédé sous ses pas. Il s'était enfoncé dans l'eau jusqu'à mi-corps. Le froid comme une lame lui avait coupé la respiration. Une souffrance longtemps éprouvée depuis l'enfance resurgissait plus ardente que jamais. Tout ce qu'il enfermait au plus profond de lui-même depuis son entrevue avec Madame Louise le ressaisissait à vif. Oui, c'était bien l'écriture lâchée et rapide du marquis de Ranreuil, son père. Aucun doute, aucune échappatoire. Ces phrases qu'à nouveau il relisait évoquaient un événement particulier et dressaient procès-verbal de la fin d'un drame qu'il pouvait deviner. Tout ce que la vie avait fait de lui ne le laissait pas insensible au tragique de ces quelques mots écrits à la hâte. Le tutoiement final le toucha, venant d'un homme si tenu et si peu soucieux de manifester ses émotions. Sur le coup il en oublia qu'il venait d'échapper à la camarde. Une nouvelle fois elle l'avait manqué, mais cela avait tenu à si peu de choses, un obscur assemblage de verre, de soie et de métal, pour que le fil qui le rattachait à l'existence fût définitivement tranché.

Dans sa détresse il s'émerveilla de la succession des hasards et des voies de la Providence. Tant d'événements, petits ou grands, et jusqu'à la proposition de Bourdeau, avaient été indispensables pour qu'il fût exact au rendez-vous avec la mort rue Scipion. Il ressentit une main lui serrer le cœur. Tout ce qu'il avait tenté de se dissimuler, ce que signifiait la remise – testamentaire ? – du petit reliquaire par Madame Louise, lui revenait en pleine face. Une vérité éclatante de brutalité s'imposait. Le mystère de sa naissance était-il levé ? Si les mots avaient un sens, cette Gabrielle était sa mère. Ces détails et cette promesse pleins de mystères ramenaient à cet enfançon déposé sur le granit pleurant ses larmes d'humidité d'un gisant. Dans la collégiale de Guérande, un abîme s'était ouvert l'entraînant dans un destin qui avait failli s'achever dans la fange de cette ruelle. Des cendres froides avaient présidé à son entrée dans la vie. En restait-il marqué ? Si ce qu'il pressentait était vrai, par deux fois sa mère lui avait donné le jour. Qui donc était cette Gabrielle ? Était-elle encore de ce monde ?

Intrigués, Rodollet et Bourdeau respectaient sa méditation, incertains sur les raisons qui la prolongeaient. Quand enfin il se retourna vers eux, ils le découvrirent changé. Il remercia gravement l'écrivain public, lui demandant ce qu'il lui devait pour ses bons offices, ce qu'aussitôt Rodollet déclina. Sous la protection de Bourdeau, le pistolet à la main, ils s'engagèrent dans la ruelle. Au passage, l'inspecteur poussa du pied la porte cochère demeurée entrouverte d'où avait surgi l'agresseur. Elle donnait sur une petite cour verte d'humidité, puis sur un passage qui retrouvait après maints détours les dépendances du cloître Saint-Marcel. Ils rebroussèrent chemin pour regagner leur fiacre. À son habitude Nicolas se rencogna, plongé dans un mutisme que l'inspecteur, inquiet, respecta.

— Où allons-nous ? finit par demander Bourdeau.

— Au Châtelet. Peut-être y trouverons-nous quelque distrayante nouvelle ?

— Tu me parais bien sombre. Souffres-tu ?

— Ce n'est pas le corps... Je songe à la crise de la Paulet et à ce qu'elle avait proféré.

— Enfin, tu ne crois tout de même pas...

— Ne t'y trompe pas. Les mots, les phrases et les images évoquées peuvent te sembler incohérents, mais rencontrent chez moi de très personnels échos.

— Au vrai, ce sont des coïncidences comme il s'en produit tant.

— Tu sais que je ne crois pas aux coïncidences. Une fois, peut-être. Deux fois, c'est autre chose.

— Il y a des hasards ; le monde n'est qu'un désordre que seule la raison peut maîtriser.

— Il n'y a point de hasard dans un monde régi par la Providence.

— Tu ne m'empaumeras point sur cette créance-là. Les événements surviennent à l'aventure, des faits incertains, des papillons qui se posent...

— Et pourtant…, soupira Nicolas pour lui-même. Il ne sait pas ce qu'il dit.

Voyant Nicolas replongé dans un silence habité, Bourdeau ne poursuivit pas. Un souffle chaud entrait par la glace baissée de la voiture. Ils approchaient du fleuve. Des cris d'enfants, des appels, des querelles de cochers, le bruit des équipages et des charrois les enveloppaient de rumeurs. De nouveau une horreur glacée reprit Nicolas. À quarante ans il sortait de l'enfance tiré au forceps par cette révélation. Cependant, sa nature étant bonne, ce moment de colère contre le destin céda à la douce pitié qu'il éprouva soudain pour les amants malheureux.

IX

ÉTIQUETTE ET POLITIQUE

> « Ce qu'on y voit de plus pompeux
> n'est l'affaire que d'une scène. »
>
> Massillon

Au Châtelet, la mouche lancée par Bourdeau sur les traces du garçon tabletier amant de la Lofaque ne put que leur avouer son échec. Certes, après bien des recherches il avait fini par découvrir l'atelier où ce Jacques Meulière travaillait, mais avait dû affronter la fureur d'un maître sans nouvelles de son apprenti depuis plusieurs jours. Cela arrivait de plus en plus souvent à l'intéressé, qui recevait des remontrances sans pour autant s'amender.

— Bon ! dit Nicolas. Cette disparition n'a sans doute aucun lien avec nos affaires, cependant je souhaite interroger ce garçon. Qu'on le trouve et qu'on me le présente. Et, par la même occasion, qu'on demande à sa maîtresse si elle a des nouvelles de lui.

Au fur et à mesure que l'action imposait le cours habituel de la réflexion et de la décision, l'oppression de son cœur diminuait et il recouvrait un peu de sa sérénité.

— Comment avais-tu senti que nous étions observés ? dit Bourdeau.

— C'est l'habitude du chasseur. À l'affût, le moindre mouvement est aussitôt perçu.

— Cela signifie que nous étions suivis.

— Reste à savoir depuis quand. Et qui tient la main à cette filature.

— Sartine ?

— Cela signifierait qu'il aurait donné ordre de m'assassiner. Non ! Je ne le peux croire.

— On a pu outrepasser ses ordres…

— Tu oublies qu'il y a une course entre nous, le ministre et ses adversaires pour retrouver… ce que nous ignorons.

— Alors ?

— Il faut absolument savoir qui a tué son agent aux Porcherons. C'est par là que nous remonterons à l'organisateur de ces mystères.

— Que recherchent-ils tous ? Les bijoux trouvés dans la chambre de l'enfant ?

— Je ne le pense pas. Mais pourquoi étaient-ils dissimulés là ? Nous les détenons. Reste à voir l'attitude des Ravillois à leur retour.

— Peut-être ignorent-ils l'existence de ce trésor ?

— Eux, mais pas le fils cadet. Nous aurons avec lui une intéressante conversation. Autre énigme, le message dissimulé par Chamberlin dans le désordre de sa bibliothèque, à qui était-il destiné ?

— Et celui dans le tiroir du cabinet désignant M. Patay comme son exécuteur testamentaire. M. de Chamberlin était très malade. Il ne l'ignorait pas. Sans pressentir le crime probable dont il a été victime, il se savait perdu. Il pouvait, c'est mon hypothèse, supposer avec raison qu'on viendrait lui *donner de l'eau* dans sa chambre en saluant sa dépouille. La famille et ses proches. Lequel d'entre eux remarquerait l'étrange classement d'un des rayons ? Lequel ?

— Certains propos de M. Patay, son ami, m'ont frappé. Il a fait d'étranges remarques sur le goût que pouvait avoir M. de Chamberlin pour les mystifications. Je n'ai pas compris sur le moment, leur sens m'échappait. Était-ce à lui que le message s'adressait ? Il faudrait le rencontrer à nouveau et lui poser la question. Peux-tu le lui demander en jouant la sincérité ?

— Oh, non ! Je ne t'abandonne pas, tu es menacé. Il te faut une protection.

— Ce serait par trop complaire à celui qui me poursuit. À la violence opposons la ruse. C'est un jeu auquel je suis adonné depuis vingt ans. Je dois rentrer rue Montmartre et, peut-être, aller à Versailles si Naganda n'est pas revenu avec Louis.

Bourdeau le laissa partir à regret. La conversation avait masqué la tristesse qui pesait sur Nicolas depuis l'attentat de la rue Scipion. La mort l'avait souvent pressé, mais cette fois-ci son émotion provenait de l'ébranlement causé par la découverte de la lettre de son père. Sourd donc à toutes les mises en garde, il reprit sa voiture et se fit déposer devant le portail de Saint-Eustache, intimant au cocher Bardet, brave homme qu'il connaissait de longue main, de revenir à l'hôtel de Noblecourt dans un quart d'heure. Il ne s'agissait pas de se livrer au stratagème habituel pour déceler s'il était suivi. Chacun connaissait son logis et ce serait à partir de ce lieu qu'il risquait d'être à nouveau filé et surtout, à nouveau menacé. Il se dirigea vers la chapelle de la Vierge où il s'agenouilla. Par ce temps de canicule, l'odeur des cierges et de l'encens ne dissipait pas le remugle de pourrissoir qui montait des profondeurs du sanctuaire. Il songea que tout avait commencé aux Saints-Innocents. Les morts l'entouraient comme ceux de la danse macabre du vieux cimetière. Étaient-ils plus redoutables que les vivants ?

Prosterné, il se souvient des enseignements du chanoine Le Floch et revoit le vieux visage ridé au regard presque enfantin ; il l'entend même murmurer ses conseils : *Vois-tu, la simplicité est la droiture de l'âme. N'hésite à faire le vide en toi sans t'efforcer en rien, car l'homme est un mystère à lui-même et il suffit d'être en tourment pour que le Seigneur comprenne nos faiblesses. Au pied du sacré tribunal, ton amertume sera chassée de ton cœur, même si mille soucis l'appesantissent. Tu dois alors t'anéantir et te laisser conduire par les voies singulières et peu battues qui te seront signifiées.* Cette voix aimante l'émeut jusqu'aux larmes et, à l'issue d'un long agenouillement, il retrouve la rue et se sent apaisé.

À l'hôtel de Noblecourt il eut la surprise de retrouver Naganda de retour de Versailles. Louis n'avait pu quitter son service, ayant eu l'honneur d'être requis par la reine pour lui donner la réplique à la répétition d'une pièce qu'elle interprétait avec ses beaux-frères. Le roi, apercevant Naganda au moment où il partait pour la chasse, l'avait fait approcher. Il l'avait chargé de prévenir *le petit Ranreuil* d'avoir à se présenter dans les meilleurs délais. Nicolas entraîna son ami à l'office ; il ne voulait pas troubler M. de Noblecourt par le récit d'une journée dont il avait failli ne pas voir le terme. Il informa Naganda des périls qui pesaient sur lui. Devant repartir pour Versailles, il souhaitait le faire en sûreté.

Au cours de ses enquêtes il avait usé différentes manières d'échapper à des poursuivants. La plus pittoresque avait marqué son départ pour l'Angleterre où, sous le couvert d'un embarras de voitures, il avait pu s'échapper, passant d'une caisse à l'autre alors que des complices organisaient le désordre pour gazer sa disparition. Les deux amis échafaudèrent plusieurs plans, rejetés l'un après l'autre pour avoir déjà été utilisés. À ce moment, Fauroux, le maître boulanger du rez-de-chaussée, apparut.

Convoqué par Catherine, il venait chercher un cuisseau de veau entouré de ces fameuses pommes de terre que, sur les conseils de l'ancienne cantinière, Poitevin cultivait depuis longtemps. C'était un plat de haut goût concocté par la chaleur ardente du four du boulanger. Fauroux entourait Nicolas d'une dévotion sans faille, depuis que, naguère, celui-ci l'avait tiré d'un fort mauvais pas[1]. Dans la tenue blanche de son état, calotte de coton sur la tête, il était couvert de farine. Le dévisageant, le commissaire se mit à rire.

— J'ai trouvé ! dit-il à Naganda surpris de cette hilarité.

Il s'adressa à Fauroux.

— Disposes-tu de pain rassis ?

— Oui, je le conserve pour quelques regrattiers qui s'en contentent afin d'abonnir leur soupe. Mais…

— Tu m'en prépares une corbeille et tu me prêtes une de tes tenues blanches, enfin, la plus sale… Et des savates de toile. Il ne manquerait plus que les bottes me trahissent !

Surpris, il allait partir, oubliant le but premier de sa venue, quand Catherine le houspilla et lui tendit

un grand plat de faïence à feu recouvert d'un torchon.

— Gredin, tu oublies mon veau ?

— Vêtu de blanc, enfariné comme un merlan, cam-
bré sous le poids de ma corbeille, qui me reconnaî-
trait ? reprit Nicolas. Nous ferons entrer ma voiture
dans la cour, elle en ressortira à grand train.

— Il sera évident que personne n'en occupe la
caisse.

— Rideaux baissés ?

— Cela intriguera. J'ai une meilleure idée. Je pars
dans le fiacre vêtu comme toi, le tricorne abaissé.
Chacun s'y laissera prendre. Et toi, tu sors par la boulangerie.

— Je ne veux pas t'attirer dans un mauvais pas.
Ces gens-là me veulent malemort.

— Il se pourrait que le gibier ne soit pas celui
qu'on pense. Si je parvenais à piéger le suiveur, ce
serait un grand progrès dans ton enquête.

— Certes, mais, je t'en prie, prends tes précautions, quelqu'un m'a déjà suivi et a prouvé, s'il s'agit
bien du même, qu'il pouvait être dangereux.

Fauroux revint avec le matériel et les hardes
nécessaires. La farine du potager fournit le
maquillage. Nicolas se déshabilla, remit ses habits
à Naganda, n'oubliant ni son pistolet ni son carnet.
Les deux amis s'habillèrent sous le regard amusé
de Catherine. Le commissaire en un instant fut
méconnaissable. Quant au Micmac, de loin et dans
l'obscurité de la caisse, il ferait illusion. Le cocher
fut appelé et prévenu de la manœuvre qui s'amorça
aussitôt. Nicolas gagna par l'intérieur la boutique
de Fauroux. Poitevin pendant ce temps faisait
entrer la voiture dans laquelle, tête baissée,
s'engouffrait Naganda. L'équipage gagnait la rue
Montmartre et virait à grand trot. Nicolas attendit

quelques instants et sortit à sa suite, courbé sous le poids de la corbeille. Il emprunta tours et détours ; puis, usant de la facilité d'un passage, rejoignit la rue Saint-Honoré où il sauta dans un fiacre qu'il convainquit par quelques louis de le conduire à Versailles.

La nuit était depuis longtemps tombée quand il rejoignit Fausses-Reposes. Il était trop tard pour se présenter au château. Le temps de se changer, l'heure du coucher du roi, qui se retirait tôt, serait passée. Et d'ailleurs la vieille rosse attelée à la voiture, peu habituée à de tels parcours, était hors d'haleine, flageolant sur ses jambes. Tribord ne dissimula pas sa surprise devant la tenue de Nicolas, mais, accoutumé depuis longtemps aux fantaisies du policier, ne posa aucune question. À la demande de Nicolas, le cheval serait réconforté dans l'écurie de l'amiral et le cocher partagerait le fricot du vieux matelot qui n'avait point d'heure pour se nourrir. Après il dormirait sous une couverture près de son cheval. M. d'Arranet était reparti en inspection, mademoiselle était montée se coucher.

Après un instant d'effroi devant l'apparition de ce spectre blanc, Aimée d'Arranet fut prise d'une crise de rire que seules étouffèrent les lèvres de Nicolas. Aucune parole ne fut prononcée. Était-ce d'avoir à nouveau frôlé la mort qui déchaîna sa frénésie ? Il arracha ses hardes de mitron et renversa sa maîtresse sur le lit. Pourtant, avec la conscience que conservent les grands voluptueux même dans leurs moments d'égarement, il eut soudain honte de l'odeur de son corps à l'issue de cette rude journée et voulut s'échapper. Aimée le saisit à pleins bras si fort, si étroitement, qu'elle le retint contre elle, qu'il en oublia son scrupule et ne chercha plus à se dégager.

Pour elle, le corps et la bouche de Nicolas fleurèrent seulement le pain et la vie.

Vendredi 9 juin 1780

Le soleil à peine levé, il se dégagea doucement du tendre bras qui le tenait serré et gagna son appartement pour se préparer. Tribord lui avait monté de l'eau chaude qu'il dédaigna. Il descendit dans la cour des écuries pour laver sa *natureté* à grande eau à la pompe. Il se rasa ensuite et noua avec un soin particulier sa chevelure. Il avala une tasse de café que le vieux serviteur arrosa généreusement d'un trait de rhum. Il venait de houspiller le cocher, le traitant de *Lustucru*, pour n'avoir point encore attelé. Ce dernier regimbait sous le feu dru des paroles *matelotières*. Enfin, en habit crème et l'épée au côté, le marquis de Ranreuil partit pour Versailles.

Il était encore tôt et Nicolas se fit déposer sur la route de Paris. Il souhaitait marcher pour se dégourdir l'esprit. L'image d'Aimée s'imposa et avec elle le constat du paradoxe de leur liaison. Chacun menait sa vie de son côté. Les exigences du service auprès de Madame Élisabeth pour elle, le fait que lui-même fût en permanence à la tranchée en ce temps de guerre les éloignaient toujours davantage. Pourtant cet état de choses n'apaisait pas leurs sentiments. Chacune de leurs rencontres, épargnée des habitudes du quotidien, était empreinte d'une passion renouvelée. Ils y vérifiaient la force d'un amour qui persistait depuis des années et trouvait sa force et son renouveau dans les circonstances particulières de leurs existences.

Le silence était presque total. On entendait de loin en loin quelques aboiements, les cris de coqs saluant l'aube et le galop assourdi d'un cavalier.

Des nuées de brume humide montaient du sol et brouillaient la perspective du château, dispersées çà et là par les rayons rasants du soleil. Soudain il ne vit plus rien. Les vapeurs s'abattirent les unes sur les autres comme des rideaux de scène. Puis, au fond de l'avenue, le château réapparut tout en semblant s'éloigner et se fondre à l'horizon au fur et à mesure que le marcheur avançait. Les ailes et la chapelle furent englouties, la demeure royale réduite à ses origines. De nouveau Nicolas fut environné de ces volutes inquiétantes. Il en éprouva une angoisse si forte que, le cœur oppressé, il dut s'arrêter un instant pour reprendre son souffle. Était-ce la suite de son malaise faubourg Saint-Marcel ou d'une trop grande fatigue ? Sa jeunesse s'enfuyait-elle déjà ? Enfin la lumière gagna le combat, l'ordre de la nature fut rétabli et le palais soudain très proche resplendit dans ses ors et ses vitres et s'imposa, immense et comme redoutable.

Nicolas franchit le poste de garde et pénétra dans la seconde cour, le Louvre. À l'entrée du salon de l'Œil-de-bœuf, le suisse immuable s'agitait derrière son paravent préparant sur un petit fourneau quelque innommable fricot. Il sortit pour barrer la route à l'intrus et, le reconnaissant, salua Nicolas. Celui-ci frémit en pensant aux risques du feu. C'était un souci permanent, chacun s'efforçant, l'hiver, de pallier la rigueur des grands froids en dévoyant les conduits ou en installant des poêles à la prussienne. La mode était depuis peu à un modèle métallique, invention de Franklin, ambassadeur des *Insurgents*, pourvu d'un modérateur de fumée. Dans la salle du conseil, Thierry de Ville d'Avray, premier valet de chambre, semblait attendre.

— Merveille ! dit-il. Au moment où je songeais à vous, vous paraissez.

— Ce n'est pas un matin comme les autres, répondit Nicolas, sibyllin.

— Vous êtes le premier des petites entrées. Je savais bien que vous viendriez, mais pas aussi vite. Vous avez donc bien reçu l'avis que Sa Majesté souhaitait vous entretenir. Le roi est fort matinal aujourd'hui.

Le valet de chambre avait paru à la porte de la chambre royale. Thierry lui dit quelques mots. Il disparut puis revint, s'inclina devant Nicolas, lui ouvrit un battant de la porte et s'effaça. Les souvenirs affluèrent, si présents encore. Dans cette même pièce il avait vu mourir Louis XV dans les bras de M. de La Borde. On y avait juste ajouté un beau meuble neuf. Le roi couchait dans l'alcôve alors que son prédécesseur avait passé dans un petit lit rouge au milieu de la pièce. Il était debout, lui tournant le dos, en robe de chambre et mules, les cheveux dénoués ; il se retourna et sourit en voyant Nicolas. Sa taille, qui en faisait l'homme le plus grand de sa cour, le saisit à nouveau. Pourtant une certaine tendance bonasse altérait une majesté qui aurait dû en imposer. Il fut frappé par la jeunesse de ce colosse.

— Ah ! Le petit Ranreuil… Je suis bien aise de vous voir.

Il s'assit lourdement au bord de son lit et invita son visiteur à prendre une chaise toute proche. On entendait les grandes tentures qu'on descendait devant les croisées et qui prenaient le vent comme des voiles qui faseyent. Par grosse chaleur, elles étaient en permanence arrosées et procuraient une agréable fraîcheur à l'intérieur des appartements royaux. Le roi souriait benoîtement.

— Il fait bien chaud ! La chasse sera difficile. Le gibier recherche de l'ombre.

— Ou les mares.

— C'est vrai pour le tir au vol ; vous savez comme je l'aime.

— Oui, Sire. Je fus présenté à Votre Majesté lors d'un *tirer du roi* par son aïeul.

— C'est vrai, c'est vrai…

Comme toujours les débuts de conversation s'avé-raient malaisés, le roi peinant à aborder le point utile de son propos.

— Êtes-vous sujet ou citoyen ? demanda-t-il sou-dain.

— Je suis votre serviteur, Sire.

— Oui, j'entends bien. Pourtant je lis parfois ce mot de citoyen. Que vous inspire-t-il ?

— Sous l'Empire romain, chacun se voulait citoyen. Seule pourtant la parole de l'empereur l'emportait.

Louis XVI parut réfléchir.

— J'aime assez cette façon de voir.

Il se mit à rire.

— D'ailleurs, c'est toujours le verbe qui gouverne.

Nicolas à part soi observa que c'était plutôt le sujet qui gouvernait le verbe.

— Je déplore qu'on ait voulu attenter à votre vie.

Énoncée comme une évidence, la question le prit à froid.

— Je remercie Votre Majesté du souci qu'elle prend à ma santé. La balle s'est écrasée sur une boîte que j'avais dans mon habit et qui m'a sauvé la vie.

Surpris, le roi leva la tête et fixa son regard myope sur Nicolas. Qui donc avait pu l'informer ? Sartine à n'en pas douter. Pourquoi ? Et comment ce dernier était-il au courant ? Fallait-il supposer qu'anticipant sur les soupçons qui pouvaient se porter sur ses ser-vices, il avait voulu prendre les devants auprès du roi ? Comment aurait-il su ce qui était advenu la veille au faubourg Saint-Marcel ?

— Bon, dit le roi. Où en êtes-vous de cette enquête à laquelle je m'intéresse ?

Nicolas lui raconta les dernières péripéties.

— À dire vrai, nous sommes encore loin du compte. Reste la certitude que deux affaires sont intimement mêlées, la succession de M. de Chamberlin et la disparition d'un document activement recherché par d'autres gens que votre serviteur.

— Peut-être par d'autres serviteurs du trône, qui sait ?

Nicolas songea que le Secret n'existait plus dans sa forme passée, mais…

Le roi se leva et en se dandinant se porta vers une commode dont il ouvrit un tiroir. Il en sortit une lettre qu'il tendit à Nicolas.

— Ce pli sans inscription vous est destiné. Il nous est parvenu avec le paquet d'Angleterre et les relevés des mouvements des vaisseaux anglais et la liste des dernières nominations aux commandements dressée par les lords de l'amirauté.

Par respect, Nicolas hésitait à en prendre connaissance, mais un signe lui fut adressé signifiant qu'on l'y autorisait.

Mon bien cher Nicolas,

L'émeute s'est calmée à la suite des mesures les plus rudes. Le calme revient peu à peu à Londres. Lord A. m'a accueillie dans son hôtel, prodigue en égards de toutes sortes. La langue anglaise n'ayant plus désormais de secrets pour moi, cette situation m'a permis de surprendre plusieurs entretiens. J'ai ainsi traversé une menée en cours sur laquelle nos ennemis paraissent enter de riches conjonctures pour l'issue de la présente guerre.

Il m'est impossible de préciser davantage les choses. On fonderait de grandes espérances sur la recherche d'un papier qui jetterait un étrange discrédit sur un ministre du roi. Le scandale, si le papier en question était remis aux gazettes de ce pays et dans les cours étrangères, compromettrait gravement le royaume. Il établirait aux yeux de tous la trahison et la corruption établies et comme installées dans les conseils de Sa Majesté. Ton nom a été cité comme le plus dangereux obstacle à ce plan. Je ne puis aller plus loin. Veille sur toi et sur Louis. A.

Le roi avait-il lu cette lettre ? C'est par Thierry de Ville d'Avray que ces paquets lui étaient remis. Il n'était pas question pour Nicolas de faire le pari contraire. Louis XVI feignait de lire un papier et l'observait par-dessus ses besicles. Sans un mot il lui tendit le petit mot d'Antoinette qui fut ou sembla lu si vite que Nicolas ne douta plus que son maître la connût déjà. Le doux regard se reporta sur lui, impénétrable.

— Cela recoupe à plaisir ce que vous m'annonciez. Pensez-vous parvenir à retrouver ce document ?

— Je m'y attache, Sire, et ferai l'impossible.

— Je vous fais confiance, comme mon grand-père. Votre… *popularité* à Londres parle pour vous ! Pour votre gouverne, est-il besoin de vous dire que je tiens M. de Sartine pour un fidèle serviteur ? Que cela guide votre conduite. Au fait, ajouta-t-il l'air taquin, ce Louis, c'est de ma personne qu'il s'agit ?

— Non, Sire, de mon fils, page de la Grande Écurie.

— Je le connais fort bien. Il promet. Un vrai Ranreuil.

— Puis-je exprimer à Votre Majesté la gratitude pour la faveur qui vient de lui être accordée ?

— Ma tante Louise s'est entremise avec la sainte énergie qu'on lui connaît. Mon frère Provence a accueilli avec grâce sa demande... à ma surprise.

Les derniers mots furent à peine murmurés.

— Sire, permettez que je le conduise aux pieds de Votre Majesté au grand lever ?

— Je le permets et je le veux. Qu'il fasse aussi sa cour à la reine et... à Provence.

Quand il quitta la chambre du roi, les petites entrées commençaient à se rassembler. Perdu dans ses pensées, il fut saisi, crocheté presque, par un petit vieillard maquillé à l'excès.

— Alors, mon ami, rêve-t-on ainsi quand on a l'extrême privilège de voir le roi en son particulier ? C'est là redoubler la faveur ! Ne murmure-t-on pas dans la galerie que le petit Ranreuil, pas vous, votre fils, va quitter ce pays-ci pour une lieutenance, mazette, aux Grenadiers de Monsieur ?

— Je vois, monsieur le maréchal, que vous précédez toujours la nouvelle.

— C'est ainsi avec les vieilles machines. On les confond avec les meubles depuis le temps qu'elles sont là. On ne leur prête plus d'attention. On les croit sourdes comme les automates de M. de Vaucanson, mais elles bénéficient de ressorts cachés. Et, peste, que vous a dit le roi ?

Pour directe que fût la question, elle demandait une réponse.

— Je viens de lui faire mes remerciements pour la lieutenance de mon fils Louis.

— Je perds un page, mais votre famille gagne ce qui lui revient de naissance. Votre père en eût été heureux.

— Question pour question, monsieur le maréchal. En confidence, qu'en est-il du marquis de Poyanne, colonel pour Monsieur de ce régiment ? Je ne le connais guère, ne l'ayant entrevu qu'à la chandeleur dernière lors de la cérémonie de l'ordre du Saint-Esprit.

— Poyanne ? C'est un Gascon et c'est tout dire ! Il a d'ailleurs servi sous mes ordres en Allemagne. Avec votre père, qui plus est. L'animal venait de concourir à la conquête du Hanovre. Ah, belle carrière, certes ! L'homme est courageux et a été continûment employé. Nous faisions partie de la petite bande autour de la Pompadour. Reste, de vous à moi, que je suis d'accord avec d'Argenson qui le réputait médiocre et insolent comme un laquais. Je l'ai toujours jugé suffisant, téméraire et impérieux avec ses gens. Aujourd'hui il est bien affaissé et malade, quoique...

Le duc de Richelieu redressa la tête d'un air vainqueur.

— ... quoique mon cadet de vingt-deux ans ! Rassurez-vous, il n'est jamais à Saumur. Quant à votre fils, j'en suis assuré, il s'imposera sur-le-champ et même...

Il ricana à cette idée.

— ... et même sur la carrière ; c'est un cavalier émérite. Son maître de manège m'a conté sur lui un de ces faits remarquables, que généralement les pères ignorent, mais qui fondent une réputation. Au cours d'une cavalcade d'exercice, on l'a vu au grand galop aborder un taillis presque en futaie, arrivant à bride abattue vers un chêne dont la branche la plus basse allait le couper en deux...

Nicolas frémissait à ce récit.

— ... Il s'est aussitôt décidé, le bougre ! Il a déchaussé les étriers, empoigné la branche, laissé courir son cheval et sauté à terre de la hauteur de près de cinq pieds, le tout en un éclair. Là, il a battu galamment un *entrechat à huit*, car il est aussi bon danseur qu'écuyer !

— Ces compliments venant de vous, monsieur le maréchal, m'emplissent de…

Soudain ému, le vieillard lui tapota l'épaule du pommeau de sa canne.

— Point, point.

— Et quelles nouvelles à la cour ?

— M. de Maurepas est remis de sa goutte… en attendant la suivante. Pour le reste, tout est à l'ordinaire. Le roi est peu disert, surtout avec moi qu'il tient pour moins qu'une bûche. Il a l'âme froide et juste et avouc n'aimer que la chasse, encore qu'il l'interrompe parfois pour assister au conseil.

Il parut méditer un instant.

— Pourtant, dans cette famille, c'est sans doute lui le meilleur. La grande nouvelle c'est le schisme survenu entre les dames. Mme de Balbi la très proche, trop proche si vous m'en croyez, amie de Madame, comtesse de Provence, vient d'obtenir en survivance la charge très convoitée de dame d'atours, sans que la titulaire Mme de Lesparre en soit avertie. Ce manquement aux usages a déclenché un scandale *murmurateur* et cette dernière qui tient aux Noailles a présenté sa démission ! Madame, cette ivrognesse velue, ne voit-elle pas qu'elle est empaumée par sa suivante…

Il reprenait d'un coup ce ton de gouaille populaire qu'on affectionnait sous le régent d'Orléans.

— Et que ses déportements *à la Raucourt*[2]

La cocarde du fier dragon
Sur l'oreille de Melpomène

ouvrent la voie à Provence qui a des vues sur la Balbi ? À moins que tout ce beau monde ne soit de mèche ? Encore qu'il ait déjà des rivaux sinon des rivales à cet égard. Le mari de la belle est à la Bastille. V'là-t-y pas, il y a peu, qu'il surprend sa femme dans les bras du chevalier de Jaucourt et la blesse d'un coup d'épée vengeur.

Il frappait le sol de sa canne, véhément.

— Que croyez-vous qu'il arrivât ? La famille de l'infidèle, les Caumont, aussi féconde en expédients qu'influente à la cour, a fait répandre partout que le Balbi était franc-maçon et possédé d'une folie dont sa chaste épouse était la victime ! Et pour que le public n'en pût douter, une lettre de cachet l'a fait mettre en sûreté pour épargner les jours trop exposés de Mme de Balbi. Quant à Provence, encore faudrait-il qu'il pût arder et possédât le tempérament de ses débauches rêvées. Mettre la foutue brunette à son tableau de chasse supposé fera-t-il taire les rumeurs sur son impuissance avérée ? Sa jactance au matin de sa nuit de noces n'avait trompé personne. Le peut-il croire ? Et cependant chacun y trouverait son avantage ! Mais je dois remplir ma charge. Saluez Noblecourt.

Et le maréchal se dirigea à petits pas pressés vers la chambre du roi. Quant à Nicolas, il finit par rencontrer Louis qui flânait dans la grande galerie dans son bel habit de page. Il le fit asseoir sur une banquette.

— J'espère que mon message ne t'a pas inquiété outre mesure ?

— Certes non, ayant eu par Naganda de vos nouvelles. Sinon de curiosité.

— Je dois t'apprendre…

Comme cela était difficile à exprimer. L'heure d'une première séparation allait sonner. Il peinait à aborder la chose de front.

— Souvent, j'ai évoqué devant toi les traditions de notre famille…

Il éprouva soudain comme une tristesse de se sentir plus Ranreuil que Le Floch.

— … chaque génération les illustre dans les conditions ou les circonstances où elle se trouve placée. Te voilà au point de reprendre la suite et de t'inscrire à ton tour dans cette longue succession de serviteurs du roi.

Il ne parvenait pas à aborder l'essentiel.

— J'admire toujours la manière dont tu montes et comment tu ramènes ta monture sans aucun mouvement forcé, en ne faisant qu'un avec le cheval. Tu sais lui donner à volonté la vitesse ou la retenue. Au point de réussir mieux que d'autres la noble allure du *piaffé sur place*. Je t'ai vu, tu as dépassé ton père.

Louis rougit.

— Vous étiez un centaure, tous ceux qui vous ont connu se plaisent à le dire.

— J'étais… Mais au fait, tu vas nous quitter…

— Vous quitter !

— Rassure-toi, tu viens d'être nommé lieutenant aux carabiniers à cheval, régiment dont Monsieur est colonel. Tu vas devoir rejoindre au plus vite ta garnison, à Saumur…

— Vous quitter, mon père !

— Pas tout à fait. Ta tante Isabelle est à Fontevraud, à quelques lieues de Saumur. Je remets toujours de l'aller visiter. J'aurai deux raisons impérieuses désormais pour m'y résoudre.

— C'est un régiment de cavalerie ?

Déjà l'excitation de la nouvelle faisait son chemin et les joues de Louis se coloraient d'émotion.

— Qui se bat à cheval et à pied. Les carabiniers ont charge de protéger les arrière-gardes et d'effectuer des reconnaissances.

— Et l'uniforme ? demanda Louis, les yeux brillants.

C'est bien encore un enfant, songea Nicolas.

— Nous le ferons tailler par maître Vachon pour qu'il soit plus élégant. Je crois... Justaucorps en drap bleu orné de parements, un galon d'argent, revers écarlate, culotte et gilet blanc. Et pour un lieutenant, l'aiguillette portée sur l'épaule droite en soie et métal.

— Vous voilà bien savant, mon père ! observa Louis, narquois.

— C'est que j'imaginais que tu me poserais la question et que j'ai pris mes précautions, recueillant quelques lumières d'un officier des gardes de mes amis.

— Je vous suis reconnaissant de cette attention, mais surtout de cette nomination que je vous dois et qui, s'il m'est dur d'être séparé de vous, répond à mes vœux les plus chers.

Nicolas tarda à répondre. Fallait-il ouvrir... ?

— Je n'y suis pour rien. Un concours extraordinaire de circonstances que je ne démêle point a été à l'origine de cette faveur dont tu dois mesurer le caractère insigne. À cet égard, je ne puis, pour l'heure, rien ajouter de plus. Vous ferez vos remerciements au roi au grand lever et ensuite nous irons faire notre cour à la reine et à Monsieur, votre colonel.

Nicolas s'apprêtait à gagner l'aile des ministres où Sartine travaillait le matin. Il s'en approchait quand un commis de la Marine lui remit un petit pli dont le sceau lui était familier. Sartine lui demandait de le rejoindre sans désemparer à la ménagerie du roi, devant l'enclos des rhinocéros. Que signifiait cet étrange rendez-vous ? Le ministre en était-il à devoir

319

redouter jusqu'à la curiosité de ses gens ? Il ne pouvait y avoir d'autre explication à la chose. Il s'achemina donc vers le lieu fixé, situé à main gauche de la pièce d'eau des Suisses en direction du pavillon de la Lanterne. À côté du petit château, sept cours entouraient un pavillon central dont le rez-de-chaussée représentait une grotte de meulière et de coquillages. De multiples jets d'eau en jaillissaient.

Nicolas contempla la volière des oiseaux exotiques et retrouva avec plaisir l'éléphant qu'il avait admiré à Reims, lors du sacre du roi. Comme tous les matins il errait en liberté. Il s'approcha de l'enclos muni d'un bassin qui abritait le rhinocéros. Son arrivée à Versailles, dix ans auparavant, avait fait événement. Il avait été capturé encore jeune dans le nord du Bengale, embarqué à Chandernagor et ramené sur le *Duc de Praslin* après un long périple et des escales dans les îles de France, de Bourbon et de Sainte-Hélène. Nicolas fut frappé de sa taille, des replis singuliers de sa peau sans poil, de ses pieds à trois ongles et de sa tête allongée. Il méditait sur la diversité des productions de la nature quand la chaise à porteurs de Sartine arriva. Le ministre en sortit avec peine et, courbé, rejoignit Nicolas qui soudain le trouva fort vieilli. Il envoya ses gens morguer l'éléphant et entraîna Nicolas vers le pavillon. Au premier étage, ils s'assirent dans un petit salon aux murs verts rechampis d'or.

— Alors, fit Sartine à voix basse, on vous traque comme un gibier ? Remerciez de ma part Bourdeau qui, dit-on, vous a sauvé la vie.

— Je vois, monseigneur, qu'à l'accoutumée vous êtes bien et mal informé et que ce *dit-on* a très mal perçu les faits.

— Comment cela ? Et que signifie ce ton acéré ?

— On a déchargé un pistolet sur ma poitrine…

— Oui, rue Scipion, en sortant de chez M. Rodollet. Et d'ailleurs qu'y faisiez-vous ? coupa le ministre piqué par la brutale remarque du commissaire.

— La balle s'est écrasée contre un objet que j'avais dans mon pourpoint. La vraie question est de savoir qui est à l'origine de cette tentative et qui l'a ordonnée ?

— Vous voilà bien accusateur. Quel est ce ton acerbe que vous forlongez ?

— Je suis simplement étonné de vous trouver si bien au fait de mes activités. J'en déduis que, peut-être, vos gens ont outrepassé vos instructions. Cela sous-entendrait bien des choses et des moins ragoûtantes. J'en serais fort navré et triste à pleurer.

Il s'attendait à l'un de ces accès de fureur qui animaient parfois son interlocuteur. Il n'en fut rien : Sartine baissait la tête, l'air accablé.

— Nicolas, j'ai peine à croire que cette idée ait pu vous effleurer. Si je vous ai fait suivre, c'était pour mieux vous protéger de menées que j'appréhendais. Il est vrai que j'ai cru devoir vous dissimuler le fond de cette affaire et que j'ai eu tort. Mais il y va d'intérêts considérables, de l'honneur et du renom de la couronne. Tout ce qui peut compromettre les serviteurs du roi rejaillit d'une manière ou d'une autre sur le trône.

— Votre ouverture me soulage et je m'en veux à mon tour d'avoir supposé… J'étais fou… Cependant, Monseigneur, soyons clairs. Je suis averti qu'un papier qui peut vous atteindre est activement recherché par les Anglais. Sa divulgation susciterait un scandale tel que les intérêts du royaume dans cette guerre en seraient compromis. J'ai été informé que l'enquête que je mène constituerait le principal obstacle aux tentatives de l'ennemi. Ainsi votre propre destin dépend sans doute du succès de l'entreprise.

Aussi, je vous en conjure, révélez-moi bien vite tout ce que vous savez, rien n'étant indifférent dans l'état où nous sommes. J'ajoute que Sa Majesté, qui m'a reçu ce matin, vous tient pour son fidèle serviteur.

— Ah ! elle a dit cela.

Le ton aurait dû être joyeux et il n'était que désabusé.

— Nicolas, en termes brefs, voilà la chose. Vous saviez mon vœu, dès mon arrivée à la Marine, de redonner à cette arme l'éclat qu'un État comme le nôtre aurait toujours dû lui conserver. Déjà Choiseul s'y était efforcé sans toutefois y parvenir. En prévision d'hostilités qui ne pouvaient manquer de s'ouvrir à nouveau avec l'Angleterre et face aux tergiversations de Turgot, il me fallait trouver les fonds nécessaires à ce dessein sans réclamer à l'État les moyens d'en soutenir l'effort. Et dont d'ailleurs il ne disposait pas. C'est alors que j'entrai dans le ménagement d'hommes de finances en vue d'examiner les vues les plus praticables et les moins à charge pour le trésor...

Les mots sortaient avec peine.

— ... Enfin, je recourus à des expédients autour desquels je multipliai, enfin je le crus encore, les précautions utiles. Je suivis les conseils de M. de Chamberlin dont la réputation d'honneur et de rigueur m'était connue, un homme qui me parut convenir à cette entreprise. Il constitua une compagnie de financiers chargée de recueillir des fonds privés en complément des leurs. Deux seulement, afin que le secret de l'affaire se conservât. Dans la masse ainsi réunie en raison de la confiance qu'ils inspiraient, une partie serait placée afin de reconstituer peu à peu, par les intérêts versés, le capital. Or...

— Rien n'a marché comme prévu ?

— C'est bien pire ! Sans m'en informer, les deux traitants ont placé les fonds sur la Compagnie des Indes anglaises dont les bénéfices sont prodigieux. La guerre survenue, les rentrées ont cessé. Les intérêts n'étaient plus versés et le capital ne pouvait se reconstituer. Mais c'était là la moindre conséquence de cette catastrophe. Il y en avait une beaucoup plus redoutable. Il existait un traité… enfin un contrat.

Il soupirait, la main au col, au point que Nicolas craignit un moment quelque soudain coup de sang.

— Votre signature y figure ?

— Et le moyen de l'éviter ? On ne négocie point de telles affaires sans que des garanties sévères soient exigées de toutes les parties. J'ai été bien candide. Imaginez ce document tombant entre les mains des Anglais. Même si, vous m'en croirez, je ne suis pour rien dans les placements criminels de ces fonds, cela apparaîtrait comme un acte de haute trahison. D'autant plus qu'il existe des présomptions qu'un des financiers aurait continué à placer des fonds pour son compte personnel en Angleterre par l'intermédiaire des banques hollandaises. Je ne donne pas cher de ma tête, voyez ce qu'il est advenu de Lally-Tollendal[3]. Cela ne serait rien et ma tête m'est de peu, mais surtout, Nicolas, je serais déshonoré, oui déshonoré ! Il me prend des moments d'abattement. J'envisage parfois… Maudits rhumatismes !

Il se frotta la cuisse.

— Monseigneur, pour la finance je n'y peux guère, mais pour l'honneur fiez-vous à moi ! Me confierez-vous les noms de ces traitants infidèles ?

Sartine releva la tête. Dans ses yeux roulaient des larmes.

— Merci, Nicolas. Grâce à vous la fureur et le désespoir me tiennent désormais lieu de courage. Le papier en question fut signé à quatre mains : Chamberlin, le notaire Gondrillard, Sainte-James dont je vous ai parlé pour une autre affaire qui me hante et moi-même. Il revenait à Chamberlin de conserver l'original unique et, prudence ultime, sans copie. C'est ce papier qui attire les convoitises et vers lequel convergent aujourd'hui les recherches.

— Outre l'ennemi anglais, qui pourrait souhaiter s'en emparer ?

— Gondrillard est mort, son fils doit être au courant. Les affaires de Sainte-James sont au plus bas. Celui qui s'en emparera pourrait en user à sa guise et même en maquiller la teneur et les signatures. Demandez à Rodollet ce que l'on peut faire de cette matière. C'est un puissant moyen de chantage. Et même un levier de pouvoir. Songez à l'usage qu'en ferait Necker contre moi.

Nicolas réfléchissait que tout cela élargissait les perspectives, car rien n'écartait l'existence de tentatives parallèles destinées à s'emparer de ce brûlant document.

— Notre affaire est d'autant plus grave qu'une autre couve, susceptible de donner de l'éclat et du scandale dans les cours étrangères en faisant tort à la gloire du roi. Le prince de Montbarrey...

— Le ministre de la Guerre, parent de M. de Maurepas.

— Justement ! Depuis longtemps il s'abandonne à une courtisane de haut vol, c'est le mot, nommée Renard.

— Elle aussi[4] !

— Apparemment le nom entraîne la chose. Or le canal des plaisirs du ministre a été souvent celui des grâces pour les militaires. Souhaitiez-vous être compris dans une promotion de cordons rouges ? Cinquante mille livres de lettres de change à la belle. Il suffisait d'attendre l'effet efficace de son crédit.

Bientôt le crédule constate que son investissement a été nul et que son nom ne figure pas sur la liste des enrubannés et pour ne pas tout perdre, il redemande ses épices.

— Et je suppose qu'elle refuse ?

— Oui ! Mlle Renard aime aussi peu à rendre qu'elle prend avec plaisir. Elle prétend que ce salaire est celui de ses peines, et non le prix des faveurs du roi, qu'elle a fait tout ce qui dépendait d'elle ; que l'argent est bien gagné, quoique les sollicitations aient été infructueuses, qu'enfin l'officier général doit prendre patience, qu'elle espère réussir l'année prochaine ou à la Trinité. Ce n'était pas le compte du candidat, qui, voyant les prières et les menaces également inutiles, trouva le moyen de faire parvenir ses plaintes auprès du trône. Le roi furieux montre le mémoire à M. de Maurepas, veut renvoyer le ministre pour avoir souffert de pareilles manœuvres, mettre la demoiselle à l'hôpital pour la punir de son escroquerie, et casser l'officier général pour avoir employé de tels moyens.

— Je n'ai pas entendu dire qu'on en soit venu à de telles extrémités.

— Non, pas cette fois ! Le vieux mentor s'est interposé, mais les mêmes effets ayant les mêmes causes, tout finira par éclater un jour. Et en période de succès incertains à la guerre, il faut toujours trouver des boucs émissaires.

Le récit des malheurs du prince de Montbarrey paraissait avoir quelque peu rasséréné Sartine qui fit à Nicolas compliment de la nomination de Louis. Puis il sembla hésiter à ajouter quelque chose pour enfin s'y décider.

— Nicolas, écoutez mon conseil. Nous détenons l'un et l'autre des secrets et celui qui entoure…

Il regarda, méfiant, autour d'eux.

— … la naissance de votre fils doit demeurer environné des ténèbres les plus impénétrables. La faveur en ce pays-ci appelle la jalousie et la calomnie. Donnez-lui le nom d'un de vos fiefs bretons. Cela troublera les chiens courants et Ranreuil il redeviendra à votre mort. Y avez-vous songé ?

— Certes, l'idée m'a effleuré et je voulais lui en parler. Votre conseil m'incite à le faire. Il sera désormais présenté sous la qualité de vicomte de Tréhiguier.

— Voilà un beau nom, et breton de surcroît. Il l'honorera de gloire. À nous revoir, Nicolas, sous de plus favorables auspices.

Il appela ses gens et gagna sa chaise en boitant. Nicolas repartit à pied au milieu des nouvelles plantations du parc qui commençaient à s'épanouir. L'énormité de ce que lui avait confié Sartine s'imposait à lui. Pour une part, le sort du ministre serait scellé par la réussite ou l'échec de son enquête. Le fait que le document existait en unique exemplaire simplifiait et compliquait la chose. Celui-ci une fois retrouvé et détruit, rien ne subsisterait de la preuve et Sartine serait sauvé. Enfin, à condition qu'il parvînt à solder les dépenses extraordinaires qui dépassaient de beaucoup le budget imparti à la Marine, et surmonte la défaveur dans laquelle le tenait désormais la reine. Pour ce puissant dont il savait mieux que d'autres la force et les faiblesses, il éprouvait une triste compassion. Lui revinrent les confidences sur le ministre de la Guerre. Ces infamies le blessaient au plus vif. Alors que tant de marins et de soldats mouraient aux quatre coins du monde pour l'honneur de la couronne, la corruption gagnait, marée écœurante, jusqu'aux marches du trône. Et pourtant, depuis vingt ans, son âme bardée d'indifférence en avait-elle traversé, des secrets honteux !

Il ne s'était pas ouvert à Sartine des détails, de ce que Rodollet leur avait permis de découvrir et de son espérance des nouvelles de Champagne. Il le savait peut-être, mais n'aimait point le *décousu* d'une trame, et demeurait impatient toujours d'en tenir en main le *rapiécé* et d'en apprendre le dénouement, sans avoir à entrer dans ce qu'il appelait la *cuisine* du commissaire. Il restait à espérer qu'il s'abstiendrait désormais d'envoyer ses sicaires intervenir de nouveau dans sa quête.

Louis, encore sous le coup de l'annonce de sa promotion, l'attendait dans l'antichambre des gardes, piaffant d'excitation. La plus grande agitation régnait dans les appartements de la reine. Mme Campan, qui ne savait plus où donner de la tête, leur apprit que celle-ci et ses entours s'apprêtaient à gagner le château de la Muette aux fins d'être plus proches de Mme de Polignac, sur le point de faire ses couches dans sa demeure de la rue de l'Université. Cartons et paquets contenant les hardes et parures de la reine indispensables à cette migration s'accumulaient sur le parquet. En dépit, précisa la bonne dame, de la navette des voitures qui, plusieurs fois par jour, circuleraient entre les deux châteaux.

Après être allée aux nouvelles, elle les conduisit jusqu'au petit cabinet rocaille de la feue reine. Son apparence était comptée, dit-elle, *on* souhaitait en renouveler le décor[5]. Quand ils pénétrèrent dans la pièce à pans coupés, la souveraine, en cheveux et en coiffe, était assise dans un fauteuil, le dos à la croisée ouverte. Elle buvait d'un air languissant une tasse de lait. Il semblait qu'il y eût foule tant le boudoir était petit. Des têtes se tournèrent, regards froids de courtisans sur les intrus. Seul M. de Besenval sourit avec un mouvement de tête.

— Tenez, n'est-ce pas le *cavalier de Compiègne* ? Il se fait rare. Que va-t-il trouver pour sa défense ?

— Votre Majesté prendra en compte, j'en suis sûr, que le service du roi...

Il fut interrompu de ce même ton glacé et un rien persifleur.

— Point de leçon, monsieur, sur la chose. Est-ce le service du roi ou d'un de ses ministres ? Pour naviguer il faut savoir prendre le vent.

Des rires discrets saluèrent une allusion transparente. Sans doute, en dépit des précautions prises, son entretien avec le ministre de la Marine était-il déjà éventé. À la cour, rien ne pouvait demeurer longtemps secret. Il mesura l'âcreté de la reine et rendit justice à Sartine. Il ne se trompait pas en affirmant que la reine voulait désormais sa perte. Rien ne parut chez Nicolas de l'émotion ressentie. Que répondre ? Toute tentative de justification ne pouvait, en l'état, qu'aggraver l'irritation de la reine. La suite montra que rien, ce jour là, ne serait mis à son crédit.

— Puis-je présenter à Votre Majesté mon fils Louis, désormais vicomte de Tréhiguier...

Il sentit à ses côtés la surprise du jeune homme.

— ... qui va prendre ses fonctions de lieutenant dans le régiment des carabiniers à cheval de Monsieur.

Louis se jeta aux pieds de la reine, qui se pencha et le releva d'un geste gracieux.

— Je vous en fais mon compliment. Nul doute que vous êtes meilleur cavalier que votre père !

De nouveau les rires fusèrent. Elle fixa Nicolas.

— Que voilà une nouvelle ! À qui doit-on cette nomination ? À un ministre ?

Nicolas savait combien la reine était sensible à ce que places et faveurs soient octroyées de sa main ou qu'il soit bien entendu qu'elle y avait eu sa part. Il choisit de dire la vérité, du moins une partie.

— Madame Louise, tante de Sa Majesté, s'est entremise auprès de Monsieur.

Il y eut des murmures surpris.

— Voilà qu'au fond de son couvent elle prend fait et cause dans les nominations ! Quelle chose étrange ! Êtes-vous désormais à Monsieur ?

— Point, Votre Majesté sait bien quelle est ma fidélité.

— Soit, monsieur. Tout cela est fort bon, mais je comptais sur mon page à la Muette et sur mon *Chérubin* sur scène. Cela fera tarder quelque peu son envol. J'en parlerai à mon frère. À vous revoir, monsieur, le service du roi ne saurait attendre.

Elle fit un geste impérieux accompagné d'un haussement de tête qui lui rappela le temps d'un éclair la figure de Marie-Thérèse. Ce mouvement signifiait à Louis de demeurer. Il jeta un regard désespéré à son père qui lui sourit, impassible.

Il sortit du cabinet, ravagé d'une sourde colère. Ce n'était pas la première fois que la reine dévoilait cet aspect de sa nature. Certes, il connaissait l'ingratitude des grands. Constituait-elle pour eux une véritable obligation, une sauvegarde qui les cuirassait d'indifférence et d'oubli ? Éperdu, Louis le rejoignit et serra son bras. Il avait réussi à prendre congé en arguant des ordres du roi. Nicolas frémit de joie en sentant qu'il n'était point besoin de paroles entre eux.

Sous le présent règne, le grand lever déroulait son cérémonial immuable de plus en plus tard. Il y avait foule dans la chambre d'apparat. Nicolas observait toujours avec distance, armure dont il ne se départait jamais, l'espèce d'agitation silencieuse, ce bruissement d'insectes, qui entourait la personne du souverain en représentation. Ceux-là, liés par le sang courant dans leurs veines, toisaient avec mépris les plus récents dans la faveur des entrées. Ceux-ci faisaient semblant de paraître, composant leurs attitudes, les modelant sans vergogne sur celles qu'ils estimaient convenir aux circonstances et à l'honneur insigne qui leur était dévolu. Le roi musait à son habitude, à grand renfort de rires et de brusqueries. Il taquinait ses valets comme s'il avait voulu compenser par une espèce de légèreté cette pesante liturgie.

— Ah ! fit-il, jovial. Les Ranreuil père et fils.

Louis, à qui son père avait fait la leçon, se jeta aux pieds du roi en murmurant quelques mots inintelligibles. Le roi le releva.

— Monsieur le lieutenant. Qui me passera désormais mes fusils à la chasse ?

— Je les braquerai sur vos ennemis, Sire, répondit le jeune homme qui avait retrouvé ses esprits.

Un murmure flatteur salua son propos.

— Faites en sorte de satisfaire vos chefs et je serai content de vous. Le marquis m'a été heureusement donné par mon aïeul. Votre père vous confie à moi pour mon service.

— Il chassera de race, Sire, dit le maréchal de Richelieu qui s'était avancé.

Le roi le considéra froidement et lui tourna le dos.

— Messieurs, dit-il aux Ranreuil, allez faire vos remerciements à mon frère Provence.

Nicolas sortit radieux des appartements. Les propos du roi feraient événement et rachèteraient sans conteste les échos de l'audience de la reine. Ils s'acheminèrent pour achever ce périple de *l'étiquette* vers les appartements du comte de Provence à l'extrémité de l'aile nord du château, face au Grand Commun.

Monsieur les accueillit avec cérémonie, entouré de ses proches et de son ami Creutz, ambassadeur de Suède, vieille connaissance de Nicolas. Le prince, comme le roi, avait fort engraissé. Une maladie lui avait fait tomber les cheveux, le contraignant à porter perruque. Le col enfoncé dans le torse faisait ressortir le bouffi du visage. Une bouche bien dessinée et spirituelle rachetait un œil gauche plus grand que le droit. Le soin extrême de la vêture, un habit gris perle brodé de fleurettes roses et bleues sur lequel tranchait le cordon du Saint-Esprit, restaurait une apparence dont le détail décevait. Louis réitéra son compliment et Nicolas le fit reconnaître par son colonel comme vicomte de Tréhiguier. Le prince, qui avait le don de l'improvisation facile et des paroles suaves, répondit au compliment dans les termes les plus flatteurs, puis s'adressa à Nicolas.

— *Namque et nobilis et decens.*
Et centum puer artium
[Noble plein de grâce
Orné des talents les plus divers]

Il me vient à l'esprit certaine joute en Horace. Auriez-vous perdu la main, monsieur le marquis ?
— Point, monseigneur.

Late signa ferret militiae tuae
[Il portera au loin la gloire de vos drapeaux].

Provence battit des mains d'enthousiasme. Il attira Nicolas à l'écart, le visage plein se plissa d'ironie.
— Vous souvient-il que, la dernière fois que nous avons causé, je vous avais proposé de protéger votre fils ?
— Je n'ai garde de l'oublier, monseigneur. À mon tour de vous remercier de la faveur faite à ma famille.

— Mais que diable aller mettre ma tante Louise en tiers dans cette affaire ! Il suffisait de m'en parler. Outre l'estime que je vous porte, l'enfant est un cavalier hors pair qui fera honneur, pour le coup, à mon régiment.

Il était plaisant d'entendre ce jeune homme à peine plus âgé que Louis parler comme un vieillard.

— Je suis ménager de ma parole, cependant je puis assurer que je n'y suis pour rien, ayant appris la chose de la bouche de Madame Louise au Carmel de Saint-Denis où elle m'avait fait mander.

— Ce ne serait vous, je n'y prêterais nulle créance. Je vous crois. Il y a là un mystère que je prierai ma tante d'éclaircir la prochaine fois que je l'irai visiter.

Nicolas songea, à part lui, que faire parler une carmélite de la trempe de sœur Thérèse de Saint-Augustin n'était pas du pouvoir du prince, aussi subtil et insistant qu'il se pût montrer.

— Il est parfois préférable... *Les dieux prudents ont couvert d'une épaisse nuit les événements de l'avenir.*

Provence éclata de rire.

— Bien joué !

Prudens futuri tempori exitum
Caliginosa nocte premit deus.

L'*Ode à Mécène* !

Il était tombé dans le piège tendu. Sa pensée virevoltante avait lâché en route une curiosité éveillée.

— Monseigneur, j'ai cependant une grâce à vous demander, non pour moi, mais pour votre nouvel officier.

— Déjà ! Mais elle est accordée de confiance. Quelle est-elle ?

— La reine, qui part pour plusieurs jours à la Muette à l'occasion des couches de Mme de Polignac, a souhaité que son page l'accompagne. Elle doit vous en parler.

— J'apprécie cette confidence. Elle m'autorisera à prévenir les désirs de ma sœur. Mais, dites-moi, les grenouilles coassent dans les marécages de Versailles ?

— Cela est de saison, monseigneur.

— Oui, oui. Leur clapot, enfin celui de leurs ébats, parvient jusqu'à cette aile. On rapporte, enfin c'est très récent...

Il observait Nicolas, la grosse bouche gourmande, mais l'œil glacé.

— ... que ma sœur vous tenant, à juste titre n'est-ce pas, pour un ami de M. de Sartine, vous a quelque peu malmené. Ne niez pas, je sais tout. Besenval, Adhémar et Vaudreuil étaient présents.

Si Provence espérait ainsi recueillir quelques informations, il se trompait de bureau.

— Votre Altesse peut tout entendre. Les bons serviteurs sont sourds et muets.

— Bon, bon, nous n'insisterons pas. Mais je pressens que faute de grenouilles il y a sans doute anguille sous roche. On jase sur le ministre. Bien, vous ne direz rien... Tout cela dessine l'homme que vous êtes. Je sais que vous êtes tout au roi, je ne vous demande qu'une chose, soyez un peu à moi.

— Je suis votre très obéissant serviteur, monseigneur.

— C'est un début et je m'en dois satisfaire ! Nous en reparlerons.

Il se tourna avec peine sur ses jambes mal équarries vers Louis qui attendait à quelques pas.

— Vicomte, vous, vous êtes à moi. Je donnerai des ordres pour qu'un cheval de mes écuries vous soit donné. Je lui ferai présent d'un cavalier émérite. J'espère qu'il sera sensible à la chose. Sur ce, monsieur, prenez aise avant de rejoindre Saumur.

Il leur tendit avec majesté sa main à baiser. Ayant fouillé dans son habit, il en sortit une tabatière avec son portrait qu'il offrit à Louis.

— Voilà un souvenir. Puisse-t-il vous porter chance !

Le père entraîna le fils béat. De tumultueuses pensées agitaient Nicolas. Il savait que la reine prisait peu Provence et partageait le sentiment du roi sur son frère. Ne l'avait-on pas entendu un jour que Monsieur jouait Tartuffe murmurer entre haut et bas que le caractère était rendu à merveille, *le personnage étant dans son naturel* ! Naguère le commissaire avait lui-même éprouvé la duplicité du prince[6]. Tout montrait qu'il cherchait à se constituer une faction. Cependant, héritier du trône jusqu'à la naissance d'un dauphin, il s'efforçait de modérer, tout en les dissimulant, l'ardeur de ses ambitions.

Nicolas, qu'aucune propension ne poussait vers l'homme, prenait pourtant en compte cette situation et, courtisan sans l'être, veillait à ne point insulter l'avenir. Qu'il le déplorât ou non, et il n'y était pour rien, Provence était parvenu à nouer un lien avec les Ranreuil. L'avenir dirait la suite de cette tentative. Quant à l'attitude de la reine, il en demeurait atterré, l'âme navrée qu'après dix années de service, elle en fût à les oublier et par quelques allusions méprisantes à les effacer. Qu'elle ait pour cela usé de ce surnom, rappel d'un passé heureux et d'une complicité de jeunesse, l'ulcérait plus que tout. Chose aggravante, ces propos de circonstances avaient été débités devant des témoins avides et malveillants. Que croyait-elle ? Le précipiter dans les bras de ses ennemis ? Y avait-elle seulement pensé ? Il demeurait son loyal serviteur et il continuerait à veiller sur elle, malgré elle au besoin. Il comprenait pourquoi Provence à l'affût surveillait la lutte des factions autour du trône. La reine en était l'élément pivot. Peu à peu elle s'était impatronisée, usant de son influence sur le roi même s'il s'efforçait parfois de s'y soustraire. Elle paraissait avoir noué une alliance avec Necker, ayant besoin de lui contre Maurepas. Le vieux mentor l'insupportait. Leurs efforts réunis parviendraient-ils à chasser Sartine et à écarter le prince de Montbarrey qu'elle haïssait ?

M. Le Noir, bien au fait des détails par les lumières que lui procurait le cabinet noir, se désolait de ces débauches de haines sans réel enjeu pour les intérêts du royaume. Ces luttes altéraient l'image du trône. Avec cette finesse tranquille qui le caractérisait, il constatait le rôle grandissant de l'opinion, chacune des factions se faisant une joie mauvaise de livrer au public les épisodes les plus scandaleux et les plus propres à blesser l'adversaire. Et cela alimentait chansons, pamphlets, libelles et ouvrages anonymes déversés par les imprimeries clandestines et les courriers de Londres et de La Haye.

Nicolas quant à lui éprouvait l'enthousiasme de son fils qui était allé de bonheur en bonheur.

— Louis, si vous m'en croyez, quand vous serez en vos quartiers, ne vous targuez jamais auprès de vos camarades ni de la tabatière ni du donateur du cheval. Cela ne vous attirerait que de mauvaises affaires. Promettez-le-moi.

Ils se quittèrent dans la cour de marbre. Louis courut rejoindre le cortège des carrosses de la reine qui se formait devant l'aile du midi. Nicolas rejoignit Fausses-Reposes où il dîna avec Aimée sous la tonnelle du jardin tandis que le cocher et Tribord se réconciliaient à coups de libations. Vers six heures, après une méridienne fort occupée, il prit la route de Paris. La nuit tombait quand il franchit la porte de la Conférence. Il commanda la voiture pour le lendemain. Rue Montmartre un billet l'attendait, Bourdeau espérait le voir au Châtelet le jour suivant ; il y avait du nouveau et du plus intrigant. L'absence de Naganda, qui n'avait point reparu au logis, l'étonna avant de l'inquiéter.

X

ENCHAÎNEMENTS

« Il y a des circonstances où l'on est forcé de suppléer
l'ongle du lion par la queue du renard. »

Diderot

Samedi 10 juin 1780

Mouchette balançait sa petite tête triangulaire, la
mine réprobatrice devant les gémissements de Pluton allongé sous la table. Il quémandait en sour-
dine quelques reliefs du déjeuner de Nicolas que
M. de Noblecourt lui aurait volontiers disputés.
Tous deux considéraient avec inquiétude les brioches
que leur ami et maître engloutissait l'une après
l'autre. La répétition de cette scène domestique,
agréable entracte dans le quotidien de son office,
remplissait le commissaire d'aise et d'oubli. Il sentait que ces instants précieux participaient sans
doute d'un ordre que d'autres appelaient bonheur.
La conversation reprit qui le replongea dans le diffus des affaires en cours.

— Selon ce que vous m'avez révélé, le document en question pourrait être dans la chambre de l'enfant ?

— On le peut supposer. Ce n'est pas précisé. Il paraît seulement en être le détenteur. Sait-il seulement l'importance du papier ? Allez savoir où l'esprit d'un enfant, fort mûr d'ailleurs pour son âge, peut le conduire dans cette sorte de jeu ? Le porte-t-il sur lui ? Les possibilités sont infinies et les voies de persuasion sur lui sont limitées.

— Gagnez sa confiance. Il vous faut déceler ce qui pourrait le mouvoir et l'engager à vous faire ses confidences. Dans ce domaine je ne peux qu'être avare en conseils, n'ayant pas eu la chance d'avoir un enfant.

— Hélas, j'ai connu le mien déjà grandet ! Celui-là semble presque trop attaché à sa mère.

— Alors c'est peut-être par elle que vous parviendrez à le convaincre.

— Il y a dans cette famille des secrets bien gardés et des haines rancies que l'affectation générale ne gaze qu'imparfaitement. Il était très proche de M. de Chamberlin, son grand-oncle. Ils causaient peu, semble-t-il, mais se plaisaient ensemble.

— Il existe pour les vieillards solitaires des présences qui comptent davantage que de longs discours.

Nicolas soupira, l'air rembruni.

— Je vous perce à jour, mon bon : le départ de Louis vous pèse. C'est le propre des fils de prendre un jour la route, leur route.

— Ce n'est encore qu'un enfant !

— C'est le propre des pères de voir ainsi les fils, longtemps. Songez qu'à son âge, provincial et sans beaucoup d'appuis, vous étiez sur le point d'être précipité dans le creuset de cette ville. Une lettre de recommandation et l'amitié d'un vieux carme. Autre chose ?

Oh ! La reine. Cela lui passera. Ce sont là mécomptes de cour qui se soldent à condition de n'y point prêter attention. Les grands sont aussi girouettes que les autres. Eh, baste ! Il y a eu toujours un Ranreuil bien en cour. Et vous avez le roi ! Quant aux railleries de la reine en public, vous savez ce que j'en pense, c'est une manière d'être qui honore son esprit mais insulte son bon naturel. Et ne serait-ce votre fidélité, elle se serait fait un ennemi. Pour votre affaire, il me semble vous voir guidant un attelage de plusieurs coursiers fougueux. Trop de rênes dans deux mains seulement ! Il va falloir rassembler tout cela.

— J'attends et j'espère aujourd'hui des éléments susceptibles d'écarter le superflu pour conserver l'essentiel.

— Bien, alors je vous lâche, Nicolas. Au galop, au galop !

— Oui.

— Demeurez ce que vous êtes. Votre âme est délicate et sensible. Ne laissez pas racornir votre cœur par des attitudes ou des paroles dont il ne restera rien, sinon le remords envers ceux qui les auraient inspirées. Reverrons-nous Louis avant son départ ?

— Je le crois. Il doit s'équiper. Trousseau, armes, tenues chez maître Vachon. Cela prendra du temps. Il descendra ici et nous l'aurons quelques jours tout à nous.

Rejoignant le Châtelet, Nicolas sentit l'inquiétude le tarauder. Pourquoi Naganda n'était-il pas rentré rue Montmartre ? Avait-il été entraîné par son stratagème plus loin qu'il ne l'avait souhaité ? Pourquoi n'avait-il adressé aucun message ? Il espérait contre toute attente le retrouver au bureau de permanence, mais Bourdeau seul s'y tenait, impatient d'évidence de lui communiquer le résultat de ses propres recherches.

— Voyez cet air faraud ! dit Nicolas. Ne croirait-on pas un briquet qui vient de retrouver la voie ?

— Tu ne crois pas si bien dire. Imagine que j'ai fait comme convenu visite au vieux M. Patay.

— Le commis de M. de Chamberlin et son intime confident.

— Tout juste et plus que tu ne le penses. Après bien des détours et des propos en cul-de-sac, il a fini par déballer son paquet. Le Chamberlin était, si tu m'en crois, un vieux farceur. Lui et Patay avaient mis au point un système d'eux seuls connu, qui leur permettait, quand le premier était absent, de faire passer la consigne de telle manière que personne ne pût traverser le message. Cela, m'a-t-il avoué, était d'autant plus indispensable que les matières traitées par le contrôle général de la Marine étaient du dernier confidentiel et qu'il apparaissait que des informations filtraient par des agents corrompus. Ainsi, pour pallier l'inconvénient, étaient-ils tombés d'accord pour communiquer entre eux par la disposition des livres du bureau du contrôleur général et…

— … Ainsi aux Porcherons, dans la crainte ou la certitude de son trépas prochain, un dernier message destiné à M. Patay avait-il été abandonné à sa sagacité dans la bibliothèque.

— Tu me tires les mots de la bouche et seul M. Patay était en mesure de remarquer la chose. Toi, tu t'es rendu compte de quelque chose et as traversé le stratagème, car tu aimes les livres et leur disposition désordonnée t'a choqué. Qui d'autre l'aurait remarqué ?

— Et ce n'est pas tout. Te souviens-tu de ce papier désignant M. Patay comme exécuteur testamentaire, que tu avais découvert dans le tiroir secret du cabinet allemand ?

— Certes.

— Patay en connaissait l'existence et avait consigne de son ami de l'ouvrir coûte que coûte après la mort de M. de Chamberlin.

— Que ne nous a-t-il dévoilé tout ceci plus tôt ?

— Je lui en ai fait la remarque. L'homme est prudent, circonspect. Je crois qu'il a pris des informations sur toi. Si, après quelques réticences pour la forme, il a fini par me tout révéler, c'est qu'il était désormais en confiance. Et toi, à la cour ?

— Mon fils *fort* ravi. Le roi *fort* au fait de notre affaire. Sartine *fort* affaissé et inquiet de son sort. La reine *fort* persifleuse et Provence *fort* séducteur ; enfin comme le serpent fascine ses proies… Avec cela le maréchal de Richelieu *fort* égal à lui-même et *fort* contempteur du tout !

— Voilà qui résume *fort* bien ton escapade, dit Bourdeau hilare.

Nicolas développa par le menu ce qu'il venait de résumer. Bourdeau médita un moment.

— Selon toi, qui a tenté de te tuer ? L'un des cosignataires du fameux contrat ou l'ennemi anglais ?

— L'un ou l'autre, ou même les deux. L'un des signataires peut avoir partie liée avec Londres. Les services de lord Aschbury sont en quête du papier. Antoinette me l'assure dans un message que le roi m'a remis. On affirme outre-Manche que je constitue l'obstacle principal aux tentatives de le récupérer. Observe que les participants de cette espèce de tontine ne peuvent plus toucher les intérêts de leurs placements.

— Et donc c'est sur eux un moyen de pression dont l'Anglais joue sans risque. Il peut faire miroiter à ces alouettes la perspective de récupérer les sommes investies. C'est donnant, donnant ! Mais quel lien avec l'assassinat probable de M. de Chamberlin ?

— Y en a-t-il un ? Sans doute, car le vieil homme était resté détenteur de l'original, en fait du seul exemplaire du contrat passé sous son seing entre le notaire Gondrillard et M. de Sainte-James. Il fallait s'en emparer.

— Reste que si la pièce était rendue publique, ses signataires seraient déshonorés et voués à la vindicte publique. En temps de guerre…

— La chose est plus complexe. Sartine estime que le contrat pourrait avoir été si habilement modifié qu'il n'y parût que sa seule signature !

— Il me tarde que Rabouine revienne… Et Naganda ? À quoi a servi notre stratagème ? La ruse a-t-elle été féconde ?

— Il n'était pas rentré hier soir. Cela ne laisse pas de m'inquiéter.

— Nicolas, je crois qu'il faut aviser. C'est périlleux de mépriser un adversaire qui a failli vous tuer !

— Tu as raison. J'essayais de me persuader qu'il allait reparaître ou qu'il serait ici. Lui serait-il survenu…

— Qu'entends-je ? s'écria la forte voix de Semacgus entrant dans le bureau. Naganda en danger ?

— C'est, hélas, à redouter ! Avant-hier, il a pris ma place dans une voiture censée être suivie tandis que je m'échappais de l'hôtel de Noblecourt déguisé en garçon boulanger.

— Quelle affaire, Carnaval est pourtant passé et le bœuf gras dévoré depuis longtemps !

Nicolas s'en voulait d'avoir tant tardé. Il rassembla des feuilles de papier que, fébrilement, il coupa en quatre.

— Que fais-tu là ? demanda Bourdeau, intrigué.

— J'entends mobiliser tous nos moyens et rendre efficient ce réseau qui par nos soins, je veux dire la police, enserre cette capitale de ses rets invisibles. Guillaume, voulez-vous nous aider ?

— Bien volontiers. J'allais au jardin du roi, mais la chose peut être remise. Et il fait si chaud ! En quoi puis-je vous aider ?

— Nous allons écrire des billets avec la description de notre ami et les faire tenir à qui de droit. Pierre, intime au père Marie de rassembler des *vas y dire* qui porteront nos poulets.

Semacgus s'essuya le front, enleva sa perruque, tomba son habit de basin grège et s'assit à la table. Il apprêta un encrier et se mit à tailler une plume d'un petit canif sorti de son gilet.

— Bon, reprit Nicolas. Comment présenter la chose ? Il faut être précis et saisissant pour frapper l'attention de nos correspondants. *On recherche un fiacre transportant un naturel d'Amérique portant tatouages et cicatrices sur le visage. A quitté le jeudi 7 juin dans l'après-midi la rue Montmartre, hauteur de l'impasse Saint-Eustache, vers une destination inconnue.*

— Ajoute, dit Bourdeau revenu, que l'homme portait un habit noir et que tout renseignement doit être porté au Grand Châtelet, aux bons soins du sieur Marie, huissier. À qui vas-tu adresser cela ? On n'est pas rendus, cela va prendre *pot-bouille* !

— À tous les commissaires et inspecteurs de la ville et de la généralité qui feront suivre à l'ensemble de nos informateurs. Les basses mouches qui rôdent par les rues, jardins, promenades, devant les maisons de jeu, couvents et casernes. À tous ceux aussi qui, mauvais sujets plus ou moins repentis, hantent le pavé, avides de la tolérance de la justice, aux maquerelles et filles galantes du dernier ordre toujours soucieuses de notre indulgence.

343

— Belle engeance en vérité ! éclata Bourdeau. Une lie qu'on est obligé de remuer, d'une espèce qui abuse de tout et ne respecte rien, plus malfaisante encore que ceux qu'elle est chargée de dénoncer. Tu sais bien que tous ces espions, mouchards et autres vermines produisent les désordres les plus accablants pour le pauvre peuple, leur principale victime. Nous constatons chaque jour des abus commis sur dénonciation de ces honteux satellites. Les vois-tu sacrifiant l'innocence et la justice à l'appât du gain et aux viles passions qui les tourmentent ?

Nicolas, qui était accoutumé aux sorties de son ami, accueillit le propos en riant.

— Écoutez-le ! Ne dirait-on pas qu'il parle comme on écrit dans certains libelles ? Comment, cela fait bien trente ans que tu uses et abuses de ce système qui fait la réputation de notre police et te voilà jetant l'interdit sur ces pratiques ? Sartine répétait à satiété que *lorsque trois Parisiens bavardent deux sont à lui.* T'en es-tu jamais plaint ?

— Le bel honneur que voilà ! On ne s'étonne plus que la *Sémiramis* du Nord et la *satrapine* de Vienne nous envient ce système ! Il les autorise à étrangler la liberté de leurs peuples.

— Il t'en a bien fallu, ingrat, pour pouvoir faire filer au mieux les suspects. Livrés à ces mouches, ils ont beau alors modérer l'allure ou l'accélérer, un œil sûr et infatigable, certes mercenaire je te l'accorde, les envisage et ne les abandonne point. Ils sont reconduits là où ils logent. Quelquefois, pour se dérober, le suspect disparaît sous une porte cochère. En sort-il ? Il voit un homme qui rentre. Croit-il avoir mis en défaut nos mouches ? Il en a six au lieu d'une à ses basques !

Haussant les épaules, l'inspecteur marmonna. Nicolas comprit soudain que ces éclats, mettant au jour de vraies convictions, visaient à masquer l'inquiétude qui l'avait saisi quant au sort de Naganda. Il lui en fut reconnaissant.

— Lorsque viendra le règne de la vertu, ces vils outils disparaîtront d'eux-mêmes. Qui toucheras-tu d'autre comme informateurs ?

— La demande irriguera nos sources habituelles, mendiants patentés, Tirepot et tous ceux qui, déguisés en mitrons, en garçons perruquiers ou en porteurs d'eau, s'échinent à notre service. On fera prévenir Mme Pignau, femme de cocher, qui fera passer le message à la corporation. Tu la connais, cette grosse gaguie ? Devant la Samaritaine, elle exerce son magistère sur toutes les revendeuses de fripes des quais. Aucune qui oserait lui désobéir. Le guet, la garde de Paris et les gardes-françaises en seront avertis. La marmaille à gages s'éparpillera et, en jouant, resserrera la trame de cette toile.

— Beau royaume en vérité, où l'on voit sans rechigner de petits drôles à peine sortis du maillot déjà espions et délateurs !

Nicolas fit mine de ne pas répondre.

— Pour couronner le tout, nous ferons savoir qu'une gratification sera allouée pour toute information utile. Enfin, fais-moi chercher Baptiste Grémillon, sergent de la compagnie du guet, au quartier du Pont-Neuf. J'ai eu l'occasion de juger son savoir-faire et sa fidélité.

L'attente fut longue et cruelle pour Nicolas qui s'accusait d'avoir accepté la proposition de Naganda et de l'avoir ainsi précipité dans une opération hasardeuse où il risquait sa vie. Puis, peu à peu, la machine policière se mit en branle et les réponses affluèrent. Au fur et à mesure de leur arrivée chacune était triée et analysée. Le sergent Gremillon les avait rejoints et s'était mis lui aussi à la tâche. Son visage ouvert et sa gentillesse avaient conquis chacun, même Bourdeau toujours suspicieux et fermé à l'égard de ceux qui approchaient le commissaire. Le silence monacal du bureau de permanence n'était troublé que par les entrées du père Marie apportant les derniers messages parvenus.

— Mes amis, dit Nicolas levant la tête du papier qu'il venait de noircir, je crois qu'il est temps de rassembler nos premières informations et d'essayer de nous former une opinion sur le parcours du fiacre qui a emmené Naganda.

— Si je puis me permettre, murmura Gremillon, peut-être serait-il efficient de rapporter sur un plan de la ville le trajet de la voiture ? Cela faciliterait l'image que nous souhaitons nous faire de la direction prise.

— J'approuve cette proposition, dit Bourdeau, montant sur un escabeau, tirant de dessus un vieux placard un ramas de planches imprimées qui avaient beaucoup servi.

— Nous avons là un exemplaire du plan de Paris de Bretez[1].

Il commença à secouer les feuilles, déclenchant un nuage de poussière.

— Il date un peu, certes, et la ville change à vue d'œil, mais il possède des avantages que d'autres n'ont pas. L'auteur, muni d'un laissez-passer, dessina îlot après îlot, façades, jardins et rues et cela dans le détail le plus minutieux.

— J'en ai souvent parlé avec le duc de Croÿ qui se veut aussi un éminent cartographe. Ce plan est magnifique et son relief étonnant. Pourtant…

— Il dore la pilule du vrai de la ville, dit Bourdeau. Je préfère celui plus récent de l'abbé Delagrive.

— Vous avez le mot juste, Pierre. Son graveur donne une idée fausse. Il prend des licences avec les perspectives. Tout semble neuf et propre, achevé et solidement construit. La ville devient un havre de paix, fruit d'une illusion voulue et commandée par le prévôt des marchands.

— Reste, interrompit Nicolas qui estimait que le temps pressait, qu'il sera assez bon pour suivre un trajet et que nous allons nous mettre à l'ouvrage aussitôt.

On reconstitua sur la table l'immense plan qui débordait un peu et Nicolas entreprit de lire la litanie des informations.

— Mathias, perruquier, rue Pavée, affirme avoir failli être renversé par un fiacre roulant à une allure effrayante.

— Cela signifie, remarqua Bourdeau, que la voiture a tourné à main droite rue Tiquetonne, quittant ainsi la rue Montmartre.

— Je poursuis... Notez le trajet à la mine de plomb. Mme Popinot, rentière rue Pavée...

— Encore un détour.

— ... a été relevée par le guet. Elle a rapporté avoir été saisie par la vision d'un visage effrayant à la glace d'un fiacre.

— Pauvre Naganda et ses tatouages !

— Le Tavelé, mouche à gages réguliers, a vu la voiture tanguer au risque de verser à l'angle de la rue du Petit Lion qui fait suite à la rue Pavée, avant d'emprunter la rue Saint-Denis où un prêtre de la paroisse Saint-Leu et Saint-Gilles l'a vue passer.

— Était-ce la même ?

— La suite le dira.

Il manipula ses papiers dont certains étaient fort mal écrits.

— Voilà ! Rue Sainte-Apolline, Julie Brivolette, fille galante, est heurtée par un cavalier qui, lui, suivait une voiture *ayant le feu au cul*. Elle est allée se plaindre à la patrouille. Nouveau signalement devant Saint-Jacques le Majeur. Maître Boudelas, marchand peaussier, observe le train d'enfer d'une voiture dont il a supposé que le cheval avait pris le mors aux dents.

— Cela pourrait indiquer, dit le sergent Gremillon, que la poursuite a continué rue Saint-Denis avant que le fiacre emprunte la rue de la Heaumerie.

— Hypothèse confirmée. Dufraysse, marchand forain, a son étal de fruits renversé rue Planche Mibray.

— Il va passer le fleuve.

— Il le passe en effet, poursuivit Nicolas brandissant une notule. La dame Pignau, qui a mobilisé l'ensemble des dames fripières des quais, indique à notre confrère l'inspecteur Noblet qu'une de ses femmes a vu le fiacre avec un occupant *à la figure de démon* s'engager pont Notre-Dame et…

Nicolas s'arrêta. Bourdeau, inquiet, remarqua sa soudaine pâleur.

— Qu'as-tu, Nicolas ?

— … Elle ajoute que Bardet, c'est le nom du cocher de notre voiture, n'a pas rejoint son domicile depuis jeudi, que sa femme éplorée s'en est ouverte auprès d'elle pour prendre conseil, ne sachant pas à quel saint se vouer. Elle loge dans une maison où elle est portière près du couvent des Bernardines du Précieux Sang, rue de Vaugirard.

Cette nouvelle effara Nicolas. Ainsi depuis jeudi, Naganda n'avait donné aucun signe ni adressé de message et, de surcroît, son cocher, attiré dans cette dangereuse équipée, avait lui aussi disparu. Se pouvait-il qu'ils aient été entraînés plus loin qu'ils ne l'auraient souhaité ? Il se reprit pourtant et réfléchit un long moment sous le regard de ses amis dont l'inquiétude n'était pas moindre que la sienne.

Il frappa la table de ses deux mains.

— À bien y songer, il faut se mettre dans la tête de ce bon Bardet. Voilà un cocher à qui l'on prescrit de mener grand train sans lui donner de destination. Que peut-il se passer dans son esprit ? Je vous le demande !

Tous se regardèrent, perplexes.

— Il est dans l'obligation de diriger son attelage dans les rues qui se présentent à lui, certes. Mais peu à peu il oriente ce trajet et, d'une manière consciente ou non, reprend le chemin que lui et son cheval connaissent le mieux, la direction de son logis rue de Vaugirard. Considérez qu'il a commencé son parcours par l'opposé, mais rapidement engagé une boucle qui le ramène au fleuve et sur la rive gauche.

— Diantre, dit Bourdeau sceptique, quel raisonnement labyrinthique !

— Il ne faut point oublier, dit Semacgus souriant, que notre ami, loyoliste de formation, sait alambiquer sa raison y compris dans les étonnants labyrinthes où elle se veut perdre. Mais je dirais que le passé était cette idée qui, à la réflexion, ne manque pas de finesse et plaide en faveur d'une subtilité dont il nous a donné tant de preuves.

À ce moment le père Marie apporta un nouveau message qu'il tendit à Gremillon.

— Je crains, dit-il après y avoir jeté les yeux, que le commissaire n'ait raison. Une patrouille du guet vient de découvrir un fiacre à l'abandon, cheval disparu, à la renverse au bout de la rue des Vieilles Tuileries et...

— Et ? demanda Nicolas, pris d'angoisse.

— Et j'ai le regret de vous informer que la caisse et la banquette sont maculées de sang. Tout laisse supposer des événements violents.

Le pire était donc arrivé. Un froid de glace saisit Nicolas. Ses amis, médusés, se taisaient. On entendait dans le lointain l'huissier qui toussait et se grattait la gorge.

— Allons, dit Bourdeau, ne présumons rien des apparences. Il n'y a jamais de certitude hors la réalité. Poursuivons nos recherches. Je conçois ce que cette information peut laisser présager. Ne baissons point la garde.

— Des traces de sang, remarqua Semacgus, n'ont jamais signifié le pire. Vous savez combien par exemple s'épanchent les blessures à la tête.

Après un temps d'accablement, Nicolas releva la tête.

— Nous n'allons pas rester ici. Il faut agir. Que les recherches se poursuivent sans que soit levé le dispositif mis en place.

— La ville est grande, dit Semacgus. Un chien n'y retrouverait pas son os.

Cette phrase sans conséquence, qui ne visait dans l'esprit de son auteur qu'à meubler un silence qui menaçait de retomber, fut un trait de lumière pour le commissaire. Il entrevit soudain une issue à une tentative qui s'avérait désormais vaine.

— Pardonnez-moi, dit Gremillon, si l'on avait attenté à la vie de M. Naganda ou de son cocher, les corps auraient été laissés en l'état et leurs présumés assassins n'auraient pas pris la peine de les emporter. M'est avis qu'il s'agit davantage d'un enlèvement que d'un assassinat. Certes, me direz-vous, il y a du sang, mais sans doute que l'on s'est défendu. Peut-être même est-ce celui des agresseurs et non celui des victimes de l'attaque qui a été ainsi répandu.

— Voilà qui est bien dit. Il y a espoir et je m'en veux persuader. Toutefois Semacgus vient de dire une chose qui m'a ouvert l'esprit et qui va ordonner les actions à venir. Un chien et son os, avez-vous suggéré, cher Guillaume. Oui, un chien, un animal doué du plus grand flair, accoutumé à trouver et suivre les traces. Je crois que l'un de mes amis va nous aider dans cette quête. Pierre, je te demanderai de demeurer ici pour recueillir les informations, les trier, nous faire parvenir celles que tu jugeras opportun de porter à notre connaissance. Tu seras notre quartier général et l'homme qui tiendra en mains l'ensemble des fils de cette opération.

Bourdeau esquissa une grimace, mais un regard suppliant et la main de Nicolas sur son épaule réduisirent à quia les objections peu fondées qui lui étaient venues à l'esprit. Il se persuada de l'importance et de la nécessité du rôle qui lui était imparti.

— Le sergent, Semacgus et moi-même nous rendrons rue Montmartre pour y prendre Pluton. Oui, c'est à lui que je songe comme le recours le plus utile dans cette occurrence. Il sera le plus prompt à retrouver la trace de Naganda. Pierre, distribuez des pistolets à ces messieurs. Nous pouvons avoir affaire à forte partie. Soyons sur nos gardes. La nuit désormais est tombée. Sergent, vous allez prendre une voiture et réunir sans attendre à l'entrée de la rue Montmartre, près Saint-Eustache, quatre hommes solides et d'une sûreté à toute épreuve. Je pars moi-même avec Semacgus.

Rue Montmartre, on s'évertua à ne pas déranger M. de Noblecourt, que cette équipée contrarierait au risque d'une crise de goutte auquel il n'était que trop sujet. Pluton manifesta sa joie de cette sortie inattendue et se prêta de bonne grâce à un *reniflage* en règle des hardes de Naganda. Il était inutile de refaire le trajet que tant de témoignages recoupés avaient dessiné. Ils retrouvèrent Gremillon et ses hommes dont la voiture suivit celle de Nicolas. Il s'agissait de se rendre à l'endroit où se trouvait la caisse du fiacre et à partir de là de demander à l'ancien pensionnaire de la louveterie de France de prendre le vent et de les conduire vers Naganda.

Au grand trot des équipages, ils franchirent le Pont-au-Change, entrèrent dans la Cité, longèrent le quai de l'Horloge pour passer le Pont-Neuf. De là, ils enfilèrent les rues Dauphine, de Buci, du Four pour déboucher au carrefour de la Croix-Rouge dans la rue du Cherche-Midi qui se transformait à hauteur de celle du Regard en Vieilles-Tuileries. C'est là qu'ils découvrirent la caisse du fiacre, versé dans un fossé du remblai qui faisait frontière entre la ville et la campagne des faubourgs, vers l'extrémité de la rue de Vaugirard. La monture, comme indiqué, avait disparu ou s'était enfuie et des mains avides avaient commencé à dépouiller la voiture d'une porte et de deux de ses roues. Avant de lâcher Pluton qui gémissait et bavait d'impatience en grattant la porte du fiacre, Nicolas et Semacgus, bientôt rejoints par Gremillon, examinèrent avec attention les traces dont ils espéraient tirer d'utiles indices. Ainsi observèrent-ils que les glaces avaient été brisées. Était-ce au cours d'une attaque ou lors du versement de la voiture ? Il était difficile de le dire.

L'intérieur du fiacre était lacéré, des lambeaux d'étoffe et de bourre du capiton jonchaient le plancher.

— Tout laisse à penser qu'on s'est battu à l'arme blanche, et violemment.

— Je crois, sergent, que Naganda ne portait point d'épée au départ de la rue Montmartre. Reste qu'il ne se sépare jamais d'un poignard à lame qu'il appelle *fer d'étoile* et dont la couleur noire m'a toujours intrigué.

Semacgus sursauta.

— Diable ! Il m'en a parlé à Vaugirard, souhaitant mon avis. La lame entamait des roches dures sans que son fil s'ébréchât. Je lui ai montré un exemplaire de même nature acheté à Batavia au cours d'une escale. Le Chinois qui me l'avait vendu m'assura qu'il venait du Siam et que sa fonte provenait d'un minerai tombé du ciel qu'on découvrait fort aisément dans ce royaume.

— Considérez, monsieur Nicolas, reprit Gremillon, les entailles profondes que porte ce châssis. Ce n'est pas une épée qui a pu faire cela ! Une hache ? Ou, peut-être, le poignard dont parle le docteur.

— Que de sang ! murmura Nicolas, derechef saisi par le doute.

La queue agitée de tremblements, Pluton avait sauté dans la caisse et reniflait en tous sens. Un moment il gratta le capiton de la banquette puis, après un dernier examen, sauta à terre, regarda son maître, poussa un bref aboiement et s'avança vers la rue de Vaugirard, toute proche. Quelques toises plus loin, il revint vers Nicolas et lui gratta la jambe avec force mimiques comme pour l'engager à le suivre.

— Je vois que notre limier a flairé une piste. Fions-nous à lui et suivons-le.

D'une manière étrange le molosse changea tout à coup de direction et après quelques tours sur lui-même fila vers la rue des Vieilles-Tuileries où il s'engagea à vive allure. La troupe le suivit en courant, sauf Semacgus à qui sa corpulence interdisait cet exercice. Pluton, indécis, s'arrêta à nouveau et décrivit des cercles de plus en plus étroits avant de se précipiter dans la petite rue de Bagneux qui débouchait à son autre extrémité sur celle de Vaugirard. À peine y étaient-ils entrés à sa suite qu'il rebroussa chemin et reprit celui parcouru jusqu'à la rue de la Barouillère au coin de laquelle il tomba en arrêt près de Semacgus qui se félicita in petto de ne s'être point pressé.

— Il s'est égaré… C'est… un échec, dit Nicolas, la voix hachée par l'essoufflement de la course.

Le chirurgien hocha la tête.

— Je crois plutôt que celui ou que ceux que nous cherchons ont erré quelque peu et que Pluton a reproduit leurs mouvements successifs.

Un vieil homme coiffé d'une toque de loutre qui ne cadrait pas avec la saison les considérait avec curiosité. Il ôta une pipe en terre de sa bouche, cracha et fit un geste de la tête en direction de Gremillon qu'il estima sans doute au vu de son uniforme comme le chef de cette étrange compagnie.

— Ayez pitié d'un pauvre vieillard ! Pourrait-il avec votre aide, messeigneurs, boire ce soir sa chopine et gagner son tabac ? Voilà bien de la secousse dans un quartier si calme ! J'pouvions pt'être vous secourir dans vos déambules ? On dirait des colonies de hannetons, un coup par-ci, un coup par-là ! Ça passe et ça rapace !

— As-tu tes lunes pour parler ainsi ? lui répondit un des hommes du guet. Garde tes joberies pour toi ou tu le regretteras.

— Tu, tu, tu, modula Semacgus, l'air engageant et le geste modérateur. Il faut être déférent avec les anciens. Je suis sûr, moi, qu'il pourrait nous en conter de belles.

Tout en parlant il avait sorti de sa poche quelques écus qu'il faisait sonner dans sa main.

— Hé, fit l'autre. Ce gonze-là, il sait causer avec éloquence ; on ne lui résisterait pas.

— Eh bien, l'ami, as-tu quelque chose à confier aux hommes du roi ?

— Oh ! Le roi, le roi… Il sait point les malheurs du peuple, le roi. Je veux bien dégoiser. Ça me démange depuis l'avant-veille et je m'en voudrais sur ma conscience de ne pas éventer une mèche...

— Qui pourrait intéresser le Magistrat ? ajouta Semacgus, secouant derechef les pièces.

— Ma foi, ça se pourrait bien. Surtout si je prenions part à votre *greli-grelo*... si vous voyez ce que je veux dire.

Il tendit une griffe dans laquelle le docteur posa un écu sans pourtant le lâcher tout à fait malgré les efforts du vieil homme.

— Il faut savoir délier la langue à temps, sinon...

— Voilà, voilà, monseigneur. Avant-hier...

— À quelle heure ?

— En fin d'après-midi. La journée avait été fort chaude et je prenais le frais. Faut vous dire que le vent s'était levé et soulevait la poussière si fortement que... Mais je vous cause de cela pour que vous compreniez la suite, car il y a des choses que l'on remarque sans les voir... Voyez ce que je veux dire, hein ?

Il cligna de l'œil. Le sergent allait interrompre ce qu'il considérait sans doute comme une divagation du témoin. D'un geste Nicolas l'invita au silence. D'expérience il savait qu'il ne fallait jamais casser le flux d'un discours qui pouvait révéler au milieu d'inévitables scories des aperçus éclairants.

— Lors donc, je fumaillais tout en buvotant une chopine quand je vois passer dans la rue...

— Celle-ci ou celle de Vaugirard ?

— Vaugirard, car ce qui m'a frappé à c't'heure c'est que vous et vos gens, enfin les autres, car vous, vous ne gambadez plus, hein ? Donc les autres, comme ceux que j'avais observés, ont emprunté le même chemin avec des allers et des retours.

Brave Pluton, songeait Nicolas attentif aux méandres du propos, il n'a fait que suivre les propres hésitations de… Il ne savait comment qualifier ceux qu'il pourchassait. L'homme continuait.

— Et chargés comme ils étaient, ce n'était pas chose aisée.

— Ils étaient nombreux ?

— Deux cavaliers de mine basse, de ceusses qu'on n'aurait point aimé croiser étant trop éloigné…

Il jeta un coup d'œil à Gremillon.

— … d'une patrouille du guet. Bref, des rodomonts[2] de barrière toujours prêts à chercher costille[3] au pauvre monde. J'avions tiré mon chapeau sur le nez, qu'ils ne croient pas que je les mirais. Sont passés et sont revenus. Fallait les voir, ah ! ah ! empêtrés qu'ils étaient avec leurs montures tenues par la bride et la vieille charrette qu'ils traînaient. Mouais ! Celle-là bien brinquebalante. Je la connaissais, tellement vieille et usée qu'elle avait été abandonnée sur le remblai sans que quiconque s'avise de la saisir ! C'est point habile ces bougres-là, et ça foutinasse[4] à tirer c't'foutu chargement. C'est là qu'ils m'ont envisagé. *Alors le vieux,* me dit l'un, *tu peux nous aider sans doute. Compte dessus, mon ami,* lui ai-je dit, *mes douleurs ne me permettent aucun efforcement. C'est point de ça qu'il s'agit,* qu'il me répond. *Mon compère et moi devons déposer des gravois. C'est interdit sur le remblai, on cherche donc quelque terrain vague ou une ruine qui pourrait les recueillir en discrétion.* Je ne voulions point me mêler de près ou de loin de leur mironton. Je fais l'idiot, donc. Cela me vaut que l'un d'eux, peu convaincu par mes grimaces, me décoche un coup de botte.

Il se frotta le genou d'un air misérable tandis que son autre main se tendait vers Semacgus qui lui abandonna l'écu.

— Grand bien vous fasse, monseigneur, Dieu vous le rendra. C'est un petit moins pour vous et un gros plus pour moi. Il serait bon de doubler la mise.

— C'est à voir, nous t'écoutons, mon ami, répliqua le chirurgien en manipulant un autre écu.

— ... Ouiche, un coup de botte dont je souffre encore. Je m'apprêtais à satisfaire sa demande qu'alors ma jugeote considérait comme innocente, quand je portions les yeux sur la charrette de gravois recouverte de vieux sacs puants qu'on trouve sur les ordures. Là je fis mes réflexions. Pourquoi des cavaliers étaient-ils chargés de convoyer des gravats ? Surtout des mines à faire un jour la grimace au Pont Rouge[5]. J'me posais la question, c'est qu'elle me chatouillait. À ce moment-là, le vent s'était levé, résultat de la chaleur de la journée. Voilà que ses bourrasques violentes y dérangent les sacs, les soulèvent légèrement, me donnant le temps d'apercevoir quatre pieds qui dépassaient du chargement. J'en tremble encore. C'était donc cela les gravois en question ? C'est que ça changeait tout ! Un trébuchet à vous jeter dans les bras de Monsieur de Paris[6] ! Bien à contrecœur et pour m'en débarrasser, je leur indiquai la rue de Sèvres comme étant en son bout la plus proche à trouver ce qu'il cherchait dans les terrains ou les jardins. Et je décampions aussi vite que le permettaient mes vieilles jambes. Ça vaut-y pas un supplément ?

Le second écu rejoignit le premier et la troupe s'éloigna. Pluton, que sa halte avait reposé, se remit, plus lentement cette fois, à prendre la voie.

— Ainsi, commenta Nicolas, il n'y a plus de doute. Ce sont des cadavres...

Ce mot si souvent prononcé lui fit soudain horreur.

— ... que ces gredins convoyaient pour s'en débarrasser.

— Nul ne saurait en jurer, et rien ne sera assuré que nous n'en ayons jugé par nous-mêmes sur pièces irrécusables.

— Guillaume, rien ne sert de se voiler la face. Considérez les faits.

— Votre amitié et l'idée de l'avoir encouragé dans cette expédition vous font perdre votre légendaire bon sens. Écoutez-moi. Pourquoi voulez-vous, s'ils les avaient massacrés, que ces bandits véhiculent deux morts et de-ci et de-là, alors qu'ils pouvaient fort bien les abandonner dans le fiacre ? Il y a là un mystère que je ne comprends pas, mais qui devrait nous interdire toute hypothèse hasardeuse.

Enfermé dans une hantise trop alimentée par sa fiévreuse imagination, Nicolas ne répondit pas. Pluton les entraîna rue de Sèvres et fila vers un terrain vague empli de ronciers et de ces plantes grisâtres qui ne semblent croître que dans les coins les plus reculés des villes. Ils y repérèrent une voie récemment frayée menant à une cabane en bois à moitié effondrée. Ils y découvrirent répandues sur le sol des traces qui prouvaient sans ambiguïté que des corps blessés y avaient séjourné. Semacgus s'agenouilla pour observer de plus près des caillots de sang noirci. Il y mit un doigt, le retira et le considéra avec soin, remonta ses besicles sur le front et regarda Nicolas avec un sourire apaisant.

— Mon cher Nicolas, apprenez qu'il est toujours trop tôt pour se lamenter. Écoutez avec attention ce que votre vieil ami souhaite vous dire. Ici furent apportés deux corps, l'un était blessé, je dis bien blessé. Les traces de sang que j'ai examinées prouvent sans conteste le fait suivant : elles ne peuvent provenir d'un cadavre, mais bien d'un homme vivant. De cette certitude découlent nombre de conséquences. *Primo*, je ne crois pas que Naganda, ni le cocher, soient morts. *Secundo*, l'un d'entre eux est blessé. *Tertio*, ils ont séjourné un certain temps dans cette cabane, vraisemblablement avant d'être transférés dans un lieu plus sûr. Il reste à démêler le sens de ce qui apparaît clairement comme un enlèvement. Je note par ailleurs, comme vous l'avez sans doute remarqué, que la voiture censée vous transporter était suivie par deux sicaires et non par un seul comme supposé. Cela explique aussi qu'ils aient réussi à maîtriser Naganda, le cocher d'évidence ne lui ayant été d'aucun secours. Mais voilà, je crois que Pluton se remet en route. Suivons-le.

Le chien bondit dans la rue et s'arrêta, une centaine de toises plus loin, devant un bâtiment à moitié démoli dont la façade était entourée de palissades de bois. Il se mit à gratter furieusement les planches.

— Au fait, je connais ce bâtiment, dit Nicolas surpris. Il paraît abandonné. J'y suis venu une fois avec le feu roi pour une course de taureaux à l'espagnole.

— Ce terrain s'appelle le Champ Clos, ou encore Combat du Taureau. Il s'y produisait des spectacles avec des bêtes féroces, sangliers, loups, tigres et même des lions contre lesquels on lâchait des dogues ou des mâtins, et aussi...

Semacgus secoua la tête.

— On voit encore des placards sur les murs annonçant ces combats avec la formule atroce : *On espère qu'ils se défendront cruellement.* N'y a-t-il point quelque inconvénient à tolérer un spectacle qui n'est point dans nos mœurs et dont l'effet serait d'accoutumer le peuple à voir du sang ?

— Il existe toujours, poursuivit Gremillon. Il a été transféré à Belleville vers l'hôpital Saint-Louis et la canaille s'y porte en foule. Quant à cet endroit, je sais de source sûre qu'il a été acheté par un notaire pour y construire des maisons de rapport.

— Un notaire ? demanda Nicolas, que cette mention avait intrigué. En connaîtriez-vous le nom, par hasard ?

— Non. Il y a deux ans, pour le transfert, des mesures de sûreté avaient été prises par le guet pour la bonne marche de l'entreprise qui pouvait recéler des dangers pour un peuple curieux à contempler la chose.

Nicolas ne dit mot mais Semacgus, qui le connaissait bien, parut noter le frémissement qui le parcourut alors. Et il était vrai qu'une idée informe venait de naître dans l'esprit du commissaire. Son expérience lui montrait qu'une coïncidence n'avait jamais rien de fortuit. Ainsi la conduite inconsciente du cocher de la voiture revenant vers son logis relevait-elle sans doute de l'ordre de la Providence. Celle-ci ne s'était-elle pas manifestée sans équivoque en lui sauvant la vie à la sortie de chez Rodollet ? Il ordonna aussitôt de forcer la palissade, ce qui fut promptement exécuté par les hommes de Gremillon. L'ancien lieu de spectacles avec ses cages et ses tribunes n'était plus qu'un amoncellement de ruines. Pluton, excité, fila comme une flèche et les conduisit vers un amas de pierres qui recouvrait sans raison apparente une porte de bois à plat sur le sol. Le chien se mit à aboyer et à gémir. Nicolas l'attacha et le confia à Semacgus. Avec l'aide de Gremillon il dégagea les pierres et souleva la planche. Elle laissa apparaître un trou carré donnant sur une fosse obscure.

En dépit des conseils de prudence, Nicolas s'y engagea, les jambes en avant. Malgré son horreur du vide et de l'enfermement, il se laissa tomber. À Dieu vat ! La chute fut brève, il roula sur un sol fangeux. Il se releva et appela, rien ne lui répondit, aucun bruit ne permettait de déceler une présence humaine dans ce tombeau. Il cria qu'on lui jetât de quoi éclairer. On lui fit passer des allumettes et du papier qu'il enflamma aussitôt. Dans le court laps de temps que dura la lumière produite, il put apercevoir, alors que le désespoir l'avait repris, deux corps allongés dans la fange, ligotés et les têtes masquées et bâillonnées dans des cagoules noires semblables à celles du bourreau. Un nouvel effroi le saisit. Peut-être étaient-ils ainsi abandonnés parce que… Il chassa de son esprit les images funestes qui s'y pressaient. Aucune odeur de mort n'était sensible. Il appela et demanda de l'aide. Gremillon et l'un des gardes le rejoignirent. Ils saisirent avec précaution, après un nouvel embrasement de papier, les deux corps qui furent portés à bout de bras vers la surface où des mains secourables les remontèrent. Grâce à des habits d'uniformes noués on réussit à extraire le commissaire, le sergent et leur aide. À peine sorti, Nicolas chercha des yeux les deux corps. Semacgus était en train de les détacher, ôtant les bâillons et les cagoules dont ils étaient affublés.

— Rassurez-vous, Naganda est indemne et le cocher n'a qu'une blessure à la tête sans gravité. Je les crois seulement assoiffés et affamés.

On s'affaira. De l'eau fut apportée d'une maison voisine. Semacgus veilla à ce que les deux hommes la prennent avec lenteur, leurs lèvres étant gonflées et gercées de n'avoir point bu depuis deux jours. Une chemise fut déchirée pour bander la tête de Bardet, le cocher, qui remerciait chacun en pleurant. Les voitures appelées, on porta le blessé dans la première ; Naganda, aveuglé par les derniers feux du jour, monta dans la seconde avec Nicolas et Semacgus qui le soutenaient. Avant de quitter le Combat du Taureau, le commissaire ordonna de remettre tout en l'état, la porte et les pierres dessus, et de rétablir la palissade dans son apparence première. Deux des hommes de Gremillon furent commis pour demeurer sur place, dissimulés au mieux, avec ordre de surprendre et d'arrêter ceux qui reviendraient visiter les lieux, suite que tout concourait à faire estimer vraisemblable. On ramena le pauvre cocher chez lui où sa femme manqua défaillir de joie en le retrouvant vivant et de désespoir en découvrant sa tête entourée de pansements. Semacgus lui prodigua les premiers soins après lui avoir fait prendre le lit et indiqua à Mme Bardet les recommandations nécessaires et les soins utiles. Le pauvre homme désormais ne songeait qu'à son cheval et à sa voiture, instruments de son unique gagne-pain. Nicolas, pour le calmer, lui jura que le Magistrat prendrait en compte l'aventure et l'aide appréciable rendue à la police du roi. Il lui garantit qu'il serait dédommagé.

Dans la voiture qui les ramenait rue Montmartre et en dépit des objurgations de Semacgus, Naganda tint à cœur de les informer de ce qui lui était survenu.

— Au départ, j'ai tout de suite remarqué un cavalier embusqué dans une rue perpendiculaire à celle dans laquelle nous avions tourné. Ce n'est que trop tard que j'ai remarqué un second cavalier. Le cocher a fait son possible, en prenant beaucoup de risques. Peine perdue ! Parvenus au bout de la rue qui mène à la barrière, le tournant a été pris trop court et, la vitesse aidant, une roue s'est soulevée et nous avons versé. Au moment où j'essayais de m'extraire de la caisse, les cavaliers nous ont rattrapés. Tandis que l'un s'en prenait au cocher, l'autre m'attaquait à l'épée. J'ai fait l'impossible avec mon poignard. Il se tenait à distance sans que je puisse l'atteindre, ou, plutôt, sans que je le blesse suffisamment, car je l'ai touché une ou deux fois. La plupart de mes coups ne portaient pas ; je ne frappais que le bois !

— Oui, nous en avons vu les traces. Comment la lutte a-t-elle pris fin ?

— L'autre cavalier, en ayant fini avec le cocher assommé, m'a surpris par-derrière. Je n'ai pu me dégager. Après, nous avons été ligotés, bâillonnés, aveuglés, allongés dans une charrette, à ce qu'il m'a semblé, et enfin recouverts de tissus puants. Le trajet a été long. Il m'a semblé qu'on empruntait des détours. À deux reprises, j'ai entendu une conversation. La première dans la rue…

— Avec notre témoin sans doute, dit Semacgus.

— Une autre plus tard… lointaine. Il semblait que des ordres étaient donnés. À quel moment ? Je ne saurais le dire. Nous étions depuis longtemps dans le premier endroit où l'on nous a jetés. En tout cas, avant d'être à nouveau transportés là où vous nous avez découverts. Mais par quel miracle ?

— Le mérite en revient à Nicolas qui a eu l'idée d'avoir recours à Pluton. La brave bête ayant senti vos hardes s'est jetée sur la voie aussitôt jusqu'à nous guider à votre cachette.

Le Micmac se pencha vers Pluton vautré sur le plancher et le caressa. À cette marque de reconnaissance il fut répondu par une patte languissamment tendue.

— Reprenons, dit Nicolas, impatient de rassembler tous les éléments que Naganda pouvait apporter. Je résume les événements. Deux cavaliers poursuivent le fiacre. Vous versez à la barrière de Vaugirard. Agression et combat. Vous êtes conduits dans une première cachette, une cabane de jardin que nous avons retrouvée, puis après un délai qu'il paraît malaisé de déterminer, acheminés là où nous vous avons découverts. Ai-je déformé les faits ?

— Point. Sauf, je le répète, qu'il m'est difficile d'inscrire le menu de cette aventure dans un cadre donné de temps.

— Bien. Quelques questions, maintenant. D'où sortaient les cordes avec lesquelles vous avez été ligotés ?

— Autant que j'ai pu le voir avant d'être bâillonné et d'avoir un bandeau sur les yeux, ils portaient ces cordages avec eux. À bien y réfléchir, cela pourrait s'expliquer…

— En effet ! Tout indique qu'il s'agissait d'un projet d'enlèvement.

— On voulait s'emparer de ta personne. J'ai bien perçu dans la première, non dans la seconde conversation, des accents colériques qui marquaient sans doute le dépit d'une affaire manquée.

— Je dois agir, dit Nicolas soucieux. Guillaume, voulez-vous reconduire notre ami et Pluton rue Montmartre, leur faire procurer les soins nécessaires et prévenir Noblecourt de cet épisode de manière que, l'apprenant résolu et nos alarmes dissipées, il n'en subisse aucune émotion ? Au préalable vous m'abandonnerez au Châtelet où je dois voir Bourdeau et prendre les dispositions qui s'imposent.

Naganda prit la main de Nicolas.

— Je te dois encore une fois la vie.

— Allons, tu oublies un certain cobra…

— Mais je n'oublie pas une certaine prison. Ma gratitude s'adresse aussi à vous, monsieur Semacgus.

— Je n'y suis pour rien, mon ami.

— Que si ! Il fut l'âme tranquille de ce sauvetage. Alors que je désespérais, il n'y avait que vous, Guillaume, qui contre toute attente prodiguiez les assurances les plus apaisantes.

— J'ai très faim, dit Naganda.

Pluton, à ce mot familier, s'ébroua et jappa joyeusement. Les trois amis éclatèrent de rire.

— Voilà un état qui va convenir à ton amie Catherine.

Au Grand Châtelet, Nicolas sauta de la caisse et, ayant salué ses amis, fit signe à Gremillon qui arrivait dans la seconde voiture de le suivre dans la vieille forteresse.

Ils trouvèrent Bourdeau inquiet et morfondu d'avoir tant attendu. Il paraissait impatient de dévoiler à Nicolas de nouvelles informations, mais il dut subir au préalable le récit circonstancié que le commissaire, parfois relayé par le sergent, lui dressa des événements de la journée. Bourdeau tenta bien de les interrompre, mais sans succès tant était éloquente, comme un soulagement, la verve qui les agitait. Enfin l'inspiration faiblit et Bourdeau se précipita pour saisir au vol une parole qui risquait de rebondir dans un nouveau flux.

— Votre récit ne m'apporte rien ! J'en connaissais depuis peu la conclusion. J'avais dépêché un émissaire pour te prévenir. Un mot est arrivé au Châtelet ce midi sans qu'on puisse déterminer qui l'avait acheminé. Dans la situation où nous nous trouvions, il m'a paru judicieux de l'ouvrir aussitôt, encore que la description t'en désignât le destinataire.

— Tu as bien fait.

— Or ce message m'a éclairé aussitôt sur ce qui avait dû advenir de Naganda. Je m'en souciais d'autant plus. Vous venez de compléter la partie manquante du conte noir que je m'en faisais !

— Et ainsi, ce poulet ?

Bourdeau lui tendit une feuille, ou plutôt un morceau de papier replié et qui portait un sceau rompu de pain à cacheter. Il était sale et chiffonné. Nicolas l'examina avec curiosité et le mira devant la chandelle en transparence.

— Un détail te frappe-t-il ?

— Non… Il me semble… Nous verrons plus tard. Que dit-il ?

Il le lut à haute voix.

Pour Sir Le Floche.

Si vous voulez voir vos amis à vif, rendez ce que de droit l'item que vous savez. Votre accord signifié par placard blanc accroché à la croisée du Grand Châtelet au-dessus du porche d'entrée. Avant trente de midi demain sinon une véritable mort pour les deux. Instructions suivent exposition du placard.

Nicolas demeura silencieux. Ce fut Gremillon qui s'aventura à un premier commentaire.

— On croit percevoir plusieurs voix.

— Tout juste, opina Bourdeau. J'ai également éprouvé cela !

— Je vous suis, mes amis, sur cette piste, c'est en effet mon impression. Il y a dans ce message des bribes différentes, tout comme si plusieurs auteurs avaient participé à sa confection.

— Voilà, ce sont pièces cousues ensemble.

— Les phrases sonnent pour moi soit comme la traduction d'un langage étranger, soit comme une tentative maladroite de nous faire justement accroire qu'il s'agit d'un tel recours. Et de fait cela s'apparente à du mauvais français traduit de l'anglais. Outre cela son auteur sait user de termes précis comme *item, placard, signifier.*

— Et le recours à ce placard ?

— Moyen habile de nous obliger à répondre sans nous offrir la possibilité de trouver celui qui relèvera notre réponse. Vu le peuple qui passe devant le Châtelet à toute heure, le moindre chaland serait suspect !

À nouveau Nicolas retournait le papier en tous sens.

— Comment nous est-il parvenu ?

— À l'accoutumée, quand on ne souhaite pas se faire connaître. Un inconnu l'a donné à un *vas-y-dire* qui nous l'a apporté.

— Et le gamin est-il des nôtres ?

— Certes, mais il n'a rien pu ajouter, sauf…

— Sauf ?

— Que l'homme portait un bras en écharpe et un chapeau enfoncé qui dissimulait ses traits, quoique l'étourneau en eût de les considérer.

— Quelle intéressante observation !

— Le commissaire songe sans doute au combat de Naganda dans le fiacre. Mais je le croyais sans suite pour son adversaire ?

— De fait, dit Nicolas, notre ami a reconnu avoir été tenu à distance et n'avoir frappé que du bois, sauf à quelques rares reprises. Il est possible qu'il ait blessé notre homme et il est vraisemblable qu'il puisse s'agir de celui auquel eut affaire notre *vas-y-dire*.

— Ainsi tout se met en place, commenta l'inspecteur. Pourtant tu t'acharnes à manger des yeux ce papier. Te procure-t-il de nouvelles présomptions ?

— Lorgne-le avec attention. Il a été déchiré dans une feuille beaucoup plus grande. L'effiloché de ce papier est évident sur le côté et le bas droit du message.

— Et qu'en déduis-tu ?

— Que ce document est un morceau d'une grande feuille double pliée en son milieu. Vois sur cette partie mal déchirée, on aperçoit encore la pliure médiane.

— Je considère aisément ce que tu m'indiques, mais je distingue mal les conséquences que tu sembles en tirer.

— Hé, hé ! fit Nicolas soudain folâtre, esquissant un pas de deux en agitant la feuille à la surprise du sergent et de l'inspecteur. Cela sert quelquefois d'avoir été en son jeune temps saute-ruisseau et clerc de notaire dans notre bonne ville de Rennes. Que de contrats de mariage, inventaires après décès, apprentissages en bonne forme. Ah ! Douaires, préciputs, testaments, donations, baux et j'en passe, moulés d'une plume crissante Je ne suis pas fou, mes amis. Simplement je constate que cette feuille de papier, toute simple et tout innocente qu'elle vous paraisse, est bel et bien une partie de cette feuille double de grand format sur laquelle les notaires, oui, oui, les notaires, dressent leurs actes en minutes. C'est un format spécial propre aux études des officiers royaux de cette profession. Or, si j'ajoute cette curieuse constatation d'abord à l'usage des termes précédemment relevés et…

— Je crois qu'une idée a surgi qui te court la caboche.

— Tu ne saurais si bien dire !

— Ce donc ?

— Je dis et prétends qu'il y a beaucoup trop de traces de tabellion dans tout cela ! Dois-je les récapituler ?

— M. Bourdeau ne sait pas tout, observa Gremillon.

— Ah ! Et que ne sais-je point ? dit Bourdeau, piqué.

— Qu'arrivant à la barrière de Vaugirard et dans les pérégrinations qui nous ont conduits au Combat du Taureau, j'ai appris par la voix du sergent que ce lieu désaffecté avait été acheté par un notaire avant le transfert à Belleville des animaux qui en faisaient l'attraction. Un notaire ! Les constatations relevées dans le message qui m'a été transmis nous incitent à penser qu'un homme du métier a pu y prêter la main. Deux notaires ! Enfin nous savons.

Nicolas s'arrêta et considéra Gremillon. Pouvait-on lui faire confiance ? Il avait naguère éprouvé sa solidité, et ne venait-il pas de leur apporter son aide et son énergie ? En quelques mots et sans entrer dans trop de détails d'État, il lui résuma les données de l'affaire dans laquelle ils étaient plongés.

— Ainsi, il y a maître Gondrillard, fils de feu Gondrillard, au courant du papier existant. N'excluons pas qu'il soit soumis à des pressions extérieures. Trois notaires qui, en fait, pourraient se révéler n'en faire qu'un.

— Bon, dit Bourdeau. Résumons-nous. Nous avons jusqu'à demain midi pour régler cette affaire. Un message nous a été envoyé par quelqu'un qui ignorait que la cache où nos amis étaient prisonniers avait été découverte. Nous jouons un coup d'avance.

— Certes, mais le déplacement de nos pièces est délicat.

— Sans risque tant que l'adversaire n'a pas repéré notre mouvement de *roque*. Examinons les possibilités. Nous obéissons à notre mystérieux correspondant. Le placard est placé comme indiqué à la croisée de la façade. Et nous attendons.

— Et que crois-tu qu'il adviendra alors ?

— Nous aurons manifesté notre accord. Un autre message devrait nous être adressé pour indiquer les conditions de l'échange.

— Bien. Nouveau message donc qui nous donne rendez-vous à un endroit précis. C'est ici, cher Pierre, que les choses se compliquent. Les sicaires vont rechercher les prisonniers. Ou nos gens leur sautent au collet, ou le stratagème est découvert et le fil rompu ! J'aperçois en perspective un abîme d'infinis…

— Nous les pouvons arrêter et contraindre à parler, suggéra Gremillon.

Nicolas sourit.

— La persuasion n'aboutira pas. Et quelle que soit la rumeur qui court, nous n'en employons pas les antiques errements. Ces pratiques-là sont surannées. Procédons par ordre. Je veux savoir dès maintenant qui s'est porté acquéreur de la parcelle de la rue de Sèvres où était installé le Combat du Taureau. Cela peut être de la dernière importance quant à la suite des événements.

Bourdeau réfléchit un moment.

— Il me semble... La machine de M. Le Noir fonctionne à merveille et le souci de l'alignement des nouveaux immeubles dont la surveillance revient au magistrat impose une surveillance accrue et pointilleuse. Et qui dit surveillance dit...

— Paperasses et registres ! acheva Nicolas en frappant joyeusement la table de sa main.

— Si l'acquéreur de la parcelle de la rue de Sèvres est ton homme, nous le saurons aussitôt. Enfin, dès que je serai rentré de l'hôtel de police où sans désemparer je vais consulter les archives.

XI

BRANLE-BAS

> « Pour discerner en connaissance de cause
> le faux du vrai, il faut quitter la pensée
> que l'on détient la vérité. »
>
> Saint Augustin

Le temps qui s'écoula fut long pour Nicolas. Il considéra Gremillon. Celui-ci approchait de la trentaine. Ses cheveux naturels châtain foncé encadraient un visage ouvert, éclairé par des yeux gris rieurs. Son teint hâlé indiquait une vie au grand air. L'uniforme améliorait une silhouette un peu lourde mais non dénuée de cette allure qui fonde les séductions naturelles. C'était une qualité essentielle pour qui devait affronter des foules populaires aux réactions incertaines et en imposer sans effort. Nicolas, qui la possédait au plus haut niveau, avait encore naguère vérifié son importance face au peuple indigné du cimetière des Innocents.

Il en profita pour interroger Gremillon sur le moral des hommes du guet, leurs missions, les relations avec les diverses forces qui assuraient la sûreté de la capitale du royaume. Il apprécia le bon sens et l'intelligence des réponses que lui fit le jeune homme, qui s'était naguère proposé pour travailler dans la police. Son ambition demeurait la même. Il avoua être las des servitudes et aléas de son état. Le guet était sans cesse en butte aux railleries du populaire ; les hommes traités de *lapins ferrés*, de *tristes à pattes*, de *pousse-culs* ! Il ne comptait plus ses camarades rossés par des domestiques, des compagnons ou des gagne-deniers. Ils devaient faire face à des rébellions caractérisées et en retour se justifier de prétendues brutalités.

Nicolas avait éludé une réponse qui ne dépendait pas de lui. Pourtant, aujourd'hui plus qu'à un autre moment, il éprouvait la nécessité de renforcer un service que l'état de guerre contraignait à multiplier ses actions. Cependant il n'en ferait rien sans consulter Bourdeau qui paraissait avoir heureusement pris le sergent sous son aile. C'est ainsi qu'il devrait procéder pour ne pas heurter sa sensible susceptibilité. Du reste, l'inspecteur, père d'une famille nombreuse nichée dans une maison du Faubourg Saint-Marcel, s'en était un jour gentiment ouvert au commissaire. Il déplorait n'avoir pu depuis des années faire retour à Chinon. Il possédait à Cravant un petit clos, L'Étournière, qu'un sien cousin cultivait et qui lui donnait, bon an mal an, quelques centaines de bouteilles. Nicolas en avait tâté à l'occasion de ce *resbaudissant* breuvage, surpris par une fraîcheur de pierre à fusil à laquelle s'ajoutait un arôme de cassis et de fourrure sauvage. Cet appariement rustique l'avait tant séduit qu'il avait bu plus que de raison. Ravi, Bourdeau avait fait porter aussitôt une bourriche de bouteilles chez Noblecourt. Il s'agirait donc d'offrir un adjoint à l'inspecteur en le chargeant de la responsabilité de le former. Ainsi serait habilement évité un éventuel rejet de l'inspecteur au cas où il aurait le sentiment que sa place auprès de Nicolas et dans son amitié risquait d'être compromise, sinon menacée.

Le père Marie leur apporta un réconfort tout droit venu de la taverne amie de la rue du Pied-de-Bœuf. Les oreilles de cochon grillées étaient croquantes à souhait et une salade de pissenlits aux œufs durs rafraîchissait l'ensemble arrosé d'une bouteille d'un vin léger.

Nicolas continuait d'interroger Gremillon en douceur. Il apprit ainsi que sa famille, originaire d'Origny, en Lorraine, était parisienne depuis deux générations. Sa mère était morte, mais son père, graveur sur pierres fines, tenait toujours boutique rue du Temple et s'était fait une spécialité de la gravure sur camées qu'il fixait ensuite sur des bagues, des fermoirs, des agrafes ou des broches. Gremillon lui montra une petite tabatière d'argent où se distinguait en relief le profil du roi. Interrogé sur les raisons de ne s'être point engagé à la suite de son père, le sergent avoua, en rougissant, que la perspective de travailler assis avec une mauvaise lumière l'avait rebuté et que l'esprit d'aventure, sa force physique et son habileté révélée aux armes l'avaient tout naturellement dirigé vers le guet. Restait que, désormais, il avait fait le tour de cette activité, qu'elle lui paraissait, en dépit des surprises quotidiennes, un peu routinière et qu'il aspirait avec force à conjuguer un jour l'activité physique à celle de l'intelligence des situations criminelles où l'agilité de l'esprit prévalait sans pour autant contraindre celui qui s'y consacrait à la seule obscurité d'une tâche assise.

Deux heures s'étaient écoulées quand Bourdeau revint.

— Tu as la mine affriandée de quelqu'un qui a découvert ce qu'il cherchait !

— Certes. Ce fut malaisé car les bureaux étaient fermés et j'ai dû aller quérir M. Jouanet dans son logis qui heureusement n'est guère éloigné, boulevard de la Madeleine. Tout grommelant, il est venu m'ouvrir ses tiroirs !

— Et quelle récolte ?

— En un mot comme en cent, tu avais visé au cœur de la cible. C'est un notaire qui a acquis la pleine propriété du terrain où se tenaient les combats de bêtes féroces. Il a même ouvert une requête en vue de se conformer aux nouvelles règles régissant l'alignement des immeubles...

— La beauté de la ville en dépend...

— Et sa sûreté, ajouta Gremillon.

— Et sa salubrité.

— Et, reprit Bourdeau, ces autorisations sont partagées entre la police, le bureau de la ville et celui des finances. Le dernier donne en ultime ressort la permission de construire. Pour faire court, car je vous sens sur les charbons, il s'avère que le susdit notaire qui a déposé les plans des immeubles en projet se nomme Gondrillard et tient étude place Dauphine.

— Je le présumais ! dit Nicolas d'un ton farouche.

— Et tu ignores encore ce qui apporte davantage de ragoût à la chose. Nos bureaux, qui sont des modèles d'organisation et qui autorisent nombre de recoupements, colligent à tout hasard tout ce qui concerne les requérants. Et qu'ai-je appris dans une de ces notules ? Que ce personnage est réputé corrompu, trafiquant à toutes mains dans des imbroglios financiers...

— On pouvait s'en douter !

— Et qu'il a partie liée avec les traitants les moins sûrs de la place. Il y a plus grave encore. Le doyen de la compagnie vient d'adresser au Magistrat une lettre dans laquelle sont révélées des présomptions de détournements de fonds confiés au dit notaire par plusieurs familles distinguées du royaume. Il sera sous peu convoqué devant ses pairs pour s'en expliquer.

— Jésus, Marie, Joseph ! s'écria le commissaire. J'irai porter un gros cierge à la Chapelle[1] à mon saint patron Nicolas qui est également celui des notaires ! Nous tenons cette canaille. Encore faut-il être assuré que...

— Que se passera-t-il, demanda Gremillon, une fois que nous aurons signifié à ceux qui nous guettent que nous sommes disposés à l'échange ?

Bourdeau approuva, ce que nota Nicolas.

— Reprenons notre plan, dit-il, là où nous l'avions laissé. Plusieurs interrogations. Pourquoi nos adversaires sont-ils assurés que nous détenons le document en question ?

— Je pense, murmura Bourdeau après un temps de réflexion, que ton départ précipité de Versailles, et cela en dépit des précautions prises, n'est pas passé inaperçu et que des conclusions hâtives en furent tirées qui ont accéléré le mouvement.

— Cela me paraît insensé de leur part. Si nous détenions le papier, nous n'en disposerions plus, l'ayant remis à qui de droit !

— Ou alors ils parient sur la chose et, détenant des prisonniers, ils en usent et escomptent notre faiblesse. Or notre force réside dans le fait qu'ils ignorent que Naganda et le cocher ont été libérés. Tant que cette ignorance persistera, nous l'emportons sur eux.

— Viendra pourtant le moment de l'échange. C'est bien là le hic ! Et pour eux, et pour nous !

— J'en viens à penser que rien ne peut se préparer à l'avance et que c'est au fur et à mesure du déploiement des faits que notre action pourra être envisagée. Reste que toutes les précautions doivent être prises. Renforcement invisible autour du Combat du Taureau.

— Et même place du Châtelet. Elle n'est point si grande qu'on ne puisse repérer qui lorgnera la croisée. Peuplons-la de mouches en quantité et de malins *vas-y-dire*. Surveillance permanente de l'étude de maître Gondrillard, place Dauphine, encore que je ne le voie pas pousser la maladresse au point de risquer qu'un de ses sicaires nous conduise jusqu'à lui.

— Un homme à une croisée avec une lunette d'approche réduirait à quia toutes ces belles précautions !

— Pierre, tu as raison. Et d'ailleurs, ont-ils vraiment l'intention de nous rendre les otages ? Ils les ont abandonnés, blessé pour l'un, sans eau ni nourriture depuis trois jours. Veut-on que nous les retrouvions trépassés ? Grâce à Pluton, ils sont saufs !

— Nous voilà tournant en rond comme toupies cinglées par le fouet. Point d'a priori. Fions-nous à notre bonne étoile. Persuadons-nous que leurs incertitudes sont encore plus grandes que les nôtres. Sergent, merci de votre aide. Soyez encore avec nous demain, dès sept heures.

Gremillon salua les deux policiers et sortit du bureau de permanence. Nicolas demeurait silencieux. Il avait ouvert la main courante et, d'une plume alerte, il consignait un bref compte rendu des événements de la journée.

— Le sergent nous a été fort utile, dit Bourdeau. L'homme est décidé, ouvert. Tu avais déjà éprouvé ses qualités.

— Certes, à deux reprises. Il les gâche un peu dans sa patrouille et semble s'y ennuyer. Il en déplore la routine.

— Il me vient une idée. Demandons à M. Le Noir d'écrire au lieutenant du guet de l'affecter au service des affaires extraordinaires.

Bourdeau parlait les yeux baissés, sans regarder Nicolas.

— C'est une idée... Il serait ton adjoint. Cela te libérerait un peu de ce temps que tu regrettes ne pouvoir consacrer à ta famille.

« Il me semble en effet que nous pourrions lui donner sa chance. Cependant je t'abandonne la chose.

Voyez donc le matois ! s'écria Bourdeau qui depuis un moment se contenait difficilement.

— Que veux-tu dire ? dit Nicolas qui feignait de se consacrer à son travail avec d'autant plus d'attention qu'il s'égarait sur la réaction de son ami.

— Voyez le fin jouteur qui fait l'ignorant ! Oui, la belle éducation reçue chez tes jésuites de Vannes ! Elles sont admirables, les voies détournées empruntées pour faire passer ce que tu supposes insoutenable. Et comment peux-tu imaginer que je prendrais ombrage de cette recrue-là ? Si quelquefois je puis offrir l'extérieur de la défiance vis-à-vis de ceux qui t'approchent, c'est que tu ne te méfies pas toujours assez, bienveillant de prime abord que tu es.

Chez Nicolas, la satisfaction de voir la pente prise par cette affaire le disputait au désagrément d'avoir été traversé dans son innocente manœuvre.

— Ma prudence, dit-il, en prenant Bourdeau par les épaules, est à la mesure de l'amitié qui nous lie. De fait, rien ne me déplaît plus que de te savoir contrarié et je comprends plus que tu ne l'imagines les raisons qui inspirent, je ne l'ai que trop souvent vérifié, ta sollicitude à mon égard. Gremillon complétera le service. Nous avons constaté ces derniers jours la faiblesse de notre dispositif. Et encore nous avions Naganda ! Je te le confie.

Ils se quittèrent après avoir minutieusement mis au point les dispositifs de surveillance qui dès l'aube environneraient les lieux décisifs de l'enquête en cours. Nicolas eut l'espoir de voir les choses bouger du côté de Rabouine dont on pouvait s'attendre qu'il revînt de Champagne en ayant recueilli de nouveaux éléments. Enfin il s'inquiéta de l'amant de la Lofaque. Il souhaitait en effet l'interroger sur Tiburce et sa vie cachée.

Dans le fiacre le ramenant rue Montmartre, Nicolas repassait dans sa tête les événements de la journée. Concernant Gremillon, il se rendit compte soudain que jamais auparavant il n'avait prêté attention à quelqu'un de plus jeune que lui et souhaité user de son entregent pour faciliter une carrière ou favoriser son ambition. Lui-même avait bénéficié de cette bienveillance, que ce soit auprès de Sartine, de Le Noir, du duc de la Vrillière. Était-ce encore un signe parmi d'autres qu'il abordait une nouvelle étape de sa vie ? La différence d'âge avec le sergent devait être la même qu'entre lui et les deux lieutenants généraux de police sous l'autorité desquels il avait servi. Sartine n'avait que onze ans de plus que lui et Le Noir huit.

Il y avait sans doute un moment où l'esprit et le cœur étaient soudain moins pleins des seules considérations personnelles. Les yeux s'ouvraient alors plus perspicaces sur ceux qui vous entouraient et entrevoyaient des situations qui, auparavant, fussent demeurées insoupçonnées. Alors l'ambition satisfaite faisait céder un égoïsme jusqu'alors sourd et aveugle et favorisait une bienveillance naturelle disposée sans aucun calcul à se déployer. Cette découverte de lui-même émut le commissaire qu'elle attrista et consola à la fois. Il exhala un long soupir et évoqua le visage d'Aimée. Comme il eût voulu la tenir dans ses bras et s'enivrer de son parfum de jasmin… Elle aussi demeurait le symbole ambigu d'un état qui soulevait de plus en plus souvent son angoisse : celle d'une jeunesse révolue et d'une maturité qui s'ancrait trop vite.

Allons ! songea-t-il, foin de ces vieilles lanternes, je ne les connais que trop bien, il me les faut éteindre. Me voilà retombant dans les travers de jadis, quand chaque événement suscitait en moi débats et cas de conscience. Quoi ! Comment quelques cheveux gris, une quarantaine sonnante et une aménité dont j'ai au fond toujours fait preuve peuvent-ils me conduire à d'aussi tristes pensées ? Il s'accusa aussitôt de s'écouter avec trop d'indulgence. Puis lui revinrent à l'esprit l'entretien avec Madame Louise, la mort à laquelle il avait échappé et le prochain départ de Louis. Il soupira derechef. L'enquête était là qui nécessitait son entière énergie. Il aurait bien loisir après sa conclusion de bayer à ces corneilles-là !

Rue Montmartre Catherine l'accueillit, encore ébahie de l'appétit dévorant de Naganda. Une miche de pain et un lapereau en gelée avaient à peine calmé une invraisemblable fringale. Pour lors, il dormait ainsi que Noblecourt qui, dans le cas contraire, eût frappé le plancher d'une canne impatiente. Mouchette s'étirait sur le carrelage frais en se pourléchant d'un air coupable. Qu'avait-elle dérobé ? Il se coucha aussitôt, mais ne trouva le sommeil qu'aux premières lueurs de l'aube. Catherine monta le réveiller de ce bref mais lourd assoupissement.

Dimanche 11 juin 1780

Dans l'office Catherine fouettait le chocolat fumant et Naganda, parfaitement remis de son épreuve, dévorait une corbeille de brioches. Le Micmac fut mis au courant des dernières péripéties de l'enquête.

— Nicolas, je crains que votre affaire ne soit mal engagée. Aucune des parties en présence ne dispose des atouts qu'elle prétend ou qu'on la suppose détenir. Point de document de nôtre côté, plus d'otages du leur. Voilà une conjoncture lourde de périls... Qu'en sortira-t-il ?

— Je ne démentirai pas. Il faut nous en remettre au hasard qui parfois favorise les plans les plus aventureux. Je l'ai cent fois constaté.

Naganda paraissait absent, les yeux fermés. Il oscillait un peu sur lui-même. Nicolas ne gêna pas sa méditation. Il avait toujours respecté cette part mystérieuse chez son ami.

— *La vertu la plus ferme évite les hasards*, et il n'y a point de fatalité à laquelle on ne se puisse soustraire. Ainsi, je crois, reprit Naganda, avoir trouvé le moyen de remettre la chance de notre côté. Le projet est audacieux, mais c'est sans doute l'unique issue.

— Tu me vois impatient d'entendre ton idée.

— Le placard sera exposé à la croisée de la façade comme exigé. Il est probable que nos adversaires, d'une manière ou d'une autre, souhaiteront récupérer les prisonniers avant de procéder à l'échange envisagé. Celui-ci suppose un minimum d'apparence et de débouchés. Le lieu où nous étions retenus ne paraît guère convenir à ce passage de gages.

— Alors ?

— Ils iront chercher les otages dès le signal arboré. Aussi bien, pour nous donner le temps d'agir, celui-ci ne sera-t-il en place que quelques minutes avant midi.

— Agir ? Et dans quel sens ?

— Nous tendrons un piège. Installons dans la fosse du Combat du Taureau ceux qui sont censés y être encore.

— Comment cela ? Y être encore ?

— Moi en tout cas, car nul ne peut jouer mon rôle ! Pour le cocher, bien grimé, le sergent qui me semble un homme avisé et hardi pourrait sans risque le figurer. Du sang pris chez un boucher voisin. Les habits du cocher. Et de plus nous serons bâillonnés et masqués.

— Je ne peux autoriser cela.

— C'est le seul moyen de parvenir jusqu'aux organisateurs de ce complot. Les liens seront apprêtés de manière que l'on puisse se libérer en un tournemain. Nous serons armés. À l'arrivée nous leur sauterons sur le râble et vous serez là pour nous prêter mainforte. *Ergo glu capiuntur aves*, ainsi les oiseaux seront pris par la glu !

— Je frémis à penser à tout ce qui pourrait survenir.

— C'est que déjà tu acceptes l'idée. L'essentiel résidera dans l'efficacité de la filature et la soudaineté de l'attaque.

— Je m'en chargerai moi-même. Probable que nous aurons affaire aux mêmes sicaires qui vous ont enlevés.

Catherine regimba quand elle constata qu'on lui enlevait l'habit de Nicolas, qu'elle s'était mise en devoir de dégraisser, pour le traîner dans la poussière de la cour. Il lui fut recommandé de ne point alarmer M. de Noblecourt, de le laisser paisiblement assister à la messe du dimanche à Saint-Eustache et de lui confirmer simplement qu'ils seraient tous deux de retour dans la soirée pour un souper qui pourrait, au vu des événements, se transformer en médianoche. Ils décidèrent de se retrouver au Grand Châtelet. Nicolas sortit par la rue Montmartre tandis que Naganda faisait le mur au fond du jardin pour rejoindre, circuit déjà éprouvé par le commissaire, la rue Plâtrière par les jardins du couvent des Filles de Sainte-Agnès.

L'inspecteur et Gremillon l'attendaient à l'heure dite. Le sergent, les yeux brillants, serra avec force la main de Nicolas qui comprit que la grande nouvelle avait été dévoilée. Ainsi Bourdeau avait-il pris au sérieux la responsabilité à lui confiée… N'était-ce pas préférable ainsi ? Naganda, disert et précis, présenta son plan qui reçut l'approbation du conseil après un débat animé sur les avantages et dangers de l'opération. Elle impliquait d'ailleurs de mobiliser des forces qu'il fallait rassembler avant midi. Pendant que le sergent s'attachait à prévenir le guet, Bourdeau s'affairait de son côté à faire quérir exempts et mouches disponibles. Nicolas les pria de prévoir les véhicules et les relais nécessaires. On envoya chercher les hardes du cocher Bardet dont se revêtirait Gremillon qui avait accepté d'enthousiasme la dangereuse mission d'accompagner Naganda dans son rôle d'appât. Un émissaire fut dépêché auprès des deux hommes qui surveillaient le Combat du Taureau. Ils avaient instruction de continuer à se dissimuler sans intervenir après que le piège aurait été tendu. Dans ces affairements, le temps s'écoula vite. Curieux de demeurer acteur de la suite de l'affaire, Semacgus surgit et fut mis au fait du plan ; il obtint, malgré les réticences de Nicolas, soucieux de sa sécurité, de les accompagner.

Vers onze heures un placard blanc fut accroché à la croisée au-dessus du porche de la vieille forteresse. On laissa s'écouler une demi-heure et, par des voies parallèles mais convergentes, des voitures de police s'acheminèrent vers la barrière de Vaugirard. À destination, seul le fiacre de Nicolas approcha du site en ruine. Il convenait de procéder avec rapidité de manière à n'être point surpris. La troupe s'était munie d'une échelle afin de faciliter l'installation des prétendus otages dans la fosse où ils iraient croupir dans des conditions identiques à celles constatées lors de la libération de Naganda et de Bardet. Gremillon était déguisé à s'y méprendre. Soudain Bourdeau s'arrêta et retint d'un bras Nicolas qui s'élançait déjà, en lui désignant la palissade.

— Halte ! murmura-t-il, elle est ouverte. Ce n'est pas normal et nous n'avons plus le temps de consulter nos gens. Ils appliquent à la lettre les consignes.

À peine ces mots prononcés deux hommes sortaient de l'enclos. Ils aperçurent aussitôt les arrivants de l'autre côté de la rue. L'un deux, sans hésiter un instant, leva l'arme qu'il portait à la main et, sans viser, tira sur le groupe. La cagoule dont était affublé Gremillon s'envola. L'acolyte à son tour brandit un pistolet. Nicolas hurla à ses amis de se jeter à terre. Le temps de toucher le sol, Naganda avait lancé un poignard qui vint se ficher dans la poitrine de l'assaillant qui s'effondra. Son compagnon ayant rechargé son arme allait de nouveau faire feu. Nicolas sans l'ajuster, mais dans un réflexe de chasseur, tira au jugé et lui fit sauter la cervelle. L'homme s'effondra dans un flot de sang.

Dans la fumée et l'odeur de la poudre un grand silence suivit, bientôt rompu par les cris du voisinage alerté et par les fiacres de police qui se rameutaient à grand bruit. Nicolas se releva et secoua les pans souillés de son habit. Il contempla le désastre. Deux morts, et les fils d'une possible remontée vers les responsables rompus. Il se retourna et découvrit Gremillon assis, tenant dans ses mains un visage ruisselant de sang. Il se précipita, mais le sergent, devinant son inquiétude, fit un grand geste de dénégation.

— Ce n'est rien, la balle m'a effleuré. Une égratignure.

Semacgus s'empressa auprès de lui, mais Naganda, plus vif, avait sorti d'autour de son cou un petit sac de cuir dans lequel il préleva une sorte d'étoupe blanchâtre dont il appliqua une partie sur l'égratignure. Le médecin de marine constata avec surprise l'efficacité du traitement. L'écoulement de sang se tarit aussitôt.

— Pour votre début au service des affaires extraordinaires, voilà un beau baptême du feu ! Vous êtes doublement des nôtres ! s'exclama Bourdeau claudiquant, sa jambe s'étant portée sur un caillou lorsqu'il s'était jeté à terre.

— Et soigné d'étrange manière par un seigneur algonquin !

— Rien d'autre, monsieur le chirurgien, que le produit cotonneux d'une plante de nos prairies qui possède la propriété d'arrêter les épanchements de sang et de soigner les blessures.

— Peste, messieurs, s'écria Nicolas dont l'humeur inhabituelle les frappa tous, il n'est point temps de parler botanique ! Qu'allons-nous faire maintenant ?

— Il est ainsi, souffla Bourdeau à l'oreille de Semacgus, chaque fois qu'il est contraint de tuer des malfaisants. Toujours pour sauver sa vie ou celles de ses amis...

L'attitude de Nicolas étonnait. Il se précipita soudain vers les deux corps allongés. Il se pencha et, sortant de sa poche un petit miroir, constata en hochant la tête que Naganda et lui-même avaient fait mouche. Pourtant il se dressa et cria à haute voix, si fort que tous furent surpris, que l'un des assaillants était vivant et qu'on eût à le porter au Châtelet où des soins lui seraient donnés. Semacgus qui, à son tour, était venu examiner les corps, lui signala à l'oreille sa méprise ; rue de Sèvres il n'y avait plus que deux cadavres.

— Taisez-vous ! On peut nous observer. Feignez d'examiner celui qui fut touché par Naganda. L'autre, hélas, n'est plus en état ! Confirmez à voix intelligible qu'il est encore vivant. Puis nous le relèverons et le conduirons, serré et maintenu entre nous, jusqu'au Grand Châtelet. Me suivez-vous ?

— Hum ! Je crois comprendre, même si je ne suis pas jusqu'au bout votre raisonnement.

En dépit de sa corpulence, Semacgus s'agenouilla et se coucha presque sur le cadavre auquel il fit subir l'examen pratiqué dans des circonstances semblables.

Il se remit debout aidé par Nicolas.

— Fichtre ! Ce brigand a eu de la chance, lança-t-il de sa voix de basse. La lame s'est plantée entre deux côtes sans toucher aucun organe noble. Et l'émotion a fait défaillir notre homme. Il faudrait le panser.

Il retira la lame avant de placer un mouchoir en tampon sur la plaie.

— Qu'on approche la voiture ! cria Nicolas. L'un d'eux en a réchappé. Pierre, Naganda, venez nous aider.

Intrigué, le Micmac morgua le corps. Il allait parler quand le commissaire, le fixant avec insistance, lui intima d'un signe le silence. On porta donc le corps dans la voiture de Nicolas. Placé au milieu de la banquette il serait soutenu par deux des occupants. Avant de lever le camp, on examina avec soin la voiture des deux sicaires retrouvée quelques toises plus loin. Les rideaux des portières avaient été soigneusement tirés de manière à ce que les occupants ne puissent être aperçus de l'extérieur. Aucun indice particulier ne fut relevé susceptible d'apporter des indications sur son propriétaire. L'autre cadavre fut jeté dans la voiture des exempts avec ordre de le mener à la basse-geôle du Grand Châtelet. Le cortège de retour prit un aspect funèbre. Entre Bourdeau et Nicolas la tête du mort brinquebalait. Le commissaire songea au départ nocturne de la momie de Voltaire deux années auparavant. Aucune parole ne fut échangée tant cette présence en imposait et tant chacun était perdu dans ses pensées. Arrivés à destination, le père Marie, que rien depuis des lustres n'étonnait, fut requis de faire porter les corps dans la salle des ouvertures. En l'absence de Sanson et vu l'urgence, Semacgus se proposa d'officier seul, ce qui fut d'emblée accepté.

Quel qu'eût été le péril imminent qui avait déclenché la riposte de Nicolas, la confrontation avec ce corps au crâne fracassé fut une épreuve. L'émotion de Bourdeau se mesurait à la cadence des bouffées qu'il tirait de sa pipe. Semacgus, habit bas, s'affairait à la lumière tremblante des torches assisté par Gremillon et par un aide de Sanson venu leur prêter main-forte. Le premier cadavre examiné fut celui abattu par Nicolas. On lui retira ses hardes qui furent tendues à Bourdeau pour leur fouille efficace. Il fut ensuite lavé à grande eau. Nicolas admira le calme et l'apparente insensibilité de Gremillon, qui procédait sans hésitation et obéissait aux injonctions du chirurgien de Marine.

— Quel tir ! Entre les deux yeux. On ne peut guère mieux viser.

— Je n'ai pas visé, dit Nicolas sourdement.

Maintenant Semacgus considérait, l'air intrigué, le côté droit du cadavre. Il fit approcher une torche, tapota les chairs, se redressa et, après un moment de réflexion, frappa dans ses mains.

— Je crois, messieurs, que la révélation que je vais avoir l'honneur de vous faire va vous édifier. Ce cadavre porte encore les stigmates de plusieurs blessures récentes.

— De quelles apparences ? Sont-elles à ce point éloquentes ?

— Voyez vous-même ! Sur ce bras droit, des coupures encore presque fraîches et même infectées, se refermant mal par ce temps orageux. Très superficielles, elles correspondent, j'en suis persuadé, aux coups de poignard que Naganda avait multipliés sans succès au moment de son enlèvement à la barrière de Vaugirard.

— Cela n'ajoute rien à ce que nous savions déjà.

— Peut-être, si ces blessures étaient uniques, mais il y a davantage. Je relève la trace d'un coup d'épée récent qui a traversé les chairs sur le flanc gauche. Cela ne vous rappelle rien ?

— Ma foi, dit Bourdeau qui secouait la culotte du mort, le sang répandu aux Porcherons. Il y avait celui de l'agent de Sartine et d'autres traces qui provenaient, elles, de son assassin. À coup sûr !

— Ainsi tout se tient, se lie et prend place dans une longue suite d'événements logiques. L'affaire des Porcherons et l'enlèvement de Naganda sont le fait d'une même engeance.

— Et sans doute aussi l'attentat contre toi rue Scipion, à la sortie de la boutique de Rodollet.

— Rien de particulier dans sa vêture ?

— Rien que de très banal. Un mouchoir, des allumettes, une mine de plomb. Du mauvais papier. Un écu, quelques liards et… un morceau de lard rance.

— Bon, dit Nicolas, passons au suivant. Inutile d'ouvrir ; ces morts et leurs causes ne font pas de doute.

— Oh ! Il est vrai que le travail est simplifié, quand on tue soi-même le client ! plaisanta Semacgus sous le regard noir de Nicolas.

Le corps qui venait d'être examiné fut replacé sur un brancard et porté à la basse-geôle où plusieurs pelletées de gros sel lui furent jetées. Le même protocole présida aux recherches sur le second cadavre. Semacgus le considéra avec attention, regarda l'intérieur de la bouche, les cheveux, le cou et, enfin, l'ensemble des parties du corps. Il allait parler quand Bourdeau, qui fouillait les vêtements, le précéda.

Il brandissait une petite feuille de papier.

— Un papier plié soigneusement, portant au crayon la mention : *Eau antivénérienne de Querton et Audoucet, rue de Sartine, n° 52 à la nouvelle Halle.* Un flacon de la mixture à moitié vide.

— Peuh ! grogna Semacgus. Ce n'est point cette potion-là qui pouvait faire soin sur un chancre aussi bien proportionné. Bourdeau m'a ôté la révélation de la bouche.

Il fit un grand geste et, sur un ton de comédien, se mit à déclamer :

— *Voici que tu as jeté le masque pour montrer désormais le visage triomphant de dame vérole !*

« Ainsi, un mort impliqué dans trois crimes. Son compagnon vérolé. Qu'allez-vous nous tirer de tout cela ?

— Faire enquête chez les vendeurs de ce spécifique. On ne sait jamais.

— Ah ! Autre chose, dit Bourdeau. Une clé, et de belle taille. Un exemplaire forgé à rosettes. D'une belle demeure sans doute !

Le papier qu'il tenait venait de choir. Nicolas le ramassa et lui jeta un coup d'œil.

— Voilà qui est curieux. En retournant ton papier, je constate qu'il s'agit d'une page arrachée de l'*Almanach d'indication*. Voici la liste des artisans gainiers... et... Tiens donc ! Une adresse soulignée... *Galuchat, quai des Morfondus.*

— C'est-à-dire la suite du quai de l'Horloge jusqu'au Pont-Neuf, précisa Gremillon.

Tous respectèrent la réflexion dans laquelle Nicolas semblait plongé.

— Pourquoi ce forban a-t-il sur lui l'adresse d'un marchand gainier ?

GAISNIERS

Les Gaisniers sont les Artisans qui doublent & garnissent toutes sortes de boëtes, étuis, gaines & écritoires, fourreaux d'épée, de pistoles & autres ouvrages en étoffes, en peau de chien de mer, cuir bouilli, & c.

Les statuts de cette Communauté sont de 1323, par lesquels ils sont qualifiés de Maîtres Gaisniers, Fourreliers & Ouvriers en cuir bouilli.

Chaque Maître fait choix d'un poinçon pour marquer son ouvrage, dont l'empreinte doit être mise sur une table de plomb qui est à la Chambre du Procureur du Roi du Châtelet.

L'on ne reçoit point d'Apprentis de Province en cette Communauté.

Le brevet coûte 40 livres. La matrice 600 livres & pour les fils de Maître, 200 livres.

PATRON, *la Magdeleine & Saint Maur*
BUREAU, *quartier Saint-Landry*
Quelques-uns des plus connus sont :

Messieurs

BAILLY, quai de l'Horloge, Garnisseur.

BOULANGER, rue de la Tabletterie, à La Tête de Bœuf, Garnisseur, & c

CHUCHON, rue de la Huchette, au Café, un des plus habiles Garnisseurs

COURTOIS, quai de l'Horloge, connu pour les surtouts de montres, étuis à gorge d'or, & c

FAQUET, quai de Gesvres, idem

GALUCHAT père, quai des Morfondus, un des plus renommés, est celui qui le premier a trouvé l'art d'adoucir & mettre en couleurs les peaux de roussette, de requin, dont on garnit les surtouts de montres, boëtes à lancettes, étuis à ciseaux & à rasoirs & autres objets, qui depuis ce temps ont conservé le nom de Galuchat

GALUCHAT fils, quai de l'Horloge, très renommé, idem

GARNUSSON, quai de l'Horloge, un des plus habiles Garnisseurs

GENSEI, rue de la Calandre, un des plus habiles Garnisseurs, pour tout ce qui concerne la gainerie, & c

GEOFFROI, rue de la Coutellerie, Garnisseur, & c

GOUAY, à Saint Denys de la Chartre, Garnisseur

LANSON, rue Phelipeaux, renommé particulièrement pour les fermetures qui concernent les objets de gainerie

— Et y aurait-il, demanda Bourdeau tapotant sa pipe sur la paume de sa main, un rapport entre cette mention et la clé que nous venons de découvrir ?

Semacgus se dressa sur la pointe de ses souliers pour retomber lourdement.

— Ma foi, je vois très bien la relation entre ces faits ! Que vous suggère le quai des Morfondus ?

— Le vent du Nord qui y souffle et transit le chaland.

— Pas seulement. Considérez que les maisons qui y donnent sont aussi celles de la place Dauphine. Et qu'évoque cet endroit ?

— Le domicile et l'étude de maître Gondrillard, notaire de feu M. de Chamberlin et successeur de Gondrillard père, l'un des signataires du document après lequel nous courons !

— Branle-bas ! s'écria Bourdeau. Je crois qu'une promenade quai des Morfondus s'impose sur-le-champ.

— La piste de l'eau vénérienne ?

— En second recours, si notre expédition échoue.

La fouille des vêtements du second cadavre ne donna rien de plus que le morne étalage des objets usuels que l'on retrouve toujours dans les poches des gens du peuple. Tous quittèrent en hâte la basse-geôle pour gagner les voitures. En quelques minutes, le Pont-au-Change franchi, ils abordèrent la Cité et le quai des Morfondus. Dans une des arcades ils découvrirent la boutique de Galuchat qui exposait ces articles si prisés des plus riches et des étrangers. Clé en main, Nicolas examina les lieux. La porte cochère de l'endroit ne correspondait pas, en revanche une demi-porte fermant une ouverture qui semblait s'enfoncer dans le sol attira son attention. Était-ce un de ces accès aux caves qui dans les maisons bourgeoises permettaient de faire entrer les provisions de bois ?

— Messieurs, dit-il, il faut nous diviser pour agir. Gremillon et les hommes du guet se portent en discrétion place Dauphine. Ils laissent pénétrer chez Gondrillard, mais que nul ne sorte de son étude sans être aussitôt arrêté, avec tous les égards qui s'imposent. Je vous laisse cinq minutes pour prendre votre poste. Naganda, Bourdeau et Semacgus m'accompagneront dans les bas de cette maison. Disposons-nous de chandelles ?

— J'ai ce qu'il faut, dit Bourdeau frappant ses poches.

Le délai imparti écoulé, la clé ouvrit sans peine la serrure. Quelques degrés les conduisirent dans une galerie voûtée de calcaire brut. Sur leur droite ils découvrirent une sorte de cellule sans ouverture qui tenait du caveau. Deux paillasses y étaient disposées avec un cruchon empli d'eau et une miche de pain.

— Il y a apparence, dit Bourdeau à voix basse, qu'on attendait ici des prisonniers. Je crois que nous touchons au but.

Ils continuèrent leur marche dans la galerie. La lueur que donnait le trèfle ouvert dans le bois de la porte donnant sur le quai s'était peu à peu dissipée. Nicolas allait demander à Bourdeau d'allumer une chandelle quand il aperçut soudain au fond de la galerie une espèce de luminescence trouble accompagnée d'une sourde rumeur et d'éclats de voix. Plus ils s'en approchaient, moins ils comprenaient ce vers quoi ils avançaient. Nicolas entendit Naganda qui égrenait des formules dans sa langue. Enfin, ils atteignirent une surface étrange qui fermait la galerie. Rectangulaire, elle offrait l'apparence de l'opaline. Mais ce qui les étreignit d'une crainte irraisonnée, ce furent les ombres grises et mouvantes qui troublaient la blancheur de l'obstacle. Il apparut à Nicolas, qui faisait tout pour conserver son sang-froid, que cette surface ne descendait pas jusqu'au sol. Il avança d'un pas et tendit la main. Un rebord froid et lisse, dont le contact le glaça, courait. Ses doigts en suivaient la ligne droite qui bientôt s'incurva. Sa main refit le chemin parcouru et il sentit alors des objets fixés sur cette pierre. Il entendait derrière lui les respirations oppressées de ses amis. Il tira à lui Bourdeau, colla sa bouche à son oreille et lui demanda ses allumettes. L'inspecteur parut inquiet de cette demande et fit un geste de dénégation, tout en les lui passant. Nicolas voulait comprendre et pour cela mieux voir, ne fût-ce qu'un instant. Il craqua une allumette. Le quart de seconde où elle éclaira il put discerner ce à quoi ils étaient confrontés. Il appela Bourdeau près de lui.

— Une cheminée à la Richelieu[2] ! Il y a deux vases en symétrie et une pendule. Ces trois objets sont juste au-dessous de la limite d'un miroir.

— Miroir ! Cette chose blanchâtre et spectrale ?

— Pas un miroir habituel. Une glace sans tain qui de ce côté va nous permettre de voir en vérité la nature de ces ombres qui s'agitent derrière.

— Mais ces ombres risquent de déceler notre présence.

— J'ai quelques lumières sur la chose, si j'ose dire ! L'effet est à sens unique. Il convient, ce qui est notre cas, que la pièce d'où l'on observe soit moins lumineuse et éclairée que celle qui est observée.

Nicolas se rapprocha de la cheminée. Après bien des tâtonnements, il finit par découvrir dans le pseudo-foyer une tirette métallique qui devait déclencher le mécanisme tournant. Restait à trouver les capacités de l'ensemble mobile afin qu'une éventuelle irruption dans la pièce voisine réunisse toutes les chances de succès. Il se mit à genoux et caressa le sol jusqu'à trouver la jointure entre la terre battue et le métal de la plateforme.

S'appuyant sur le marbre de la cheminée, le menton sur l'arrondi de la pendule, il colla au miroir. L'opalescence de la surface s'éclaircit comme dans une lunette d'approche qu'on adapte à la distance. Il distingua un salon richement meublé où deux hommes debout semblaient s'affronter violemment. L'un deux était maître Gondrillard, l'autre lui était inconnu. Il ne parvenait malheureusement pas à distinguer le sens des paroles échangées. À un moment l'inconnu saisit le notaire par le col de son habit et le secoua tandis qu'il le menaçait de son autre main. Que se passait-il donc entre ces deux-là ?

Nicolas recula de quelques pas et appela ses amis près de lui. Il les mit au fait de la situation et de la scène étrange qui se déroulait au-delà du miroir. L'action était désormais légitime puisqu'ils possédaient la preuve, la clé trouvée sur le sicaire les ayant conduits quai des Morfondus, de l'implication de

Gondrillard dans cette affaire. Il ne s'agissait pas de manquer son coup. Il allait donc surgir brusquement et user de l'effet de surprise pour méduser le notaire et son visiteur. L'un après l'autre, Bourdeau, Naganda et Semacgus tenteraient de le suivre. Bourdeau lui fit observer que le mécanisme risquait d'être à sens unique et qu'ils n'étaient en rien assurés que la cheminée fonctionnerait avec plus d'une personne. Aussi serait-il sage de renforcer le second front. Lui-même, revenant sur ses pas, rejoindrait Gremillon place Dauphine et entrerait en force dans la demeure du notaire. Le commissaire fut convaincu par cette proposition de bon sens. Il indiqua à Semacgus et Naganda que tout concourait à ce qu'il existât une tirette identique à celle repérée, qu'il suffirait d'abaisser pour reproduire le mouvement.

Il alla prendre place sur la plaque, tira son épée et de la main gauche fit jouer le mécanisme. Il y eut un claquement sec, puis un bruit de chaînes et, dans un insupportable crissement, la plateforme se mit en mouvement et pivota lentement. Il envisagea la scène avant même d'être aperçu. Les deux interlocuteurs, surpris par l'événement, fixaient la cheminée tournante, mais avec des expressions différentes. L'inconnu avec surprise et colère, le notaire sans émotion apparente. Toutefois, son impassibilité disparut quand il reconnut Nicolas. Pétrifié, il ne faisait pas un geste alors que l'inconnu dégainait et, poussant un cri sauvage, se jetait la rapière en avant sur le commissaire. Son juron en anglais fut entendu par celui-ci qui, d'un saut de côté, évita l'assaut et renversa un fauteuil entre eux. Cela ne servit qu'à retarder l'estocade qu'il parvint à parer d'une quinte inversée. Il freina alors la fougue meurtrière de son adversaire d'un enveloppement de sa lame ménagé d'un ferme coup de poignet. Cette riposte se compléta d'une tentative sous la poitrine. Il entendit tinter un bouton métallique de l'habit de l'inconnu. En face, on serrait la mesure. Nicolas se prépara au coup suivant, attentif à anticiper son esquive. Il évita un coup de travers qui vint décapiter un vase. Dans le même temps, d'un œil il surveillait Gondrillard afin de n'être point surpris sur ses arrières. Le notaire s'était précipité vers son bureau. Il fouilla un tiroir et en sortit un sac en cuir et une liasse de papiers, puis quitta la pièce en toute hâte.

Nicolas avait toujours affaire à forte partie. L'Anglais l'acculait à la muraille et lui porta une botte si bien dirigée qu'à son tour elle griffa le pourpoint de Nicolas. Il avala l'épée de son adversaire et esquiva de côté. Maintenant l'homme avait sorti un poignard de sa ceinture dont il usait de la main gauche pour barrer la veine aux coups du commissaire. Mais Nicolas avait repris l'avantage et réduisait à néant les incessantes attaques de l'inconnu, le tenant à distance et couvrant sa lame. L'homme buta contre un meuble au moment où la cheminée pivotait à nouveau. Nicolas, entendant le sourd roulement grinçant, estima le moment venu. Il fit un appel de son épée pour attirer la parade adverse. L'adversaire haletait, laissant échapper d'incompréhensibles injures ; d'évidence il jugeait que le moment était venu d'en finir. Le commissaire serra la rapière ennemie de telle sorte que sa propre épée soit en mesure de frapper et que l'adversaire ne puisse donner un coup direct. La tentative fut parée, mais au moment où il allait transpercer l'Anglais, celui-ci s'effondra avec un soupir rauque.

— Ah ! s'écria Semacgus, surgissant goguenard. On ne va pas t'abandonner à tes instincts massacreurs. Tu es décidément par trop maussade en assassin.

Rassure-toi, il n'est qu'assommé. Dans tout cela, il n'y a que les vases qui pâtissent.

— Bon, tu me l'as ôté de la bouche ! dit Nicolas. Grand merci, j'allais le pourfendre. Le notaire s'est enfui. Qu'on le poursuive !

— Le notaire ? tonna la voix de Bourdeau surgissant. Il a tenté, tête baissée et preste comme une cavalette[3], de prendre la poudre d'escampette ! Le voilà, traitable et repentant.

Gremillon suivait, portant plus qu'il ne le soutenait le notaire blême et défait, pieds et poings liés. Il fut jeté dans un fauteuil.

— Monsieur, je proteste…

— Tais-toi, dit Bourdeau en lui lançant une bourrade, tu parleras quand on t'interrogera. Ah ! En voilà un qui a perdu sa piaffe[4] !

— Qu'on l'assoie ! Nous allons l'interroger sur-le-champ.

Il désigna le corps inanimé de l'Anglais.

— Conduisez celui-ci au Châtelet. Au secret et enchaîné. Sergent, un de vos hommes peut s'en charger. Il y a des voitures en pléthore. Et maintenant, maître, nous allons poursuivre une petite conversation commencée il y a peu aux Porcherons.

— C'est hors de question et j'en appelle à certains ministres dont je fais les affaires.

— Oh ! Monsieur. Encore ? Je crains d'avoir déjà entendu cette antienne. J'ose espérer qu'ils ne vous ont pas confié leurs fonds ? Il est de ces connaissances comme du temps qu'il fait. Elles varient et ne connaissent point à la vesprée ce qu'elles adoraient le matin. Il suffit que vous ayez des soumissions pour la malchance !

— Monsieur, vous n'imaginez pas…

— Que trop bien ! Croyez-le. Et d'abord, qui était cet assassin anglais qui a tenté de m'embrocher ?

— Un mien client que vous avez effrayé et qui vous prenait pour un voleur. Étonnez-vous après qu'il ait voulu me défendre.

— C'est pourquoi vous-même, à courage rabattant, n'avez eu qu'une idée, celle de vous enfuir sans vous préoccuper outre mesure du sort de votre estimé client.

— Il me fallait mettre en lieu sûr des valeurs qui lui revenaient.

Bourdeau tendit à Nicolas les papiers et le sac de cuir saisis sur la personne de Gondrillard. À première vue, deux cent mille livres en lettres de change sur une banque anglaise et le reste en pièces d'or.

— Alors ? hurla Nicolas en frappant du poing sur la tablette du bureau. Avez-vous quelque explication à nous fournir ?

— Je ne le puis ; il s'agit de secrets que les usages de mon office m'interdisent de divulguer.

— Ah ! Le bougre, enchaîna Bourdeau, il rompt les chiens. Sait-il que nous avons des moyens particuliers pour le faire dégoiser vite et bien ?

Nicolas entra aussitôt dans le jeu de Bourdeau.

— Je serais au désespoir d'y être contraint. Je vous prie d'excuser l'inspecteur. Il croit encore en certaines pratiques qui ont leur justification dans des affaires aussi délicates. Elles ont fait leurs preuves. À tout hasard, faites passer à Monsieur de Paris. Qu'il soit à notre disposition ce soir au Châtelet, dans la salle *ad hoc*.

— Inutile d'aller le quérir, il doit y être encore après le rapide interrogatoire d'un des amis de monsieur.

Une sueur d'angoisse envahit soudain le visage du notaire dont la céruse et le carmin dégoulinaient.

— Maître, c'est la fièvre, sans doute ? Une saignée ou l'usage de quelques instruments rougis à blanc dans un brasero vont s'avérer nécessaires. Pour la dernière fois, acceptez-vous de parler ?

Le silence seul répondit à la véhémence de Nicolas.

— Soit. Je vais vous conter une histoire, et des meilleures. Je suis, dit-on, doué autant qu'apprécié dans cet exercice. Deux amis ont été enlevés. Un mystérieux message m'est parvenu : ils seraient libérés contre remise d'un certain papier. Ce papier, non seulement menace des hommes en place, mais peut compromettre gravement les intérêts du roi dans la présente guerre. Vous savez bien sûr de quoi je veux parler.

L'homme ne cilla pas, buté dans son silence.

— On ne traite pas l'État ainsi, monsieur ! Vos sicaires ont été interceptés et les otages libérés rue de Sèvres, au Combat du Taureau… Terrain qui, au passage, semble vous appartenir. Non ?

Un tremblement agitait l'une des jambes du notaire. Il baissait la tête sans répondre

— … L'un a été tué, l'autre, blessé, a été conduit à la basse-geôle ; enfin dans une salle proche où M. Sanson procède aux cérémonies de la question. Vous verrez, vous l'apprécierez. C'est un honnête homme, un maître dans son art, un artiste dans son genre. Il était disponible, voilà qui tombait à pic ! Au troisième degré, l'homme a parlé. Ah ! Les brodequins…

— Il ne pouvait pas me connaître ! s'esclaffa Gondrillard.

— Quel étrange aveu ! Et ambigu ! Mordez-vous la langue, c'est un mot de trop. Que signifie-t-il à ceux qui vous écoutent ? Que vous n'avez pas traité d'homme à homme avec ce bandit-là ? Que vos instructions lui ont été transmises par un tiers ? Par cet Anglais, peut-être ? Reste à nous expliquer comment il possédait l'adresse et la clé de votre petit caveau et à qui était destinée la cellule à deux paillasses que nous y avons admirée. Si vous êtes innocent comme vous osez le prétendre, quelle suite calamiteuse de coïncidences ! Vit-on jamais agneau innocent plus chargé de péchés ! Vous demeurez coi. Et cette cheminée pivotante, elle sert à vos plaisirs ou bien à vos amis ? Ou aux deux !

— Monsieur, elle me vient de famille, jeta Gondrillard.

— Qu'est-ce à dire ?

— De l'aïeul de ma femme, conseiller au parlement, de qui nous tenons cette demeure. Durant les troubles civils de la Fronde et après l'arrestation de son confrère M. Broussel, il prit la précaution de se ménager une issue dans le cas où l'on serait en passe de l'embastiller.

— C'est de famille ! Et le pain frais, et l'eau, ils datent du seigneur Giulio et de la reine Anne ?

Le silence retomba. Nicolas sentit qu'il fallait en venir aux grands moyens.

— Libre à vous, monsieur, de vous enfermer dans le déni ou le mensonge. Ces tours de souplesse ne vous sauveront pas. S'il s'avère impossible de vous déterrer quelques propos, le destin va suivre son cours inexorable. Pour commencer la Bastille, car en toute occurrence vous n'y échapperez pas. Après tout c'est une tradition de famille ! Compte tenu des charges, présomptions et accusations qui pèsent sur vous, à savoir du moins au plus grave, faux, détournement de fonds confiés à votre office, complicité de meurtre sur un agent royal assassiné aux Porcherons en l'hôtel de Chamberlin, et tentative de meurtre sur un commissaire de police au Châtelet. À cela s'ajouteront enlèvement, violences et chantage. Enfin ce crime capital : espionnage et conspiration au profit d'une cour étrangère et haute trahison. Je vous laisse imaginer votre sort. Ouf, j'allais en perdre le souffle !

— Représentez-vous, monsieur, ajouta Bourdeau, suave, ce qui vous attend. Sur l'heure vous disparaissez. Jeté dans un cul de basse-fosse, au milieu de la vermine, vous ne pouvez espérer aucun secours. Vous serez mort au monde, mais point à la justice du roi ! Interrogé avec les raffinements d'une question bien conditionnée auxquels je doute que vous résistiez. Songez à votre nom, à votre famille…

— Si vous consentez à nous aider, vos peines, inévitables, pourront être adoucies et votre conscience apaisée.

Un long soupir s'exhala de la poitrine du notaire. Son attitude augurait bien ce qui allait suivre. Nicolas, qui n'appréciait guère ces nécessaires manigances, soupira : c'était toujours ainsi avec les coupables de peu de caractère. Il suffisait d'agiter un peu fortement la rigueur des châtiments auxquels ils étaient promis pour qu'ils se laissent soudain aller et déballent leurs sales secrets. Il songea qu'il y avait quelque ironie que ce soit lui, qui jamais n'avait eu recours à la question, qui vînt à l'évoquer au moment où elle était en passe d'être retirée de l'arsenal de la justice.

Il observa le notaire affaissé sur son siège. Tout ce qui naguère ornait cette figure des mille reflets de la fatuité avait disparu. Dégoulinants, les fards ne masquaient plus l'âge réel de l'ancien beau. Sa tenue délabrée, le cheveu défrisé laissant apparaître des plages de calvitie, la cravate de dentelle sale et tourneboulée, l'habit chiffonné et boutonné à la diable, tout offrait les signes d'une angoisse et d'un énervement que des heures sinon des jours d'attente fiévreuse avaient exacerbés.

Gondrillard passait sa langue sur des lèvres desséchées. Nicolas saisit une carafe et versa de l'eau dans un gobelet qu'il lui tendit. L'homme s'en empara après que Bourdeau lui eut délié les poings et l'avala si vite qu'il en renversa la moitié sur son habit.

— Alors, monsieur, nous vous écoutons.

— Monsieur le commissaire, je suis un honnête homme…

— Voyez le bel apôtre ! dit Bourdeau. Honnête homme nonobstant un certain nombre de crimes !

— Je suis, je vous l'affirme, plus victime que coupable et aucun crime ne peut m'être imputé. Et je suis effaré, monsieur le commissaire, qu'on me traite comme un criminel d'État.

— Tout concourt, monsieur, à vous considérer comme tel.

— Si j'ai usé de dissimulation malgré un caractère qui est tout à l'opposé, c'est le fait de mon inexpérience dans des matières que je connaissais mal. Je pense que vous devez arrêter votre jugement sur moi en tenant compte de toute la délicatesse de mon cœur.

— Délicatesse du plomb et de l'acier de vos affidés !

— On fait fausse route de m'imaginer capable d'une bassesse de mon plein gré.

— Soit, monsieur ! Alors nous vous serions reconnaissants d'aller au fait sans barguigner et de nous dire qui vous contraint, de mauvais gré.

— Messieurs, peu avant la mort de mon père, j'ai reçu de sa bouche de graves confidences concernant un traité secret auquel il était partie. Cet accord intéressait les intérêts du royaume en ce qu'il autorisait des demandes susceptibles d'accroître les ressources de l'État. Mon père ayant vécu très vieux et n'ayant jamais souhaité dételer, il m'avait toujours écarté des affaires de son office. Lui disparu, je me suis trouvé contraint de faire face aux obligations nouvelles de ma charge. J'ai dès l'abord, je dois l'avouer, commis nombre de maladresses qui, peu à peu, ont creusé un déficit dans mes affaires tel que jamais je n'aurais pu le surmonter si…

— Si ?

— Si des appuis généreux n'étaient intervenus sans que je puisse apprendre d'où provenait cette aide mystérieuse.

— Généreux ! Vous usez du mot juste. Et cette manne tombée du ciel, vous l'avez acceptée sans broncher ?

— Que vouliez-vous que je fasse ? Mes maladresses n'avaient pas cessé pour autant. C'était une course incessante entre mon crédit et mon déficit.

— Un petit royaume à vous tout seul ! ricana Bourdeau que le propos du notaire paraissait excéder.

— Je souhaiterais comprendre, ajouta Nicolas. Au cours de ces années durant lesquelles ces subsides affluèrent, rien ne vous fut demandé en échange ?

— Monsieur, pour qui me prenez-vous ?

— N'inversez pas les rôles, je vous en prie. Je vous prends pour ce que vous êtes, hélas ! Alors, rien en échange ?

— Rien de plus que ce qui est d'usage dans ces sortes de tractations. Quelques signatures en reçu.

— Rien de moins, en effet. Et l'origine de ces fonds ?

Il y eut un temps de silence.

— Des subsides anglais.

— Et cette affaire a débuté à quelle époque ?

— Peu de temps après la mort de mon père.

— Vous n'avez pas perdu de temps ! Votre père est mort en… ?

— En septembre 1776.

— Et en échange de ces subsides, rien ne fut exigé de ceux qui vous les cédaient ?

— Rien avant la mort de M. de Chamberlin, mon client. Alors tout s'est précipité. Des émissaires nouveaux se sont présentés, m'enjoignant avec des menaces de tout faire pour récupérer le seul exemplaire utilisable du traité en question.

— Utilisable ? Il y a là un mystère que je n'entends pas. Il n'y a qu'un seul exemplaire du traité signé. Les Anglais n'auraient-ils pas disposé d'une preuve de l'engagement de traitants français dans cette affaire financière ?

— Je vous reprends. Lorsque l'accord s'est conclu jadis, le seul papier qui fut signé par une autorité du royaume était détenu par M. de Chamberlin. Les financiers anglais ne disposaient que d'un document seulement paraphé par mon père, M. de Chamberlin et M. de Sainte-James. Celui que conservait le contrôleur général de la Marine garantissait les financiers du côté français.

— Ainsi Londres exigeait l'unique papier utile ? Et vous, sujet du roi, vous avez obéi à ces instances-là ?

— Croyez qu'elles étaient menaçantes. J'étais leur prisonnier et il était nécessaire que je leur démontrasse mon empressement pour pouvoir endormir leur méfiance.

— Et dénoncer la chose aux gens du roi ? L'idée ne vous a pas effleuré, honnête homme que vous prétendez être ?

— Rien, monsieur, ne vous permet d'affirmer que je me lâchai à trahir mon pays et favoriser l'Angleterre, ne connaissant d'autre roi à obéir que le nôtre, ni d'autre parti à servir que la France.

Bourdeau applaudit lentement.

— Ne rêvons pas ! Que vous fut-il demandé ?

— De récupérer le document qui permettait de lancer la manœuvre afin de compromettre un ministre important. Je m'en suis prudemment et sans succès ouvert à Tiburce Mauras, le fidèle valet de M. de Chamberlin. J'imaginai que, son maître mort, une honnête rétribution écarterait tout scrupule de sa part.

— Vous avez un usage exclusif et particulier du mot honnête. Ensuite ?

— Le reste ne fut pas de mon fait.

— Comment vous croire ? Qui est venu de nuit, ou plutôt qui a envoyé aux Porcherons fouiller la maison Ravillois, assassinant au passage un homme du roi ? Qui a fait agresser un commissaire de police dans une ruelle ? Qui a tenté de l'enlever ? Qui possède le Combat du Taureau ? Qui avait préparé une cellule pour recevoir des otages dans sa demeure de la place Dauphine, avec son entrée discrète et souterraine, quai des Morfondus ? Enfin, avec qui étiez-vous en conférence lorsque j'ai surgi dans votre bureau ? Nul doute, soyez-en assuré, que celui-là aussi, comme l'autre, parlera !

— Ce ne sont là que des facilités et moyens que je fus contraint de mettre à disposition de ceux qui avaient la main sur moi.

— Dans cette perspective, la mort de M. de Chamberlin est survenue fort à propos. Aurait-on accéléré la chose ?

— La maladie qui devait emporter le contrôleur général était connue. Il suffisait d'attendre. Ceux qui m'activaient ne souhaitaient nullement attirer l'attention de ce côté-là. En revanche, ils estimaient que, dans le désordre qui suivrait sa mort, tout serait facilité pour récupérer le traité.

— Comme tout cela est simple et plaisant à entendre. Comment vous en vouloir ? Cela se résume ainsi. Un pauvre notaire inexpérimenté joue avec les deniers de ses mandants. Il se ruine. Le limier anglais, attiré par cette odeur faisandée, s'approche et propose des services aussitôt acceptés. On offre ainsi à l'ennemi les moyens et occasions de récupérer un papier qui menace au plus haut les intérêts du royaume. Ne croyez pas, monsieur, vous en tirer à bon compte. Point d'indulgence pour les ennemis de la patrie et les traîtres. Et concevez bien que vous serez jugé secrètement. Allez, qu'on l'emmène, ôtez-le de ma vue.

Nicolas sortit de son habit une de ces lettres de cachet déjà signées auxquelles il suffisait d'ajouter la date et un nom.

— À la Bastille et au secret.

Gremillon lia derechef les poings du prisonnier et le prenant aux épaules le poussa vers la porte.

— Voilà une affaire rondement menée, dit Bourdeau.

— Reste que le document demeure introuvable et tant qu'il le sera, la menace pèsera de le voir resurgir.

XII

RABOUINE

« Si vous croyez savoir, vous ne savez pas. »

Lao-Tseu

Il était fort tard et pourtant la conversation allait bon train à l'hôtel de Noblecourt. Catherine s'affairait autour du maître de maison, de Nicolas, Bourdeau et Naganda. Semacgus était rentré à Vaugirard, non que l'envie ne le tenaillât de les accompagner, mais la pensée d'Awa seule, sans doute inquiète de son absence si tardive, l'avait emporté.

Les invités s'étant fait longtemps attendre, le couvert avait été, par exception, dressé dans l'office. Ainsi M. de Noblecourt aurait-il pu se coucher si la veille s'était par trop prolongée. À la demande de Nicolas, Pluton avait été gratifié d'un énorme os à moelle afin de récompenser la part qu'il avait prise au succès du jour. Les craquements du festin se faisaient entendre de dessous la table. Catherine, les poings sur les hanches, vitupérait les goujats tant attendus, de l'espèce de ceux, disait-elle, *qui font tourner les sauces et brûler les rôts.*

— Allons, dit Bourdeau, au lieu d'assoter son monde, madame Catherine ferait mieux de nous dire de quoi elle entend nous régaler.

— De radis que Boitevin a fait pousser dans notre botager.

— Oui-da ! De la croquille pour lapins ! Tu nous veux affamer !

— Quel animal ! Attends, bour voir. Et dire que je m'échine pour ce gosier-là !

— Alors, ma bonne Catherine, dit Nicolas la prenant par la taille et lui donnant un baiser, quoi de plus et de bon ?

— Ah, lui, il sait me brendre ! Je consens donc à répondre. Sachant que vous seriez en retard comme de juste et que j'aurais le temps...

— Oh ! La vilaine qui avoue sa mauvaise foi !

— Paix ! Salivez ! Vous goûterez ce soir une boularde roulée aux crêtes. Belle bête, mortifiée à raison, que j'ai lardée bellement.

— Point de mon poulailler, j'espère, dit Noblecourt. Je ne mange jamais les volailles qui m'ont été présentées.

On rit beaucoup et l'on remplit les verres vides d'une coulée d'un flacon de vin de Jasnières qui attendait dans son rafraîchissoir.

— Je l'ai désossée et farzie des blancs d'une de ses sœurs mêlés de lard et d'un peu de porc. À tout cela, j'ai ajouté mie de bain trempée dans la crème, épices à l'ordinaire et six œufs, les jaunes seulement, pour lier le tout. J'ai amoureusement couché cette ponne farze sur chaque moitié de la bête que j'avais fendue en deux, et puis roulé le tout dans une vieille cravate d'étamine fine de monsieur après l'avoir enveloppé de bardes, sans trop serrer car la viande gonfle en cuisson...

— Comment ! Ma cravate pour barder votre pou-
laillière momie ! On me le conterait que je ne le croi-
rais pas !

— Elle n'avait plus l'usage. Je l'ai ficelée, la boularde, comme une andouille.

— Point du tout, jeta Bourdeau, vous vous mésestimez, génie des potagers !

Il reçut un coup de torchon magistralement asséné.

— La prochaine fois le goutelas. Une bonne braise
a barachevé la chose que de ce bas je vais vous servir
avec un ragoût de crêtes.

— Tout nu ?

— Point. Avec des champignons et des truffes et
lié d'un coulis de veau. Vous ne le méritez pas !

— Revenons à notre affaire et examinons la cause.
Vous voici avoir fait le tour du cercle, il vous faut
maintenant pénétrer au cœur de la cible, dit Noblecourt dodelinant du chef. Vos affaires sont liées les
unes aux autres par un seul élément, ce fameux document détenu par feu M. de Chamberlin. Reste que
rien, sauf de fortes présomptions, ne prouve la véracité d'un éventuel meurtre et que, pour Tiburce,
aucune piste ne conduit à la précédente affaire.

— C'est pourquoi le retour de Rabouine nous tarde
tant. Ce sont les informations qu'il nous apportera
qui permettront, je l'espère, un rebond fécond dans
un sens ou dans un autre.

— C'est bégaiement d'essayer d'en dire plus long,
la matière nous manque.

Le vieux magistrat secoua la tête.

— Peuh ! C'est souvent le vide qui appelle le plein
et il n'est rien qui ne se règle par l'usage de l'inac-
tion. Laissez venir à vous la vérité. C'est un limaçon
qui ne montre ses cornes que tranquille ou affamé.

— Affamé, je le suis, gronda Bourdeau, au-delà de
toute mesure.

Catherine découpait la poularde d'où s'exhalait un appétissant fumet de truffes.

— Ah ! dit Noblecourt. Je vais profiter de l'absence de la Faculté.

Il tendit son assiette.

— Comment ! Point du tout. Je n'aurai pas le remords d'une crise que la richesse de mon plat déclencherait. Pour vous, une tranche du talon, croustilleuse, fine et sans farce. Cela suffira à vous donner l'idée de la chose.

— Voyez comme on me traite ! Je vais être contraint d'aller mendier une soupe au regrattier.

— Plus tendre que tendre ! Ce moelleux ! Et ces crêtes ! Saisies juste à point ! soupirait Bourdeau s'empiffrant.

— Le maréchal de Richelieu vous adresse ses bons sentiments.

Noblecourt se haussa et, toisant la compagnie, s'adressa à Nicolas.

— Voyez, messieurs, notre ami Nicolas. Il croit que je ne lis pas dans ses pensées. Quand je parle du duc il m'estime, si, si, ne vous en défaussez pas, saisi d'une crise de vanité que la fréquentation d'un grand susciterait chez moi. Et, en général, j'ajoute pour le mieux confirmer dans ses certitudes et, messieurs, du ton le plus dévotieux possible, *l'un des quarante de l'Académie française*.

Ils riaient tous à gorge déployée de cette facétieuse sortie, hormis Nicolas un peu confus.

— On ne saurait résister à votre perspicacité non moins qu'à votre mauvaise foi, subtil disciple du président de Saujac. Car, messieurs, certains propos de notre ami et la répétition de la *montre* de cette relation révoquent la sincérité de sa présente sortie.

— Ne vous ai-je point dit, garnement, gronda Noblecourt s'étranglant de rire, que je n'étais pas dupe des raisons de cette amitié-là ? Car il vous faut comprendre une chose. M. le duc de Richelieu appartient à notre haute noblesse, mais par raccroc !

— Par raccroc ?

— Pardi ! Il descend d'un M. Vignerot qui a eu l'honneur de marier une sœur du cardinal, celui-là la fierté de la famille et à l'origine de sa prodigieuse ascension. Aussi est-il d'autant plus grand seigneur qu'il ne l'est pas ! Il n'est que toléré chez les ducs et pairs ! D'où par ailleurs sa morgue et sa volonté ancrée de ne point déroger.

Nicolas, qui avait entendu vingt fois son père rapporter qu'un baron de Ranreuil avait combattu en 1242 à la droite de Saint Louis à la bataille de Taillebourg, eut un mouvement d'orgueil, dont il s'accusa aussitôt.

— Avec moi, il n'a point à user de ces pinceuses-là et nous causons, sans qu'il s'en rende compte vraiment, de Vignerot à Noblecourt ! Qui est dupe selon vous ?

— Ainsi, conclut Nicolas levant son verre, c'est le plein qui est vide.

Lundi 12 juin 1780

Après avoir salué Naganda, désormais dans l'urgente obligation de parfaire ses connaissances en cartographie, Nicolas gagna le Grand Châtelet. Il y trouva Bourdeau causant avec Rabouine, mal rasé et la mine hâve, mais dont les yeux brillaient d'excitation.

— Ah, t'avons-nous attendu ! J'espère que tu nous rapportes de quoi nous mettre sous la dent ?

— Tu seras satisfait, car je pense que j'ai ramené un coupable.

— Il serait temps ! Je t'écoute.

— Sur ton ordre, je suis parti à la poursuite du cortège funèbre de M. de Chamberlin. Après plusieurs aventures de route que je te passe, j'ai rallié Sézanne où la famille et leurs gens venaient d'arriver.

— Et sur place, comment as-tu procédé ?

— En ne faisant rien, justement. J'ai musé, flairé, regardé, écouté. J'ai avancé pas à pas dans les bonnes grâces du domestique.

— Et parmi eux, quelque accorte suivante ?

Rabouine prit un air innocent.

— Comment l'as-tu deviné ?

— Je te connais trop bien. Mais poursuis sinon nous n'arriverons pas au port.

— Elle me vint visiter dans l'auberge où je créchais et dès le premier coup... de matines, elle se mit à jaser. Oh ! me dit-elle, c'est une drôle de famille. Il ne fallait pas être grand sorcier pour le comprendre. Chacun mène sa vie de son côté. Monsieur ne fréquente pas la chambre de madame qui, elle... mais, là, elle a refusé de m'en dire davantage, j'ai dû lui chanter toute ma collection de rapsodies et, ce faisant, je l'ai acculée à...

— Passe, passe, nous te croyons sur parole. Tu t'es donné bien de la peine ! Et alors, elle s'est abonnie ?

— Hé ! Entre deux carillons, elle m'a parlé du fils aîné, un escogriffe qui l'avait poursuivie sans qu'elle s'en laissât conter...

— Tu as eu de la veine qu'elle ne rôtisse point le balai, dit Bourdeau sarcastique, le godelureau est poivré !

— J'espère que la garce ne m'a point menti sur sa résistance. Enfin, elle n'a pas laissé de me surprendre en me livrant ses soupçons sur Merlot, le commis homme de confiance de M. de Ravillois. Ce gueux lui avait manqué. Poussée dans ses retranchements, elle m'avoua, encore marrie, qu'elle avait le béguin pour lui, mais qu'il l'avait dédaignée quelles que fussent les avances qu'elle avait multipliées à son égard.

— Le dépit chez une femme peut conduire à la haine.

— Certes ! Mais elle a continué à dauber sur la chose, jusqu'à suggérer que Mme de Ravillois ferait la cabriole avec le susdit commis. Et les détails ont suivi !

— À ce point.

— J'ai beaucoup donné de moi-même.

— Nous voyons ! Mais tout cela ne met point de foin dans nos bottes, marmonna Bourdeau dont l'impatience croissait au fur et à mesure du dialogue et du récit.

— Il fallait bien dresser le tableau ! Pour le reste, j'ai obtenu par de nombreuses questions posées à bon escient aux cochers et aux valets des précisions qui m'ont conduit à d'intéressantes découvertes. Lesquelles j'ai recoupées dans les relais de poste du chemin.

— Il était folâtre, le voici compendieux ! Au fait, au fait !

— Mais, monsieur l'inspecteur, si je vais au fait vous ne comprendrez rien et vous savez bien l'intérêt que Nicolas attache aux détails. Je reprends donc. Tiburce, le valet de M. de Chamberlin, avait accompagné le cortège dans une voiture séparée appartenant à son maître. Au premier relais, il constate un essieu rompu, je le dis avec un clin d'œil. Ne voulant pas abandonner la voiture il laisse partir la famille, déclarant qu'il la rejoindrait le lendemain. Mais à peine a-t-elle le dos tourné qu'il en profite pour louer un cabriolet et rejoindre Paris.

— Bon. Premier point qui recoupe nos propres constatations.

— On ne le reverra pas, et pour cause ! Quant au fils Ravillois, il avait la veille annoncé son intention de se rendre chez sa fiancée Yvonne de Malairie, à des lieues de là. Il disparaît lui aussi à ce même relais et ne fait retour que sur la route de Sézanne. J'ai enquêté sur cette équipée. Il n'a été vu chez sa promise qu'au petit matin. Il aurait déferré et sa monture blessée aurait été incapable de poursuivre. Il m'a affirmé avoir passé la nuit dans une ferme.

— Les essieux se brisent, les montures perdent le fer et deviennent bancroches. Quelle suite de circonstances et de coïncidences !

Nicolas paraissait perplexe.

— Je n'aime point ces recoupures-là. Quelle était la robe de cette monture ?

— Blanche. Je l'ai vue dans les écuries du château des Malairie. À Sézanne il avait un hongre isabelle.

— Cela ne signifie rien…, murmura le commissaire se parlant à lui-même. Ensuite ?

— Il me fallait voir les choses de plus près. Avec l'aide de ma coquine, j'ai pu pénétrer dans le lieu et fouiller en détail les appartements du château de famille. Je profitai des soupers pour le faire. Je ne trouvai rien qui nous fût utile, quand…

— Tu découvris quelque chose !

— Point si vite ! Un soir, alors que je lutinais ma belle dans les écuries, mon attention fut attirée par la selle et les sacoches d'Armand de Ravillois. Ah ! Du meilleur cuir. Au luxe de ses accessoires, on voit bien une famille de qualité ! Pris de je ne sais quelle curiosité, je m'approchai et fouillai les dites sacoches. Soigneusement dissimulés sous des chiffons tassés, je tombai sur deux papiers que voici et sur un petit vase.

Sorti de son habit, il le brandit triomphalement et tendit deux plis froissés que Nicolas ouvrit avec fièvre.

— Alors, dit Bourdeau, c'est ce que nous cherchons ?

— Point, hélas ! Il s'agit du dernier testament de feu M. de Chamberlin et du double du document désignant M. Patay, son ami, comme exécuteur testamentaire. Quant au vase c'est le céladon manquant.

— Rien qui nous puisse aider !

— Si fait ! Le nom de l'héritier.

— Qui est ?

— Charles de Ravillois, le fils cadet et le petit-neveu préféré de M. de Chamberlin.

— Que nous apporte cette information, selon toi ?

— Elle nous interroge. Pour quelles raisons M. de Chamberlin a-t-il modifié ses dernières volontés et privé sa nièce du bénéfice de son héritage ? Il faudra trouver une réponse à cette question-là.

— Et ?

— Cette modification, si soudainement suivie par son trépas, en a-t-elle été la cause ?

— Bon. Et que fis-tu ensuite ?

Rabouine prit un air faraud.

— Je l'ai arrêté et ramené à Paris. J'ai usé du blanc-seing que tu m'avais confié. Armand de Ravillois est ici dans une cellule aux bons soins du père Marie qui l'a recommandé au geôlier pour les précautions d'usage.

L'image d'un vieux soldat de Fontenoy jadis trouvé pendu dans sa cellule passa comme un fantôme.

— Alors, qu'attendons-nous pour le faire monter ?

Pensif, Nicolas regarda Rabouine sortir du bureau. Il l'avait connu fort jeune à son arrivée à Paris. Ce monde était par trop injuste qui laissait un enquêteur de cette qualité végéter en tant que mouche. Ses talents eussent mérité un autre sort. L'exemple de Gremillon lui revint en mémoire. Leur situation était pourtant très différente. Il se promit d'y réfléchir et de prendre conseil auprès de Bourdeau.

Armand Bougard de Ravillois entra. Son arrestation et la cellule du Châtelet n'avaient en rien abattu la morgue du jeune homme. Cheveux châtain tirant sur le blond, les traits fins et le teint pâle, il se tenait droit devant les policiers, les mains serrant le revers de sa redingote de piqué vert amande. Nicolas jeta un regard circonspect sur les hautes bottes de cavalier que le jeune homme tendait ostensiblement aux regards.

— Monsieur, nous n'avions pas eu l'occasion de nous rencontrer aux Porcherons, je suis…

— Je sais qui vous êtes, on m'a prévenu. J'exige de voir mon père. Il pourrait vous en cuire.

— Je doute, jeune homme, que vous soyez en mesure d'exiger quoi que ce soit et d'user de cette hauteur de ton. Vous êtes arrêté et au secret. De moi seul, commissaire du roi aux affaires extraordinaires, dépendra votre sort. Vous ne sortirez de ce cachot que coupable ou innocent.

— Mais à la fin, de quoi suis-je accusé ?

— Nous commencerons par un interrogatoire des plus précis. Je vous invite, si vous êtes de bonne foi, à y répondre avec la plus grande sincérité et l'exactitude la plus pourpensée.

— Et si je refuse ?

— L'innocent que vous prétendez être ne saurait s'en tenir à cette attitude. Nous avons tout le temps. Vous demeurerez emprisonné aux conditions les plus rigoureuses tant que persistera votre silence.

Il paraissait que le jeune Ravillois accusait le coup des propos de Nicolas.

— Monsieur, vous souvenez-vous de la soirée durant laquelle votre grand-oncle est mort ?

— Certes.

— Il y avait grand souper auquel était convié M. de Besenval. À un moment il a souhaité qu'on lui présente des vases céladon de grand prix auxquels il s'intéressait. Votre père, M. de Ravillois, vous a prié de monter dans la chambre de M. de Chamberlin pour les prendre. À quelle heure ?

— Il m'est impossible de le préciser. Après dix heures peut-être ?

— Sauriez-vous être plus précis ?

— Non ! C'est le cadet de mes soucis de consulter l'heure à tout moment.

— C'est regrettable pour vous. Vous êtes donc entré dans la chambre. Comment avez-vous trouvé votre grand-oncle ?

— Il paraissait somnoler. Je n'ai pas souhaité le déranger... D'autant plus...

— Que ?

— Que nos relations n'ont jamais été affectionnées et qu'il ne cessait de me reprocher ce qu'il nommait mon inconduite.

— Les courtines du lit étaient-elles tirées ?

— Je crois.

— Alors comment avez-vous constaté qu'il dormait ?

— Je l'ai sans doute supposé.

— Supposé ? Et pourquoi n'avoir descendu qu'un seul des vases céladons ?

— Que sais-je ? J'avais sans doute peur de les briser si je m'embarrassais des deux.

Nicolas lui montra le céladon.

— Est-ce celui-ci ?

— Il lui ressemble.

— Vous n'avez rien dérobé, enfin, je veux dire, pas pris autre chose dans cette chambre ?

— Rien ! Que vouliez-vous que je prenne sous le regard du vieillard ?

— Ainsi il vous pouvait voir ?

— Vous m'embrouillez. La chambre était obscure…

— Soit. Est-ce à dire que s'il avait été absent ou… mort, des tentations auraient pu vous effleurer ?

— Peut-être… Voyez, je ne vous dissimule rien. Je suis criblé de dettes… Cette situation aurait pu justifier… Mais ce ne fut pas le cas.

Nicolas regarda Bourdeau. Ils pensaient tous les deux la même chose de cet aveu. Soit le prévenu faisait preuve d'une étonnante franchise ou bien cette apparence de candeur n'était que fallace pour leur donner le change et ancrer dans leur esprit la certitude de sa sincérité.

— Je vous prie, monsieur, de tenir votre botte droite.

— Comment ! Et pour quelle raison ?

— La raison que je vous le commande. L'inspecteur va vous aider.

Armand de Ravillois s'assit sur un escabeau, le dos à la muraille. Il leva la jambe. Bourdeau saisit le pied de la botte et après quelques efforts la tira. Nicolas, qui avait sorti l'empreinte recueillie dans la chambre de Tiburce, la compara. Elle était identique.

— Que signifie ? demanda le jeune homme.

— C'est un élément qui fonde de graves présomptions sur la réalité de votre présence sur le lieu d'un assassinat.

— Quel assassinat ? Il y a peu vous me parliez de mon grand-oncle. Je connais les questions que vous avez posées à ma famille sur les causes de sa mort. Et sachez que le bon goût implique de ne point porter de bottes au souper.

Sa bouche se crispa dans une moue dédaigneuse.

— Le vieux bois vermoulu du lit qui s'effondre, ajouta-t-il. Ah ! Le bel assassin que voilà.

— Vous vous égarez. Il ne s'agit pas de M. de Chamberlin, mais de son valet, Tiburce Mauras, assassiné aux Porcherons.

Si la surprise du jeune Ravillois était jouée, elle touchait à la perfection.

— Tiburce ? Comment est-ce possible ?

— Cela vous étonne ? Vous peine ?

— Certainement pas. Je méprisais le bonhomme. C'est à tort que mon grand-oncle le tenait en haute estime. S'il avait su…

— Nous vous écoutons. Quels faits nourrissent chez vous une telle animosité ? Vous n'êtes point pourtant du genre à porter les yeux sur le domestique.

— À condition qu'un valet ne se mêle pas de mes affaires.

— Car Tiburce s'intéressait aux vôtres ?

— S'il n'avait fait que cela !

— Alors vous allez nous conter vos déboires avec lui par le menu. Je vous y engage.

— Au point où j'en suis… En un mot, je joue, je perds plus souvent que je ne gagne et j'ai des dettes. Je ne sais comment, Tiburce a appris mes difficultés et, bon apôtre, m'a proposé son aide. Il faut croire qu'il dispose du superflu. Bref, il m'a prêté des sommes importantes et m'a fait signer des billets dont les délais allaient venir à expiration.

— Et que vous vous trouviez dans l'impossibilité d'honorer ?

— Et pour cause ! C'est la raison pour laquelle je me suis rendu chez ma fiancée. Au petit matin…

— Pourquoi si tard ?

— Ma seconde monture a déferré, de trois fers. Ce qui n'est pas banal, le maréchal l'a remarqué. Donc, j'ai dormi sur place, car il faisait nuit.

— Qui s'est occupé du cheval frais au relais ?

— Un domestique... Tiburce, je suppose. Mon grand-oncle mort, il demeurait néanmoins au service de la famille. C'est en tout cas lui qui m'a tenu la bride.

— Le nom de l'endroit où vous avez passé la nuit ?

— Croyez-vous donc que j'y ai pris garde ?

— Voilà qui est des plus commodes, ma foi !

— C'est pourtant la vérité. Au petit matin, je me suis jeté aux pieds du père d'Yvonne pour le supplier, en vain rassurez-vous, de venir à mon aide et de m'avancer les sommes dues. Sinon les billets allaient être jetés au public, mes dettes dénoncées et notre nom déshonoré.

— Que ne l'avez-vous demandé à votre père ?

— En vérité, il est ruiné et il n'attendait que la mort de mon grand-oncle et l'héritage dont ma mère devrait bénéficier pour la dépouiller. Cela, et la dot de ma future épouse, car il était entendu que j'en distrairais une part pour aider mon père à rétablir ses affaires.

— Avez-vous lu le testament de votre grand-oncle ?

— Non, comment aurais-je pu le faire ?

— On l'a trouvé dans votre sacoche.

— Je m'échine à vous prétendre le contraire ! Il était de notoriété que ma mère, adorée par son oncle, hériterait de tous ses biens.

— Votre grand-oncle réprouvait votre prochaine union avec Mlle de Malairie.

— Vous l'affirmez ! De fait, personne ne l'ignorait.

— Pourquoi détestez-vous votre frère Charles ?

— Je ne le déteste pas. Il m'est indifférent. Il s'est toujours plaint que je le maltraitais. C'est faux.

C'était pour lui manière de se faire cajoler par notre mère. Il n'aurait tenu qu'à lui que nous soyons amis.

— Revenons aux faits. Comment se fait-il, selon vous, qu'on ait retrouvé dans vos sacoches, outre le dernier testament de M. de Chamberlin, un document signé de sa main et le pendant de la paire de céladons qui se trouvait sur le bureau de sa chambre ?

Il répondit en regardant Nicolas droit dans les yeux. Ce n'était là, songea celui-ci, aucunement la preuve d'une sincérité. Mille exemples prouvaient aisément le contraire. C'était le moyen le plus en usage pour assener des faussetés.

— J'ignore tout de ce que vous avancez. Je n'ai rien dissimulé dans mes sacoches.

— Bien. Comment se fait-il qu'on ait trouvé dans la chambre de Tiburce des empreintes de vos bottes ? Et d'ailleurs, où sont vos éperons ?

— On les lui a retirés à son arrivée ici, dit Rabouine.

— Monsieur, des bottes, j'en ai des dizaines de paires. On distribue celles qui sont usagées. Et une botte à ma pointure, vous en découvrirez plus d'une à Paris !

— Ainsi vous niez tout de la réalité de ces constatations qui nourrissent contre vous bien des présomptions.

— Bottes, papiers, vases, veaux, vaches, cochons, couvées, je n'en ai cure. Il paraît trop évident que vos gens ont ménagé cela contre moi pour m'impliquer dans des affaires qui me sont étrangères.

— Vous ne savez que trop que cela est faux.

— Monsieur, pour la dernière fois, je vous affirme que je suis innocent de ce dont on m'accuse.

— Mais pour le moment, vous n'êtes accusé de rien. Nous causons.

— Je vous donne ma parole de gentilhomme…

— De gentilhomme, monsieur, dit Bourdeau. Où avez-vous vu jouer cela ? Un fils perverti de robin peut-être ?

Rabouine n'eut que le temps de ceinturer le jeune homme qui s'était jeté sur l'inspecteur.

— Monsieur, reprit Nicolas, la colère n'est pas bonne conseillère dans votre situation. Et votre attitude ne laisse pas d'augurer les risques dans lesquels votre violence peut vous précipiter. Reprenez votre calme. On va vous reconduire dans votre cachot. Réfléchissez-y. Nous nous reverrons bientôt. Sachez cependant que nous n'avons contre vous rien de personnel et que c'est la justice du roi qui parle par nos voix.

Nicolas et Bourdeau demeurèrent un long moment silencieux après la sortie du jeune Ravillois.

— Quel est ton sentiment ? demanda Nicolas après un temps.

— Un petit coq arrogant des plus crêtés qui a le toupet de nous offrir les éléments pour le confondre.

— C'est bien là ce qui m'inquiète. Et s'il était sincère ? Il faudrait vérifier les horaires. A-t-il eu la possibilité de revenir aux Porcherons durant la soirée ?

— Je ne dis pas pour les bottes, il y a du vrai dans sa repartie, mais le testament, mais le céladon ? Que demandes-tu de plus ? Pour le parcours on va vérifier.

Au moment où Nicolas s'apprêtait à répondre aux objections de l'inspecteur, le père Marie surgit, secouant la tête d'un air incrédule. Une dame, et ce disant il pouffait, demandait à parler sur-le-champ au commissaire, ayant de graves révélations à lui faire. Elle était d'ailleurs, affirmait-elle, fort connue de lui – et de tous, marmonna-t-il – et l'énoncé de son nom suffirait à l'introduire.

— Est-ce le moment ? dit Bourdeau grondeur.

— Et son nom ?

— Tu n'imagines pas, c'est la Paulet, jeta l'huissier d'un ton dépréciateur.

— Que veut-elle ? Tu vas perdre ton temps.

— J'ai quelques raisons de ne la point congédier. C'est une vieille amie et ses avis ne sont point à négliger. On ne doit pas faire attendre les dames et surtout celle-ci. Fais-la monter.

Un long moment après il y eut comme une rumeur de soufflet de forge, puis le bruit d'une démarche traînante précédant l'apparition d'une tour de tissus. Dans cette machine ils reconnurent l'ancienne tenancière du *Dauphin couronné*, pour l'heure maîtresse des lames et des arcanes du faubourg Saint-Honoré. Le bureau de permanence devint soudain trop étroit. L'amoncellement de satin rose, orné de dentelles et de fleurs brodées, entra dans un bruissement de tissus éraillés et de baleines forcées. L'ensemble se déploya enfin dans un crépitement d'élytres. Sa masse emplit le bureau et avec elle les remugles des parfums composites dont elle était imprégnée à outrance. La maquerelle reconvertie posa contre le mur une canne enrubannée.

— Chère Paulet, dit Nicolas, lui prenant ses deux mains boudinées pour y déposer, à la grande surprise de Bourdeau, un baiser. Soyez la bienvenue ! Pierre, avancez une chaise.

Elle n'avait pas repris son souffle et poussait de petits cris ravis. Elle s'effondra sur le siège qui craqua sous son poids.

— Ouf ! Cet escalier… euh… bien… raide.

— Prenez votre temps.

— Tu connais quel changement a pris ma vie. Tu sais qu'après avoir procuré les plaisirs de Vénus à la cour et à la ville, un mystérieux mouvement m'a fait troquer cet incertain négoce contre celui de maîtresse des oracles…

L'éloquence du ton de la Paulet ne laissait pas de surprendre le commissaire. La fonction créait-elle l'organe ?

— Savez-vous, dit-il, chère Paulet, que j'ai éprouvé les effets de la sagacité de votre divination et que je vous en sais fort gré.

— De quoi tu causes ? J'en ai point souvenance. Dans ces moments-là, je ne suis point moi-même. J'ai des vapeurs et des vertiges. Tu es bien mignon de me remercier. C'est pas toujours le cas ! En v'là de la pommade !

Dans le visage mafflu, cerné d'une perruque blonde, qui semblait posé sur cette énorme masse rose, les petits yeux inquisiteurs fixaient Nicolas. Il se rassura, la vieille Paulet revenait au galop à son habituel bagout.

— Voilà ce qui m'amène. M'avais-tu point retournée de questions sur la caillette qu'on nomme la Lofaque ?

— Oui. Tu as du neuf sur elle ?

— Et comment ! v'là-t-y pas qu'elle surgit hier soir à l'heure de mon ratafia pour, prétend-elle, me consulter sur son avenir. Ton avenir, ma fille, que je me dis, tu l'aurais devant toi si, au lieu de cracher sur mes avis et de faire la sucée, t'les avais écoutés. Fais attention, la Paulet qu'je me susurre. Pourquoi qu'elle me tanne et quoi qui la pousse à m'interroger ? Hein ? On n'a jamais tripoté ensemble.

— Et alors ?

— Alors tu me connais. Je fais la bonne caille et prends l'air intéressé, feignant de bâiller aux couches.

— Aux mouches.

— Tu ne changeras jamais ! Mouches, couches, touches, je m'en fous comme de Jean de Vert !

Écoute le principal au lieu de gober aux intérêts ! Bref, la Lofaque me supplie de l'aider. Toute une tablature, des dents qui grincent, des roulements d'yeux. J'lui dis *Ma fille, il faut d'abord faire reluire l'outil.* Elle allonge un louis. Et voilà qu'elle ajoute *Ce n'est point pour moi, c'est pour mon amant.* La Paulet qu'aime pas qu'on la lui joue lui répond qu'elle travaille point pour les greluchons, que ceusses qui veulent savoir n'ont qu'à se présenter. V'là-t-y pas qu'elle se lâche en furie, sort de ses gonds et me traite d'un veux-tu, en v'là ! Furieuse, j'étais en passe de lui foutre la pelle au cul[1] quand elle s'effondre tout en sanglots.

Tiens, se dit Nicolas, pour le coup la rechute est complète ! Ce mouvement de surprise n'échappa point à la Cassandre du faubourg.

— Tu me connais. J'la requinque à traits de bonnes paroles et de lampées de ratafia. J'la somme de s'expliquer. La v'là qui débagoule tout, un conte dégoisé qu'une veillée aurait avalé bouche bée ! Toujours la même histoire. Elles s'entichent d'un greluchon pour le plaisir, pour mieux supporter les autres, ceux du négoce quotidien. J'la dépiaute peu à peu. Rage, pleurs. J'te regrince ! S'avère que son coquin taillait p'têt' ben sa tablette, mais point la route. Depuis des jours il tirait sa bordée avec peine, tout *démentulé* qu'il était.

Elle lui lança une œillade salace.

— Bref, le trouvant décidément peu gaillard, le soupçon la prend et la jalousie suit. Décidée à la mettre à blanc[2], je gagne à ce qu'elle me chante le menu.

— Vous avez toujours su mettre le monde à l'aise.

Elle eut une moue suspicieuse.

— Comment j'le prends ? Bref, elle ne m'a pas mâché la châtaigne. Le bougre lui bouffait et le gigot et l'os. Pour qui, pour quoi ? Elle enrage, le file, l'espionne, le fouille, le resuit et le perd. Depuis des jours plus de Jacques. Du coup elle se mange le sang, se pétrit d'angoisse, se furibonde et décide de venir consulter. Bon. Là-dessus je bats mon paquet. Tu sais, le tarot ne saurait mentir, enfin quand il veut bien dire quelque chose. Là je ne croyais pas trop à ce qui allait en sortir. La prédiction exige la crise.

— Tes scrupules t'honorent. Et la suite ?

— Ne me saboule[3] pas.

Elle s'adressa à Bourdeau d'une voix mourante.

— *On a beau le prier,*
On ne rencontre en lui qu'un juge inexorable.

— Peste ! On nous a changé notre Paulet. Où êtes-vous allé prendre cela ?

— J'aspire désormais, minauda-t-elle, à orner mon art des formes qu'il requiert. T'as reconnu des vers du Corbeau ?

— De Corneille, voyons !

— Voilà ! Toujours il me bafoue. Qu'importe l'emplumé, c'est verjus et jus vert.

Elle feignit de bouder. Une larme s'échappa, emportant mêlés du noir, du blanc et du rouge.

— Pour en finir, j'me mets en mesure. Enfin c'te mesure pour une garce comme elle. Faut que j'aime pour une vraie crise. Alors là je commence à *palino-der*. Je cause de ce qui me vient par la tête en roulant des yeux blancs. J'entends des chevaux dans la rue. Ça m'inspire, j'me lance : *Des chevaux, des chevaux, cheval anglais, mille cinq cents livres. Du feu ! Le frison, il a la morve. Voleur, voleur, tu me le paie-ras !*

Elle lui coula un regard aiguisé.

— Ainsi, constata Nicolas, étiez-vous bien consciente et en train d'empaumer la pauvre d'un conte de votre invention ? Le tout, j'imagine, drapé de soupirs, hoquets, yeux tournés et jambes trépidantes.

Vous voici revenue au bon vieux temps où vous donniez dans le théâtre.

Les bajoues de la Pythie du faubourg remontèrent dans une grimace de dépit.

— Plains-toi ! J'aurions pu ne point venir…

— Seulement vous êtes là ! Et j'attends la suite de votre affaire.

— Faut que tu saches, jeta-t-elle l'air dépité, que, pour toi, j'avais point mimé. C'était du sonnant et du trébuchant.

— Je le sais.

— Alors ? demanda Bourdeau que cette mine de connivence agaçait.

— Alors ? repartit la Paulet. Qu'avais-je fait là ? Quel marmot qu'j'avais croqué ? À m'entendre, elle se mit à pousser des cris d'or frais…

— Encore un oiseau !

— Comment ?

— Rien, poursuivez.

— Et les cris et les hurlements de revenir. J'avais apparemment mis le doigt là où que ça faisait mal. Je m'apitoie et, bonne fille, j'la console et la cajole. Elle finit par m'avouer que j'avais dit la vérité, qu'elle savait bien où se trouvait son friponneau. Qu'il avait quelque mauvaise affaire sur le dos, rapport sans doute aux dettes qui l'accablaient, qu'il s'était battu avec un créancier, l'avait blessé et pour l'heure s'était réfugié dans la soupente d'une maison près du Marché aux Chevaux à la barrière Saint-Victor. Tu comprends que les cavaleurs entrés dans mon jeu et le sang l'ont convaincue de la vérité de mes jasements.

— Mais, remarqua Bourdeau, que venait-elle te demander puisqu'elle savait tout ?

— Justement, elle voulait s'en tirer et me venait demander protection. Elle était lasse de cette vie-là. Elle avait entendu d'anciennes pensionnaires à moi parler de la vie douce que je leur menais. Moi, qu'je lui ai dit, j'ne suis plus au service.

— Presque plus.

— Non, non ! Mon nouveau négoce suffit à ma peine. Je refuse les demandes. Son godelureau hors d'état et menacé et son vieux dont elle est sans nouvelles, tout cela la révolutionne.

— Et que lui avez-vous conseillé ?

— De partir loin, de quitter Paris. De se refaire une position à Brest, à Lorient, à Cherbourg où la guerre conduit les officiers. Avec son minois et un peu d'habileté, elle trouvera vite chaussure à son pied.

— C'est raison de lui tenir ce langage-là. Vous a-t-elle donné des précisions sur l'endroit où gît le lièvre ?

— Je comprends, dit-elle avec un fin sourire, ce n'est plus des oiseaux, c'est du gibier pour l'heure ! La maison contre le pavillon qu'ton Sartine avait fait bâtir pour la police du Marché aux Chevaux, dans la rue qu'on nomme maintenant, tout change, rue du Jardin du Roi.

La Paulet fut remerciée et conduite avec tous les égards vers un fiacre qu'un *vas-y-dire* était allé quérir. Bourdeau et Nicolas confrontèrent leurs sentiments. Rien ne devait être laissé de côté, non que l'amant de la Lofaque soit en rien impliqué dans les enquêtes en cours, mais il n'en demeurait pas moins qu'il était l'acteur principal des séances vicieuses que l'honorable Tiburce organisait avec sa maîtresse. Son témoignage pouvait apporter des lumières inattendues sur la vie secrète du valet de feu M. de Chamberlin. Il fut décidé de pratiquer avec prudence. Tirepot, toujours présent dans les ruelles qui entouraient le Grand Châtelet, serait envoyé en enfant perdu afin de vérifier avec ses moyens propres si le garçon tabletier était toujours dans sa cachette. La ville n'était pas si calme qu'on pût sans dommage déclencher des opérations de police dans les quartiers populaires où l'émotion pouvait éclater brutalement. L'exaspération suscitée par les événements du cimetière des Innocents retombait peu à peu. Il convenait de ne point ranimer des braises encore chaudes. Bourdeau, Rabouine et Gremillon, secondés par des exempts, se chargeraient de surprendre l'intéressé et de le ramener sans tapage au bureau de permanence où son interrogatoire commencerait sans désemparer.

Bourdeau alla trouver Tirepot, laissant Nicolas seul et songeur. Il se mit à réfléchir au destin étonnant de la Paulet. Il la connaissait depuis toujours. Elle se confondait avec beaucoup d'aspects d'une ville qu'il aimait, y compris dans ses difformités. La première fois qu'il l'avait croisée, pouvait-elle avoir cinquante ans ? Qui le savait ? Peut-être pas elle-même. Aujourd'hui elle paraissait tutoyer la vieillesse dont elle présentait depuis longtemps déjà, en dépit des artifices, le visage. Comment la considérait-il ? Il l'imagina jeune fille jetée dans le creuset de la ville et parcourant la carrière de la galanterie. Comment et au prix de quels efforts avait-elle guidé sa barque jusqu'à la possession du *Dauphin couronné* ? Toujours en deçà de ce qui aurait pu la conduire dans les maisons de force ou à Bicêtre, entretenant avec la police ces relations obligées et ambiguës, tempérées avec lui par l'absence de contreparties et de corruption, elle s'était maintenue coûte que coûte. Elle appartenait à ces portées malsaines qu'engendrait la capitale du royaume, ce léviathan insatiable. Y survivre équivalait à pactiser avec le diable, un peu, beaucoup, par accès… Et peut-être lui-même aussi… Elle ne s'en était pas si mal sortie ! Maligne, habile à tisser sa pelote, image du vice tempéré par des qualités de compassion et de bonté dont elle usait à bon escient... Les filles qui avaient subi sa direction experte étaient sorties de ses mains avec regret. À sa manière et contrairement à beaucoup de ses semblables à Paris, la Paulet avait été presque maternelle avec elles.

Nicolas était loin d'oublier son affection fidèle pour la Satin et pour Louis. Il mesurait sa force de fidélité et de droiture. Cette femme, réceptacle de tant de secrets honteux, avait tenu à honneur, le mot n'était pas trop fort, de se taire, de sceller ses lèvres à tout jamais, de garder comme un sacrement les circonstances de la naissance de son fils.

Les déboires amoureux qui l'avaient agitée sur le tard apportaient encore une touche d'humanité à celle qui, comme tant d'autres, n'avait pas été épargnée par le siècle. La pensée de la vieille Émilie lui traversa l'esprit. Enfin ses multiples tentatives pour échapper à la malédiction de sa condition et le rôle étrange, et d'évidence bénéfique, que le destin lui avait depuis peu départi, ne laissaient pas d'interroger sur la nature profonde de la Paulet. Qui pouvait lui jeter la première pierre ? Au fait, elle méritait bien un peu qu'on lui baisât les mains.

XIII

JUSTICE

« On n'est pas moins injuste en faisant ce qu'on doit
faire, qu'en faisant ce qu'on ne doit pas faire. »

Marc Aurèle

Nicolas, à qui l'attente pesait et qui souhaitait
mettre ses réflexions en branle par une bonne marche,
sortit du Grand Châtelet. Il se sentait soulagé de
n'avoir plus à appréhender des menaces que la mise
hors d'état de nuire du notaire et de ses complices
avait sans aucun doute dissipées. Guilleret, il traversa
la rue de la Triperie et enfila celle de la Joaillerie. La
perspective de Saint-Jacques-la Boucherie lui donna
l'idée de monter dans le clocher, exercice qui lui
permettait d'échapper aux miasmes des rues et de dominer la ville. À son entrée dans l'église, deux impressions contraires s'emparèrent de lui, la fraîcheur du
lieu mais surtout la puissance des émanations méphi-
tiques qui montaient du sol. On continuait à enterrer
dans l'église même et les nombreuses corporations
qui y possédaient une chapelle tenaient à honneur que

leurs membres fussent portés en terre dans la crypte. Pour l'avoir maintes fois visitée, il connaissait la porte qui permettait d'accéder à la tour. Il parvint un peu essoufflé au niveau des cloches et de la charpente. S'approchant d'une croisée ouverte sur le vide, il y appuya son front ; la fraîcheur de la pierre le surprit. Il contempla la ville.

Au milieu du jour, tout miroitait sous le soleil. La Seine tranchait sur l'ensemble, grande trace mordorée bordée de grèves délavées. Le pinceau de son dessin s'était-il écrasé sur ses marges ? Elle accueillait des kyrielles d'embarcations, frêles annexes du vaisseau de la cité. Pataches, barges, bacs, voiliers, moulins flottants ou établissements de bains-pontons s'y pressaient. Les maisons identiques du pont Notre-Dame et du Pont-au-Change paraissaient des cartes à jouer appuyées les unes aux autres et qu'un souffle eût abattues. Une ligne continue de petits nuages progressait, voilait les rayons de l'astre en faisant passer sur la ville comme l'ombre d'une faux. Où que se tournât le regard, il apercevait des milliers de fumées qui, même en ce début d'été, montaient des cheminées. Des forêts brûlaient dans les cuisines. Sous lui, la masse du Grand Châtelet figurait une bête tapie dans l'entrelacs des ruelles et des maisons, sans qu'à cette hauteur on parvînt à distinguer les unes des autres. Une rumeur, comme un grondement sourd de fauve, montait jusqu'à lui, parfois coupée de cris perçants, du claquement d'un fouet, du bruit métallique d'une forge, des cris des bêtes qu'on égorgeait. Tout n'était que splendeurs et horreurs cachées. Gulliver se penchait sur un monde rétréci et lointain, il considérait les petites silhouettes des Parisiens, fourmis qu'un revers de main aurait écrasées. L'insignifiance des choses et leur fragilité le frappaient. La camarde était là au

bout du chemin dans chacune de ces vies minuscules. La lancinante question *à quoi bon ?* résonna à
ses oreilles. Il tenta d'échapper au malaise qui le
poignait, reprit son souffle et porta ses yeux sur le
lointain vaporeux qui frémissait dans la chaleur du
jour.

Au-delà de la cathédrale, des palais et des clo-
chers, le regard butait sur l'armée ailée des moulins
qui encerclait Paris. La masse de Bicêtre barrait
l'horizon comme une menace. Les hauteurs d'Ivry
figuraient un vert paradis inaccessible. Il essaya en
vain de distinguer le jardin du duc de Croÿ, visité
peu de semaines auparavant, sous la conduite d'un
hôte qui s'inquiétait de savoir si ses fruitiers *nei-
geaient*, gage d'une féconde saison. Du côté de
Meudon et de Sèvres, des nuages d'encre montaient,
zébrés d'éclairs. Il perçut les roulements assourdis
du tonnerre comme l'écho de quelque lointaine
bataille. Qu'apporterait le témoignage de l'amant de
la Lofaque ? Il délibéra longtemps avec lui-même,
se remémorant tous les détails touchant la personna-
lité et les circonstances de la mort de Tiburce Mauras. Soudain un détail oublié s'imposa et, alors que
l'orage se faisait plus proche, il entrevit une issue et
descendit quatre à quatre autant que le permettait
l'étroit escalier de la tour Saint-Jacques.

Peu de temps après son retour au bureau de permanence, Bourdeau et Rabouine reparurent. Il entendit
dans la galerie des vociférations et des injonctions
d'exempts.

— Est-ce notre oiseau qui fait tout ce tapage ?

— Et qui serait-ce ? Il n'a point cessé depuis qu'on
lui a mis la main dessus. Tirepot, qui te salue bien, a
finement manœuvré à son accoutumée. S'introduisant
dans la place, il n'a pas été long à dénicher notre
homme. Après examen des lieux, nous lui avons

sauté sur le râble. Et sais-tu ce que nous avons découvert sous sa paillasse ?

— Un objet qui illustrerait ses relations avec
Tiburce Mauras ?

— Ça ! Comment as-tu deviné ?

— J'ai eu la tête dans les nuages et j'ai contemplé
les fourmis.

Bourdeau fit une telle mimique que Nicolas éclata
de rire.

— Ce sont les grâces d'un pèlerinage… Allons,
dis-moi ce que tu as trouvé.

Bourdeau sortit de sa poche son mouchoir noué
aux quatre coins paraissant contenir des vestiges qui
s'entrechoquaient au mouvement et laissaient
entendre un bruit de pierre.

— Encore des agates ?

— Non, des fragments d'un vase céladon brisé.

— Voilà qui devient de plus en plus intrigant.

— Ce n'est pas tout. Le garçon avait dans sa
poche l'adresse d'une boutique qui vend des chinoiseries rue du Roule. Sans doute le voulait-il vendre
et l'a-t-il cassé avant de mettre son dessein à exécu
tion.

— Qu'on le conduise ici ! Nous l'allons interroger.

L'inspecteur appela, il y eut comme un bruit de
lutte. Puis deux exempts entrèrent en tourbillon,
tenant un jeune homme, les mains liées, qui se déme-
nait en proférant d'obscures menaces.

— Qu'il se tienne tranquille, dit Bourdeau. Attachez-
le sur cette chaise.

Ce ne fut pas une mince affaire, mais elle donna
loisir au commissaire d'examiner le garçon tabletier.
L'homme était jeune, loin encore de la trentaine. De
prime abord il offrait une impression ambiguë.
Grand, taillé en force, le poil noir, il portait la chevelure dénouée répandue sur les épaules. Le visage

régulier était contracté par la colère. Nicolas remarqua avec curiosité la tenue de l'amant de la Lofaque. Elle ne s'apparentait à aucun ordre de la société. Il ne portait point d'habit, ce qui devait expliquer la violence de sa prise de corps, mais une sorte de gilet-justaucorps de cuir clair sur une chemise de belle qualité dont la cravate de mousseline sale était dénouée. La culotte bien taillée et les bas de couleur blanche, peu usitée dans le peuple, accentuaient encore ce qu'il y avait de composite dans cette tenue complétée par des souliers de cuir gris à boucles d'or. L'homme leva sur Nicolas des yeux dont le blanc était injecté de sang.

— La peur vous empêche-t-elle de dormir, Jacques Meulière ?

Cela calma d'un coup la colère de l'intéressé qui en bégaya de surprise.

— Que... que... voulez-vous dire ?

— Rien de plus, rien de moins. Un souci paraît vous animer. Nous allons tous les deux converser en douceur. Pour commencer, qu'on le délie.

L'homme allait de surprise en surprise. Il se frotta les poignets et tendit les jambes, non sans laisser apparaître une imperceptible grimace de douleur qui n'échappa aucunement au commissaire.

— Alors, Jacques Meulière, mon ami. Pourquoi vous cachez-vous dans un grenier, rue du Jardin du Roi ? Est-ce-là attitude raisonnable ?

— Monsieur, répondit-il, défiant le commissaire, ce sont là mes affaires ! Et pour tout vous dire, un mari à qui j'ai fait pousser des cornes me recherche pour me faire un mauvais parti. J'ai préféré me cacher le temps qu'il se calme.

— C'est bien raisonné et sage, encore qu'affirmé sur un ton que je vous déconseille. Mieux vaut cela qu'un mauvais coup dans une rixe !

Le sergent Gremillon entra et fit un temps diversion. Il dit quelques mots à l'oreille de Nicolas et lui tendit un petit papier plié que le commissaire ouvrit et dont il examina avec soin le contenu.

— Reprenons. Donc vous étiez réfugié dans cette soupente. Et votre travail ?

— J'allais faire avertir mon maître.

— Le pauvre homme ! Il se languit de vous. Mais vous ne l'aviez pas encore fait, je crois ? Autre chose.

Il désigna les morceaux épars du céladon demeurés sur le bureau.

— Vous conservez des débris d'antiques dans votre poche ?

— Un vieux vase sans valeur que j'ai brisé.

Nicolas laissa passer un long silence, méditant l'étrange formulation.

— Et ? Et vous y êtes si attaché que vous le transportez avec vous ?

— J'en conservais les débris pour le faire réparer par un raccommodeur de porcelaines.

— Et cette adresse d'un marchand de chinoiseries, rue du Roule, dont j'observe qu'elle fut trouvée aussi dans votre poche ? Boutique superbe que je connais, des objets de la Compagnie des Indes, des laques du Japon et mille porcelaines chinoises montées sur bronze ou non, les plus chères qu'on rencontre sur le marché !

— Précisément, je comptais les interroger sur un artisan capable de refaire mon vase.

— Auquel vous teniez beaucoup, quoique sans grande valeur. Tout cela est d'une clarté aveuglante ! Sans aucun doute un souvenir d'une ancienne amitié ?

Le silence seul répondit à la question. L'homme transpirait d'une mauvaise sueur qui empuantissait l'air du bureau. L'inspecteur alluma sa pipe.

— Et pourquoi s'adresser à ce magasin alors que, rien que sur le Pont-Neuf, vous auriez sans effort trouvé une demi-douzaine de raccommodeurs ?

— Je ne saurais vous dire.

— Je ne peux l'imaginer à votre place. Autre chose, depuis quand vous êtes-vous retiré à l'affection de vos proches ?

— Quelques jours.

— Mais encore ? Savez-vous que la charmante Mlle Lofaque se plaint amèrement que vous la délaissez ?

— Je ne sais. J'ai dormi et bu. Cela m'a engourdi l'esprit.

— Pas seulement l'esprit, semble-t-il ! remarqua Bourdeau.

— Voyez-vous, j'aimerais beaucoup connaître votre emploi du temps durant la journée du mercredi 7 juin. Le mercredi de la semaine passée, n'est-ce pas ?

— Comment voulez-vous qu'il m'en souvienne ! Je ne tiens point le rapport de mes journées !

— Alors posons la question autrement. Quand avez-vous vu pour la dernière fois Tiburce Mauras, valet de maison bourgeoise aux Porcherons ?

— Je ne le connais pas.

La réponse vint trop vite.

— Ce n'est point ce qu'affirme votre amie, Mlle Lofaque.

— C'est la jalousie qui la travaille, la garce !

— Bon ! Il faut être poli avec les dames. Mais moi, je sais que depuis longtemps un couple de bonne venue offre parfois à un amateur curieux un spectacle qui fouette ses sens émoussés. Que cet amateur, au demeurant un vieillard, paye fort cher ces exercices à la donzelle. Laquelle entretient aussi un jeune homme de bonne mine fort dépensier, fort joueur, fort infidèle. Que dites-vous de ce conte-là ? Rien, bien sûr, car vous savez qu'il est de toute véracité. Qu'on fasse paraître M. Armand Bougard de Ravillois.

Pendant le laps de temps qui s'écoula avant que le prisonnier rejoigne le bureau de permanence, Nicolas parla à voix basse à ses adjoints. Enfin Armand de Ravillois, pâle et défait, entra. Encore une fois Nicolas observa combien l'incarcération pouvait briser un homme. Cependant même après des années de vie policière, il ne savait ce qu'il devait en déduire. Les deux prévenus s'entre-regardèrent sans que, de cet examen réciproque, on pût déduire qu'ils s'étaient déjà rencontrés.

— Messieurs, vous me voyez désolé de cette réunion. Apparemment vous ne vous connaissez pas, les présentations sont d'ailleurs inutiles. La seule chose qui importe c'est le point commun qui vous réunit. L'un et l'autre détenez des objets qui n'auraient pas dû être en votre possession ni se trouver éloignés de leur double. Ils sont frères et ne prisent guère la séparation. Vous, Bougard...

Il posa sur le bureau le céladon intact.

— ... cet exemplaire a été trouvé dans votre sacoche à Sézanne. Et vous, Meulière, cet autre, en morceaux, sous votre paillasse. Morceaux que vous souhaitiez, selon vos dires, faire raccommoder... ou vendre rue du Roule avant que l'objet ne soit brisé. L'un et l'autre demeurez cois sur l'origine de ces vases. Vous, Bougard, avez eu l'occasion soit de le dérober dans la chambre de votre grand-oncle le soir de sa mort, soit de vous en saisir dans celle du malheureux Tiburce Mauras mort... égorgé.

— Ce n'est pas possible... Il a...

Nicolas ne bougea pas et fixa ses assistants pour qu'aucun ne relève ce que pouvait avoir de curieux la réaction du garçon tabletier.

— Je comprends, reprit-il, l'émotion qui vous étreint en apprenant la mort tragique d'un vieil homme avec lequel vous avez partagé tant de moments précieux. Reste, messieurs, que dans l'état de mon enquête criminelle, j'ai le regret de vous l'annoncer, vous êtes suspects tous les deux. Oh ! Je ne vous dissimulerai rien et vais vous exposer minutieusement les hypothèses que j'ai, à la réflexion, formées sur cette affaire. Il y a plusieurs manières d'enisager la question. Permettez-moi de vous conter une histoire. Dans le désordre d'une maison frappée par la mort, un vieux valet, dont les fidélités réelles ou feintes s'éteignent avec la disparition de son maître, s'empare d'une paire de céladons précieux et de deux papiers privés dont il sait l'importance. Reste qu'il n'a peut-être pas dérobé les deux vases, mais un seul, l'autre ayant déjà été subtilisé par quelqu'un qui, avant lui, était entré dans la chambre de M. de Chamberlin. Quelqu'un de la famille dont les dettes devenaient criantes…

— Mais moi, qu'ai-je à voir avec tout ce salmigondis ?

— Vous, Meulière, vous aurez votre tour. Pour le moment, taisez-vous.

« Supposons toujours que ce quelqu'un ait appris ce soir-là par hasard la valeur de ces objets venus de l'Orient extrême. Supposons toujours que le valet, Tiburce Mauras en l'occurrence, ait découvert que M. Armand Bougard de Ravillois, ici présent, est un voleur. Pour diverses raisons, il le hait à l'instar de son défunt maître. Parce qu'il est jeune ? Sans doute, mais surtout parce qu'il possède lui-même des reconnaissances de dettes du jeune homme, que la prodigalité, le goût du jeu et la pratique de la débauche ont plus que multipliées.

Les auraient-ils rachetées à son maître ? C'est possible. Armé de ce qu'il sait désormais, il va mettre en place un plan diabolique en plaçant dans la sacoche de voyage d'Armand Bougard les papiers dérobés dans la chambre de M. de Chamberlin qui se trouvaient sur la cheminée. Ce faisant, il découvre que le jeune homme a emporté avec lui le céladon. Il espère donc faire accuser l'intéressé de vol, de dissimulation d'actes notariés et, avec un peu de chance, du meurtre de son grand-oncle, encore qu'à cet égard rien ne soit prouvé. Reste le fait qu'Armand Bougard annonce qu'il va visiter sa fiancée. Nous connaissons la suite. Cheval prétendument déferré, nuit mystérieuse, réapparition au petit matin. Peut-être retour à Paris où il sait que Tiburce est revenu. Là, il l'égorge et tente de retrouver ses reconnaissances de dettes. Que vous en semble ?

— Mais, monsieur, tout cela est faux ! s'écria le jeune Ravillois qui s'était dressé sur sa chaise. Faux, archifaux !

— En effet, monsieur, vous n'avez pas égorgé Tiburce Mauras, mais vous auriez pu. Il n'était pas mauvais de vous montrer les voies dangereuses auxquelles certaines dissipations peuvent conduire. Vous n'avez pas égorgé Tiburce Mauras parce que vous ne saviez pas les conditions de sa mort et lorsque j'en ai parlé il y a un moment, je vous ai bien observé. Ou vous êtes un monstre ou vous êtes innocent, car le valet de M. de Chamberlin a été étouffé.

— Mais, monsieur, si je suis innocent, pourquoi...

— Oui, innocent ! Patience ! N'est-ce pas, monsieur Meulière ?

La vieille forteresse trembla soudain tant le coup de tonnerre qui retentit dans ses coursives fut violent. L'ombre s'appesantit dans le bureau de permanence.

Rabouine alluma des chandelles dont la jaune lumière burina les visages.

— Voilà comment je vois les choses. Sous un prétexte quelconque Tiburce rentre aux Porcherons. Vous, Jacques Meulière, avez rendez-vous pris avec lui le mercredi 7 juin en fin de journée. Vous arrivez monté sur un cheval que vous attachez près de la porte qui donne sur le chemin, derrière l'hôtel de Ravillois. Les traces en ont été relevées. Vous entreteniez avec le valet les relations que nous savons par le biais de la Lofaque. Le pourquoi de cette rencontre ? J'y ai longuement réfléchi. Tiburce entend vous charger d'une mission particulière qui lui permettra de renforcer le piège tendu au jeune Bougard. Il vous confie le céladon en sa possession, vous explique la manière de vous grimer en vieillard, vous indique à qui vous adresser et ce que vous aurez à dire, vous fournit des bottes à éperons dérobées dans le placard de la chambre d'Armand. Car, notez-le bien, ce qu'il souhaite et ce qui l'anime c'est qu'on soupçonne que le faux vieillard est bien Armand Bougard. Que se passe-t-il alors ? Discussion ? Fureur rentrée qui explose ? Refus du vieux valet d'effacer vos dettes ? Haine contre l'organisateur de ces fameuses soirées ? Quel démon, Meulière, vous saisit alors ? Vous vous jetez sur le vieillard, il y a lutte... Vous le poussez sur sa couche et là vous l'étouffez et lui passez à la hâte, hélas pour vous, des vêtements de nuit. Puis calmement, peu de temps après, vous vous présentez grimé chez le baron de Besenval que Tiburce vous a indiqué comme l'amateur passionné susceptible d'acheter fort cher le céladon. C'est un échec. Votre frénésie calmée – j'ose croire que votre crime n'était pas prémédité –, la terreur vous saisit et vous vous cachez. Quant au céladon, après avoir envisagé de le vendre dans une de ces boutiques où l'antique est négocié, je vous vois assez bien le fracasser de dépit.

— Je suis innocent de ce dont on m'accuse. Pas de preuves.

Les dents de Meulière claquaient dans sa mâchoire sans qu'il pût maîtriser ce mouvement inconscient.

— Il y a encore peu, la *question*, monsieur, aurait réglé la chose et je n'imagine pas que vous y auriez résisté. Mais Sa Majesté, dans sa bonté, n'entend pas que ces anciennes pratiques se perpé tuent. Aussi désormais dans ce siècle de Lumières, ce sont les preuves qui font foi, or dans cette affaire elles abondent !

— Point de preuves, point..., gémissait le garçon tabletier.

— Qui d'entre nous n'a relevé votre attitude de surprise et d'incrédulité quand j'ai faussement pré-tendu que Tiburce Mauras avait été égorgé ? En voulez-vous du même tabac ? La victime a été étouf-fée et on a retrouvé des crins de cheval bai, or on m'a rapporté il y a peu des crins identiques recueillis sur certaines de vos hardes, à votre logis où vous étiez sans doute repassé avant de fuir.

— Il n'y a pas qu'un cheval à Paris...

— Mais il n'y en a qu'un que vous avez monté ce soir-là, et soyez assuré que nous retrouverons qui vous l'a loué. Ce n'est pas tout. Voulant forcer un meuble pour y dérober ce qu'il contenait et sans doute les traces de vos dettes, vous vous êtes arc-bouté et, ce faisant, avez entamé le parquet, y laissant des traces que nous avons relevées. Or ce sont des traces d'éperons à roulettes et non de ceux que portait Armand Bougard durant son voyage à Sézanne. Et puisque vous parlez de bottes, de ces bottes que Tiburce avait empruntées à la garde-robe de celui

441

qu'il voulait perdre, et que nous n'avons pas encore retrouvées, à moins que vous ne les ayez jetées dans la rivière, veuillez ôter vos souliers et vos bas.

— Pourquoi ? Pourquoi ? Non, non !

Nicolas fit un signe. Gremillon et Rabouine maîtrisèrent Meulière et brutalement Bourdeau lui enleva ses souliers qui étaient fort larges et lui arracha ses bas au point que les jarretières sautèrent. Les pieds furent tendus vers Nicolas qui, la chandelle à la main, les examina.

— Il faudrait, monsieur, parfois vous laver ! Et vous soigner les pieds car ceux-ci ont fort souffert. Ce sont là de belles ampoules ouvertes et infectées. Quelle en est la cause, selon vous ? Vous ne répondez pas ? Eh bien, je vais vous la découvrir ! Vous avez porté les bottes de monsieur que Tiburce vous avait confiées et votre pointure n'est pas celle de ce jeune homme. Loin de là ! Et comme vous vous êtes enfui de chez vous, le rude cuir d'une botte étroite vous a blessé. Notez que ce type de plaies est fort long à se fermer.

— Mais diable ! s'exclama Bourdeau. Comment as-tu songé à cela ?

— Lorsque nous sommes allés chez M. de Besenval, rappelle-toi la description qu'il nous a faite de son visiteur du soir.

Nicolas ouvrit son petit carnet noir et en lut un passage.

— *Grand vieillard, courbé, boitillant, maquillé à l'excès, voix chuintante…* Enfin, messieurs, dois-je poursuivre ? Imaginons la scène : voilà un escroc au petit pied, si j'ose dire, peu habitué à ces sortes de mascarades, se présentant devant un grand seigneur en son hôtel, devant figurer un vieillard déguisé, grimé, chevrotant et de surcroît peaufinant son rôle en boitant. Il est impossible de tout combiner ensemble aussi bien, la boiterie était de trop ou naturelle. Non, cela n'est pas vraisemblable et, ma foi, s'il boitait c'est que déjà il avait le cuir entamé ! Ces échauffements du pied se produisent à une vitesse étonnante. Que dire de plus ? Meulière, vous êtes convaincu, outre quelques crimes et délits accessoires, de meurtre sur la personne de Tiburce Mauras et votre cas sera déféré sur-le-champ au lieutenant criminel.

Meulière fut aussitôt entravé et emmené par les exempts. Nicolas se tourna vers Armand de Ravillois.

— Monsieur, encore que vous ayez bien des choses à vous reprocher et notamment un vase dont je veux ignorer si c'est Tiburce ou vous qui l'avez dérobé, vous êtes libre. Mesurez cependant la chance qui vous échoit. Dans ce genre d'affaires, les apparences sont trompeuses et les présomptions qui s'y enchaînent les unes aux autres peuvent être aisément de nature à mener un honnête homme...

— Ou demi-honnête, murmura Bourdeau.

— ... au pied d'un échafaud. Rejoignez votre famille sans doute éprouvée par son deuil et par les événements sanglants dont votre maison aux Porcherons a été le malheureux théâtre. Prévenez votre père que je viendrai demain afin, je l'espère, de clore une enquête qui n'a que trop duré.

— Mais, monsieur, je suis hors de cause. Qu'est-il besoin de...

— Hors de cause, certes, mais vous oubliez ou vous ne savez pas qu'en plus de Tiburce Mauras, un inconnu est mort appartenant aux gens du roi, et que l'hôtel a été fouillé de fond en comble pour des raisons qu'il ne m'appartient pas de vous révéler.

Le jeune homme parut effrayé de ce qu'il venait d'apprendre.

— Monsieur le commissaire, dit-il, se retournant soudain alors qu'il se dirigeait vers la porte, je vous remercie.

Il attira Nicolas vers la fenêtre.

— Je souhaiterais vous confier un secret. Je n'étais pas allé supplier le père de ma fiancée de m'aider, mais rendre ma parole à Yvonne. C'était un mariage fabriqué de toutes pièces, et une pernicieuse maladie... ne m'autorise pas à menacer sa santé...

— Ne poursuivez pas, je sais ce que vous allez dire. Croyez-moi, je pourrais être votre père. Sans doute existe-t-il du meilleur en vous que vous ne le pensez vous-même. Confiez-vous au docteur de Gévigland et suivez la route droite. Vous l'avez déjà reprise. Je suis votre serviteur, monsieur.

Pensif, il le regarda s'éloigner.

— Nous le reverrons un jour.

— Allons Pierre, j'espère que la peur lui sera désormais de bon conseil. Le bon le dispute chez lui au mauvais. Savoir vers où penchera le fléau de la balance ?

— N'aurait-il pas été préférable d'aller battre le fer chaud aux Porcherons ?

— Possible, mais la libération du fils peut créer une situation plus favorable aux dernières investigations que je veux mener aux Porcherons.

Il consulta sa montre.

— Je vous abandonne, mes amis. Il me faut rendre compte à M. Le Noir des derniers événements. Père Marie, fais-moi appeler un fiacre.

Sous une pluie battante, Nicolas gagna l'hôtel de Police, rue Neuve-des-Augustins. L'enquête avait avancé, mais il restait à retrouver l'essentiel : le compromettant document que l'ennemi anglais, aidé par Gondrillard, s'était acharné à rechercher. De ce côté-

444

là les menaces n'étaient sans doute que suspendues, toujours à la merci de l'envoi par Londres de nouveaux émissaires. Il fallait donc élucider la question au plus vite. C'est aux Porcherons que la solution pouvait être trouvée si l'on en croyait le message laissé à M. Patay par M. de Chamberlin dans l'étrange disposition des livres de sa bibliothèque.

— Alors, mon ami, lui dit Le Noir qui l'avait aussitôt reçu. Où en êtes-vous ?

Nicolas lui fit une relation fidèle mais rapide des résultats obtenus.

— Cela est bel et bon, mais Sartine s'impatiente. Vous connaissez son caractère. À peine a-t-il ordonné qu'il espère les choses accomplies ! Du vif-argent ! Pour le coup d'ailleurs on ne saurait lui en vouloir.

— Ce qui nous a égarés un temps, c'est d'avoir envisagé les événements auxquels nous étions confrontés comme indissociables les uns des autres alors qu'il s'agissait de deux affaires séparées. L'une tournait autour de la recherche du document, l'autre appartenait exclusivement aux relations ancillaires de la maison Bougard. Reste que c'est aux Porcherons qu'il nous faut enquêter. Et ce qui est plus ardu, auprès de celui qui détient, peut-être sans le savoir, le mot de l'énigme : *Charles possède l'original*. Rien n'est plus difficile que d'interroger un enfant...

— Vous avez eu un fils.

— Trop tard, vous le savez, pour avoir l'expérience des dédales du premier âge. Je ne peux me référer qu'à mes propres souvenirs.

— Sachez en tout cas que si notre ami bout d'impatience et me dépêche message sur message, Sa Majesté n'est pas moins anxieuse ; une partie de notre entretien habituel du dimanche a été consacrée hier à cette question. Je sens le roi soucieux de tirer son ministre d'un mauvais pas qu'il soupçonne. Et cela d'autant plus que la reine, encouragée par ses entours, met chaque jour plus d'ardeur à demander, sinon exiger, le départ du ministre de la Marine. Il a, par ailleurs, marqué sa satisfaction de savoir apaisée l'émotion du peuple à la suite des effondrements du cimetière des Innocents. Je ne lui ai pas celé la part que vous y avez prise. Il a sauté d'un pied sur l'autre, l'air réjoui. Ah ! Ah ! De cela et de votre rapport à Necker...

Ces propos valaient sans doute davantage que l'eau bénite de cour que d'autres eussent dispensée, pensa Nicolas.

— Faites au mieux, comme toujours.

Il repartit à pied, soucieux de renouer avec les réflexions agitées lors de sa promenade à l'église Saint-Jacques. Ses pas inconsciemment le menèrent à l'aventure dans la ville, mais dans la direction de la rue Montmartre. À un moment, bousculé par un de ces gamins qui hantent les voies parisiennes, il s'aperçut qu'il se trouvait rue Plâtrière, à quelques maisons de celle où logeait M. Patay, l'ami et l'exécuteur testamentaire de feu M. de Chamberlin. Une idée lui vint et il décida d'aller deviser avec le vieil homme dont la finesse l'avait frappé lors de leur première rencontre. Au premier, il cogna à l'huis et bientôt des pas traînants se firent entendre. M. Patay l'accueillit.

— Ma foi, c'est M. Le Floch ! Entrez donc. Vous surprenez un vieillard qui soupe fort tôt. Ma gouvernante ayant la fâcheuse habitude de cuisiner mon repas pour quatre alors que je ne mange à peine que pour un, je vous convie à le partager. Je ne souhaite pas laisser refroidir un repas commencé. C'est mon lot quotidien de manger solitaire, ce que je ne goûte point. Et cela complaira à la commère et justifiera ses efforts !

Nicolas ne pouvait qu'acquiescer et suivit le vieil homme dans la grande pièce où une petite table était dressée près d'une des deux croisées. L'hôte appela la gouvernante, vieille femme sèche toute de noir vêtue et portant une coiffe à l'ancienne. Rouge de confusion, elle esquissa une révérence avant d'ajouter un couvert et de remplir le verre en cristal de vin rouge rubis.

— La chair est pauvre mais abondante et le breuvage point mauvais, me venant d'un clos que je possède en Bourgogne. Je n'ai que du bouilli à vous proposer, trop cuit pour vous, je le crains. Mais j'épargne mes pauvres dents ou ce qu'il en reste.

La viande fut une bonne surprise. Du jarret de veau, à ce que reconnut Nicolas, qui fondait sur la langue avec son délicieux bouillon et des légumes à l'avenant.

— Je vous écoute, dit Patay, l'œil ironique. Y aurait-il quelque chose que vous ayez oublié de me demander ?

— C'est moins simple que cela. Il m'est revenu... Enfin, je ne m'explique pas une réticence que j'avais notée alors que nous évoquions la famille de votre défunt ami.

— À quel sujet ?

L'œil devint soudain sérieux et perspicace. Nicolas sortit son carnet noir et le feuilleta.

— Voilà. Pardonnez-moi, les enquêtes imposent de tout relever. C'est du carton découpé avec lequel on reconstitue le tout.

— Un jeu d'enfant, en quelque sorte.

— Certes ! Mais malheureusement souvent périlleux. Ainsi vous avez dit à un moment, parlant de Charles, le petit-neveu préféré : *Reste... Non, rien. Une impression.* Que signifiait cette réticence ?

Le cardinal interrompit la conversation en sautant sur les genoux de Nicolas pour y frotter amoureusement ses bajoues.

— Pfut ! coquin ! cria Patay en agitant sa serviette.

Il réfléchit un moment.

— La confiance de cette bête m'incite à vous répondre avec la sincérité la plus grande. Les chats sont les meilleurs juges de la qualité d'un homme. Ce que je voulais dire, que vous connaissant peu je n'avais pas exprimé clairement, c'est qu'ayant rencontré à plusieurs reprises cet enfant, certains de ses regards m'avaient glacé. Ni plus, ni moins. J'ajouterai une chose secrète dont je ne me suis jamais ouvert à mon vieil ami de peur de le peiner. J'avais jadis déduit d'une conversation surprise que M. Bougard de Ravillois pouvait n'être pas le vrai père de Charles. Cela, vous en conviendrez, expliquerait bien des choses et l'animosité dont cet enfant est victime. Mais qui le sait ?

— Et cette conversation ?

— Ces choses sont trop graves, vous le comprendrez sans peine, pour s'engager outre, affirmer sans preuves et dénoncer sans certitude. Ce que je vous confie n'a d'autre but que de vous aider à mieux comprendre l'intimité de cette famille.

Nicolas prit plaisir à la conversation. Ce sentiment semblait partagé par le vieil homme qui, par pans entiers, lui dévoila les secrets d'une administration chargée de l'usage des deniers du roi, dans laquelle il avait été si longtemps employé. Puis il se plut à s'appesantir sur les aspects diffus du caractère de M. de Chamberlin dont, disait-il avec un rien de tristesse, il n'était jamais parvenu, en dépit de leur longue connivence, à éclairer toutes les facettes. Et, ajoutait-il, la plupart étaient limpides, mais certaines des plus obscures. Une faute en particulier pesait sur la conscience de l'homme ; jadis il n'avait pas levé le petit doigt pour sauver son frère de la faillite. Lui et sa femme s'étaient exilés aux Indes. Les fièvres, leur mort et leur nouvelle fortune dilapidée par l'époux de Charlotte de Ravillois... Il conclut ému que de cette amitié il n'avait jamais eu de ces bénéfices d'ouverture, de ceux qui sont doux à l'âme. Ils se séparèrent fort tard et très contents l'un de l'autre.

Nicolas rejoignit l'hôtel de Noblecourt rue Montmartre à quelques pas de là. Aucune lumière n'indiquait que ses occupants fussent encore éveillés, aussi emprunta-t-il le petit escalier qui menait directement à ses appartements. Il nota avec surprise que Naganda était revenu prendre ses impedimenta et avait quitté le logis. Il aviserait le lendemain... Il se coucha et s'endormit aussitôt.

... Il avait réussi à abattre trois quilles. Ses compagnons de jeu criaient et piétinaient d'excitation sur la petite place de Tréhiguier. Il cracha dans ses mains et se pencha pour saisir la boule. À peine l'eut-il en mains qu'elle lui parut vivante. Son bois noueux avait disparu comme liquéfié. Dans cette humeur vitreuse, des coulées lactescentes se mouvaient lentement. Il tenta de hurler sans qu'aucun son ne parvienne à sortir de sa gorge. Ses compagnons, désormais muets, semblaient aspirés par des nuées. Dans sa main, la boule se mit à diminuer. Horrifié, il découvrit au fond de sa paume une bille d'agate qui se dissipa en poussière.

Quelle était cette femme en grand habit qui plongeait devant lui dans une révérence de cour ? Elle se redressa, montrant sous sa perruque une tête de cauchemar. Il se précipita vers le mât de cocagne, tenta de trouver des prises sur le bois graissé, progressa quelques toises. Un corbeau vint lui picorer la tête et se mit à chanter d'une voix grincharde.

Nicolas, din-me l'ânet
C'hivi zelivrfe'n ene daonet ?
[Nicolas, dites-moi
Voulez-vous délivrer une âme damnée ?]

Il lâcha le tronc et tomba en poussant un grand cri...

— Voilà ce que c'est de se retourner du mauvais côté, vous avez chu, mon père !

Louis l'aida à se relever. Il riait aux larmes de l'aventure.

— Que faites-vous ici ? Je vous croyais en service.

— Sa Majesté m'a donné liberté de venir vous saluer. Je crois qu'elle a, sans le dire, souhaité réparer le méchant accueil qu'elle vous a réservé l'autre matin.

— Que cela vous serve de leçon et vous apprenne à demeurer de marbre face aux variations des faveurs de cour.

— M. de Noblecourt me charge de vous dire que Naganda regrette d'avoir dû quitter la maison. M. de Vaugondy, géographe du roi, entend l'avoir tout à lui et à demeure afin de le mieux initier aux mystères de son art.

— Initier aux mystères ! Voilà bien la question, murmura Nicolas encore sous le coup de son rêve.

Quand sa voiture déposa Nicolas aux Porcherons devant l'hôtel de Ravillois, le temps, rafraîchi par l'orage de la veille, était délicieux. Le porche passé, il observa une joyeuse bande de moineaux qui pillaient le cerisier de l'une des plates-bandes. Son maintien paraissait incongru dans le dernier vestige d'un verger préexistant à la construction. Cette belle journée d'été lui éclaircit l'âme. L'accueil s'avéra plus aisé et courtois que lors de sa première visite. Sans doute le rapport que le fils aîné avait fait des conditions de sa libération avait-il convaincu le fermier général que nulle animosité personnelle n'entrait dans ses actions. Aussi lui fut-il marqué une reconnaissance polie. Nicolas trouva cependant intrigant qu'aucune explication ne lui soit demandée quant aux événements sanglants qui avaient eu la demeure pour théâtre. Il prit sur lui d'en fournir, indiquant en toute clarté qu'un document d'État détenu par M. de Chamberlin était sans aucun doute la cause de ces affreux épisodes. M. de Ravillois soupira en secouant la tête, comme s'il entendait mettre la responsabilité de ces événements au compte de l'irascible vieillard, puis demanda à Nicolas l'objet de sa présente visite. Gazant le plus qu'il put son embarrassante requête, le commissaire demanda à parler à Charles, le benjamin de la famille. Il souhaitait lui remettre des billes d'agate recueillies durant l'enquête et s'enquérir auprès de l'enfant des conditions de leur dispersion qui pouvait avoir des conséquences sur les suites. Il enroba le tout de considérations qui eussent fait rire Bourdeau, lui qui tant et si bien le connaissait. Cependant, soit qu'il se désintéressât de son plus jeune fils ou que la chose ne lui parût pas d'importance, M. de Ravillois accorda la permission demandée. L'enfant était dans sa chambre.

Nicolas frappa et entra sans attendre. Charles, assis sur un carreau, sursauta et fixa l'intrus de ses grands yeux noirs. Il se dressa et se dirigea vers la porte de sa démarche claudicante.

— Ma mère se trouve...

— Non, non, c'est vous que je souhaite entretenir.

Il recula comme à regret pour reprendre sa place sur son carreau et se remit à piocher des cerises dans un petit panier d'osier. Nicolas s'interrogeait. Comment briser ce mur qu'il sentait installé entre lui et l'enfant ?

— N'avez-vous rien perdu récemment ?

Charles retira un noyau de sa bouche, qu'il disposa lentement sur une soucoupe posée près du panier. Il releva son regard.

— Point, monsieur.

— Vous savez le bouleversement qu'a connu votre demeure. Je vois que les dégâts sont déjà réparés et que l'ordre de votre chambre est restauré. Mais je suis persuadé que vous avez perdu quelque chose de précieux.

Le silence se prolongeait.

— Soit. Si vous ne voulez rien me dire, je vais remettre la chose à votre père. Peut-être de lui accepterez-vous quelque chose ?

Nicolas sortait quand une petite voix l'appela.

— C'est vrai, monsieur, j'ai perdu mes agates.

— Que ne le disiez-vous ? Je sais combien un enfant peut être attaché à ses objets familiers.

Il sortit quelque chose de sa poche.

— Je n'ai plus le bocal, il s'était brisé. J'ai placé vos billes dans un petit sac de velours. Le voici.

Charles hésita un instant, prit l'objet, le posa sur le sol sans le regarder, puis, n'y tenant plus, le reprit et l'ouvrit. Il y jeta un œil pour le refermer aussitôt.

— Le compte y est ?

— Mais oui, puisque vous me les rendez.

— Nous les avons trouvées éparpillées sur le sol, c'est pourquoi je vous pose la question.

Le visage de l'enfant s'éclaira dans une esquisse de sourire.

— Comprenez, dit Nicolas poussant son avantage, que la présence parmi vos billes de pierres précieuses ne laisse de poser des questions. Ce ne sont point là jouets habituels d'un enfant.

Le regard se durcit à nouveau.

— Je ne suis pas un enfant. Je consens à vous dire qu'il s'agit de pierres qui appartenaient à mon grand-père et que mon grand-oncle m'avait demandé de conserver.

— Craignait-il que quelqu'un ne s'en emparât ?

Charles croqua une cerise et envoya de deux doigts serrés le noyau à travers la pièce.

— Jadis je faisais cela aussi.

Leurs sourires les rapprochèrent.

— Que craignait M. de Chamberlin ?

— Que M. de Ravillois les dilapide.

La réponse et sa forme étaient étranges, d'un fils parlant de son père. Nicolas choisit de ne point relever la chose.

— Vous aimiez beaucoup M. de Chamberlin.

Charles frappa le tapis de sa main.

— Non. Il était méchant.

— Mais chacun rapporte qu'il vous adorait.

— Il avait fait du mal à ma mère.

— Soit. Autre chose, votre grand-oncle ne vous a-t-il pas confié un papier auquel il attachait une grande importance ?

— Non, monsieur, lui fut-il répondu les yeux dans les yeux.

Nicolas choisit de ne pas insister. Il marchait sur le fil du rasoir avec cet enfant dont il ne parvenait pas à percer les motifs et les vérités.

— Que vos cerises sont belles !

À nouveau le visage s'éclaira.

— Elles viennent de l'arbre du jardin. Je les ai cueillies moi-même.

— Vous-même ! N'avez-vous pas le vertige sur une échelle ?

Nicolas était surpris. Dieu savait s'il avait recherché une échelle à l'hôtel de Ravillois sans la trouver.

— Point, point ! s'exclama Charles. Moi, je sais grimper aux arbres.

— Mes compliments.

Ainsi Charles, pourtant fragile et empêché par une hanche déviée, pouvait-il se livrer à de telles escalades. Cela donnait à penser. Il décida d'aborder la question de la manière la plus directe.

— Je comprends mieux maintenant la farce que vous avez faite à M. de Chamberlin en bloquant le cordon de sa sonnette d'alcôve. C'était plaisant !

— Oui ! Oui ! dit Charles, battant des mains.

— Ce ne fut pas trop difficile ?

Il revoyait les colonnes torses du grand lit de M. de Chamberlin.

— Plus facile que le cerisier. Ah oui ! Il y avait de quoi s'accrocher.

— Et c'est vous qui en avez eu l'idée ?

Il rougit pour la première fois et s'emplit la bouche de cerises dont il crachait les noyaux autour de lui.

— C'est que le lit était vieux. Ma mère et Richard voulaient qu'il en change.

— Richard ?

— M. Melot, le commis de M. de Ravillois.

— Vous aimez M. Melot ?

Nicolas s'en voulait de cette inquisition. Charles soupira et se mit à pleurer en silence.

— Il est gentil avec moi. Ce n'est pas comme M. de Ravillois et Armand.

Que savait-il ? Les propos de M. Patay lui revenaient. Dans cette famille tout n'était qu'apparences et seules les haines cimentaient la famille Bougard de Ravillois. Certes, le change était donné et les usages respectés. Ne pouvait-on désormais imaginer que tous les membres de cette famille connaissaient la

vérité, sauf M. de Chamberlin et peut-être Charles ?
Encore que... M. de Ravillois, sa mère et son fils
aîné haïssaient et dépréciaient l'enfant qu'ils tenaient
pour un bâtard. Mme de Ravillois, quant à elle,
vouait à M. de Chamberlin une détestation pour avoir
laissé son père rouler à la faillite et s'engager dans
une entreprise où sa femme et lui avaient perdu la
vie. Se pouvait-il... ?

— Et ce papier que votre grand-oncle vous avait
remis ?

Charles, buté, demeurait silencieux.

— Je dois le retrouver. À tout prix, et même si
vous refusez de m'aider. Où l'avez-vous caché ?

Il crut un moment qu'il allait céder et parler. Non,
il se leva, jeta un regard sans expression sur Nicolas
et, claudiquant, sortit de la pièce. Nicolas pressentit
qu'il n'avait que peu de temps pour trouver ce qu'il
cherchait. Il regarda autour de lui. Il considéra les
jeux, les livres, les pantins. Les livres ? C'était par
trop évident. Il tenta de calmer son excitation,
essayant de se mettre à la place de l'enfant. Une
bonne cachette imposait d'être si visible, si manifeste, qu'on ne pensait à s'y intéresser. Il regarda
avec attention une pile de jeux, échiquier, trictrac et
parcours de l'Oie, ainsi qu'un carton découpé de
l'Europe. Une phrase de M. Patay lui trottait dans la
tête. Quelle était-elle ? Elle resurgit soudain. Lui-
même avait dit qu'une enquête était du *carton
découpé* et le vieux monsieur avait répondu *un jeu
d'enfant en quelque sorte.*

Oui, une enquête, c'était des parties éparses avec
lesquelles on reconstituait un tout. Il considéra la
boîte de cartons découpés. Sa couverture figurait le
modèle de la carte de l'Europe. Rien pourtant dans sa
mémoire n'évoquait des morceaux épars lors de sa
visite dans la chambre de Charles après la fouille

mystérieuse qu'elle avait subie ; il revoyait bien encore la carte sur le sol, mais pas le couvercle de la boîte. Il ouvrit celle-ci avec précaution. La carte apparut non pas en fragments séparés, mais reconstituée et si bien qu'elle semblait unie, vernie. Il secoua la boîte sans qu'aucun morceau ne se détache. À la fin il s'aperçut que les parties étaient collées ou plutôt reposaient sur une feuille de papier. Il retourna l'ensemble, son cœur battit, il reconnut aussitôt la petite signature de Sartine. Avec fièvre, il s'empressa de lire le document. Il s'agissait bien de l'accord entre les traitants, garanti et paraphé de la main du ministre de la Marine. Qui serait allé chercher la chose dans ce jeu d'enfant ? Soudain, au-delà de la joie d'avoir abouti, d'avoir une fois de plus rempli heureusement sa mission, il mesura l'horreur de la situation. Un enfant, un enfant meurtrier, meurtrier sans le savoir. Et auteur d'un crime, le doute n'existait pas, fomenté par sa mère et par l'homme que tout désignait comme son père. Il décida de laisser retomber son émotion et d'examiner à froid ce que son devoir lui imposait.

Alors qu'il sortait de la chambre de Charles, il se heurta à Charlotte de Ravillois qui, sans doute informée par son fils de sa présence, était aussitôt accourue.

— Monsieur ! lui cria-t-elle, le visage incendié. Que prétendez-vous faire ?

Que savait-elle de l'entretien qu'il venait d'avoir avec son fils ?

— Madame, j'accomplis ma tâche au nom du roi.

— Monsieur, il vous faut comprendre que…

— Rien, madame, rien. Je n'ai que quelques mots à vous dire. Un secret de famille, un vieil homme haï, un enfant infirme qui grimpe aux arbres et aux colonnes d'un lit. Un châssis scié qui s'effondre et qui tue. Tirez, madame, les conséquences de tout cela. Je reviendrai demain.

Pétrifiée, elle le laissa partir sans un mot.

Nicolas rentra rue Montmartre, glacé par sa découverte. Il s'interrogeait sur ce qui l'avait conduit à laisser ce délai à des assassins présumés ; il ne trouva pas de réponse. Il fit seller Sémillante ravie de l'aubaine et piqua des deux pour Versailles. Sa monture l'y porta si vite que deux heures après il surgissait dans le cabinet du ministre de la Marine.

— Alors ? dit Sartine, frappé par le sérieux de la physionomie du commissaire.

Nicolas, sans répondre, lui tendit la carte de l'Europe.

— Plaisantez-vous ?

— Retournez la carte.

— Par Dieu, Nicolas, vous avez réussi !

Fébrile, il jeta sur-le-champ le papier dans un pot à feu, l'enflamma d'une allumette et le regarda brûler.

— Contez-moi la chose.

Nicolas reprit par le menu l'histoire de son enquête. Au moment où il évoquait le rôle de Tiburce Mauras et les conditions de son assassinat, Sartine l'interrompit.

— Ainsi le bougre a fini par se faire prendre. Il était habile et nonobstant ses dérèglements m'avait rendu bien des services ! Inutile cependant de pleurer une canaille qui a d'ailleurs échoué dans la recherche du document.

— Comment ! C'était un homme à vous ? Vous l'utilisiez ?

— Je n'ai fait que le reprendre d'un de mes successeurs qui l'employait. Ce M. Albert qui vous goûtait tant...

— Et que ne m'en avez-vous parlé ?

— Pourquoi ? Vous ai-je toujours tout dit ? La surface des choses, Nicolas, la surface…

Il faisait des deux mains un geste qui écrasait tout.

— Mais, reprit-il, brisons-là ; le roi m'attend. Je lui dirai *notre* succès. Enfin ce qu'il en doit savoir. Ce n'est pas mon loyal ami qui croquerait le morceau.

Il se leva, passa devant Nicolas, lui fit un petit geste aimable.

— Et merci !

C'était la moindre des choses. Alors que Sémillante le conduisait à Fausses-Reposes où il comptait souper et passer la nuit en compagnie d'Aimée d'Arranet, la décision qu'il devait prendre le jeta dans un de ces débats intérieurs dont il était coutumier. Quel était son devoir ? Jeter le déshonneur dans une maison ? Détruire la vie d'un enfant que les usages judiciaires risquaient de précipiter dans une maison de force, lieu de corruption et de mort ? Avait-il eu conscience de ce qu'il accomplissait ? Mme de Ravillois et son amant étaient certes coupables, et doublement, d'avoir usé pour une vengeance de l'innocence de Charles. Certes, M. de Chamberlin était mourant, et le piège n'avait fait qu'accélérer une inéluctable fin, mais justement cet acharnement dénonçait une volonté de vengeance animée par la haine.

Il retournait le drame dans sa tête sans parvenir à concilier ces données contradictoires. Combien de fois, au cours de ses vingt années de services, des coupables tout aussi odieux sinon plus avaient échappé pour raison d'État au châtiment ? Sans broncher, il avait accepté que cela s'accomplisse au détriment de la Justice. Que ferait-il demain ? Il laissa à la nuit le soin de lui inspirer une conduite que l'horreur de la situation et l'amertume de la primesautière conduite de Sartine l'empêchaient de discerner. Il ne pensa plus qu'à l'amour.

Le lendemain matin, toujours incertain de la conduite à tenir, il trouva au Châtelet une lettre de Mme de Ravillois. Elle le remerciait et l'informait qu'après son départ des Porcherons, elle-même, Richard Melot et leur fils Charles s'étaient enfuis à Bruxelles. Le destin avait choisi pour lui. Il ne saurait jamais ce qu'il eût décidé...

ÉPILOGUE

> « Il y a des temps où la disgrâce est une manière
> de feu qui purifie toutes les mauvaises qualités
> et qui illumine toutes les bonnes. »
>
> Cardinal de Retz

Lundi 16 octobre 1780

Le Noir venait de lui révéler l'événement. Depuis des jours, la rumeur courait la cour et la ville. L'avant-veille, le roi avait congédié M. de Sartine, secrétaire d'État à la Marine. Le lieutenant général de police, accablé, lui apprit que le ministre, prévenu par M. Amelot et foudroyé par la nouvelle, avait aussitôt vaqué à ses préparatifs et qu'à peine une heure après son carrosse roulait vers Paris. Nicolas, atterré, avait marché longtemps sur les boulevards avant de se décider à aller saluer Sartine en son hôtel situé derrière celui de la police, rue Neuve-des-Augustins.

L'été avait été occupé par la mise en route de Louis. Maître Vachon s'était surpassé pour lui tailler des uniformes que, rue Montmartre, Marion et Catherine ne cessaient d'admirer, exigeant chaque jour que le nouveau lieutenant les revête.

Nicolas, son fils et le chef micmac avaient quitté Paris début septembre pour Saumur où le vicomte de Tréhiguier devait prendre son service. Avant de le quitter, le père avait dispensé ses derniers conseils au jeune homme. Être exact, respectueux avec ses chefs, amical avec ses camarades et bienveillant avec la troupe devaient être ses premiers commandements. Il veillerait aussi à ne jamais jouer, en se souvenant des exemples qu'il lui avait mis sous les yeux. De plus il n'oublierait pas les conseils du docteur Semacgus dans le commerce avec le beau sexe. Il se devait persuader que ses qualités et ses talents justifieraient, et non la seule naissance, la position que d'incroyables circonstances lui avaient permis d'atteindre. Enfin l'honneur ne servait qu'une fois et, perdu, il n'y avait plus de recours. Il lui fit aussi promettre d'aller régulièrement visiter sa tante Isabelle.

La visite du commissaire et de Naganda fut un événement pour le couvent. Les bonnes religieuses de Fontevraud couvrirent le chef indien de présents et de confiseries pour les siens, tout en lui faisant décrire son pays qu'on appelait encore dans ces murs la *Nouvelle-France*. Nicolas entretint sa sœur de sa conversation avec Madame Louise et de ce qui s'en était suivi. Il fut écouté en silence sans que les lèvres de la religieuse se descellent ; pourtant, son frère était persuadé qu'elle connaissait ce secret. Il pressentit un engagement de conscience qu'elle ne pouvait rompre. Ils se promenèrent longuement dans les jardins et potagers du couvent, et de ces retrouvailles Nicolas éprouva une douce émotion.

Le vieux valet de Sartine l'accueillit avec empressement, lui confiant de ne pas se tromper sur l'apparence de son maître. Quoiqu'il semblât à son ordinaire, il était touché au cœur. Il trouva Sartine décoiffé qui frappait du pied la bibliothèque à perruques.

— Carogne ! Ah ! Nicolas. Voilà que la mécanique se met elle aussi contre moi ! J'apprécie de vous voir. Asseyez-vous. Venez-vous prendre le pouls du malade ?

La voix était embarrassée. Il semblait qu'il eût la gorge serrée.

— Je viens, monseigneur, sacrifier à l'autel de la fidélité et de la reconnaissance et, si vous le permettez, de l'amitié…

— Je le sais, hélas ! Je le sais.

Il se mit à marcher à son habitude à travers le bureau.

— Je sentais le coup venir. Je vous en avais parlé en juin. Il est certain que Necker a été le premier moteur de ce renvoi. Il va s'en flagorner ! Mais… Mais jamais il n'eût réussi par son seul crédit. Je vois, je sais, je sens que la reine et ses entours l'ont puissamment aidé ! Accouplement contrenature des Polignac et de l'homme de Genève ! Que voulez-vous, ils en attendent des avantages… Ce sont les quatre millions de billets lancés par Sainte-James à mon insu qui m'ont perdu… Et peut-être a-t-on mangé le morceau sur ce traité que vous aviez si opportunément retrouvé ? D'où l'irritation du roi, sa colère même… Il a vu Maurepas à Paris. La vieille machine est très affaissée. On lui donne peu à vivre. Il a été étourdi par les arguments… Et tous ces reptiles qui grimpent et déposent leurs ordures sur un chêne renversé !

Il prit un papier sur sa table de travail.

— Écoutez, écoutez ce que l'on chantonne à Paris :

J'ai balayé Paris avec un soin extrême
J'ai voulu de la mer balayer les Anglais

Mais j'ai vendu si cher mes malheureux balais
Que l'on m'a balayé moi-même.

« Et savez-vous ce qui était écrit à la craie ce matin sur ma porte ?

Ô perruque, ma mie
N'as-tu donc vécu que pour cette infamie ?

— Allons ! N'êtes vous pas à cent coudées au-dessus de ces bêtises ? Une défaveur de cour n'efface pas trente ans de services.

— Ce n'est pas tant cela qui me poigne. Mon désespoir n'est pas d'avoir perdu ma place, mais d'écouter les motifs affreux qu'on suppose à cette disgrâce. C'est de mon honneur qu'il s'agit ! Oui ! Entendez bien cela, de l'honneur de Sartine ! On prétend que j'ai huit cent mille livres de rentes et que, de mon autorité privée, j'aurais été assez criminel pour excéder dans mes dépenses les ordres de Sa Majesté. Sachez que je n'ai pas même vingt mille livres de rentes et, si l'on s'avise de m'en trouver davantage, je l'abandonne de bon gré aux hôpitaux. Et j'aurais dépensé sans justificatifs ? Calomnie ! Mensonge ! Je n'ai agi que sur les ordres du roi signés dans ses conseils en présence de ses principaux ministres, conseils auxquels le banquier n'a point accès et dont les délibérations sont un secret d'État !

Maintenant il tisonnait avec violence le feu qui crépitait.

— Alors, en aurais-je confié le détail à Necker que, pour prix de mon indiscrétion, j'eusse été passible pour haute trahison d'un cul de basse-fosse à la Bastille ! Quoi, en parler à cet homme ? Lui révéler nos plans ? Un étranger, lié de longue main à Lord Stormont, le dernier ambassadeur anglais à Paris.

Qu'est-ce au reste que ce Necker sinon une figure de comptable assermenté nulle part, reconnu d'aucune cour ? Il était hostile à la guerre. Qu'avait-il à faire en effet de la grandeur de la France et de notre revanche sur l'Angleterre ? Ah ! Choiseul...

Nicolas fut effaré de constater à quelles extrémités le dépit et l'amertume conduisaient Sartine. Le directeur général des Finances, un traître ? Quelle que soit l'opinion qu'il portât sur Necker, il ne le pouvait croire. Les mauvais succès des opérations navales tenaient-ils à l'impéritie de leur direction ou aux trop faibles moyens que le trésor leur allouait ? Le ministre n'avait-il pas été emporté par le tourbillon des événements, des réformes maladroites et des confiances mal placées ?

— Rien n'est perdu, M. de Maurepas ne vous a-t-il pas toujours soutenu ?

— Ne vous leurrez pas ! Sa femme, certes. Lui ? C'est une autre affaire... Il n'aspire qu'à sa tranquillité égoïste. Il éludait mes questions et simulait un appui qu'il m'avait déjà retiré. Un chien presque crevé au fil du courant dominant...

— Vous verrez que l'on vous reviendra et que vous reparaîtrez au premier rang. Le roi au fond vous aime.

Sartine secoua la tête, puis la prit dans ses mains.

— C'est un amour assassin ! Ma fin a commencé à la mort de Louis XV. J'aurais dû m'imposer. Je fus pourtant le premier à parler à Sa Majesté. Il eût suffi d'un mot, de le presser un peu...

Il semblait qu'il se parlât à lui-même.

— Et puis non. À quoi bon ? Le résultat serait le même... Le roi ? Il n'y a rien à faire avec cet homme-là ; il y a deux êtres en lui, celui qui connaît et celui qui veut et ils ne sont jamais en accord. Son aïeul laissait faire, lui il empêche ! Et tout s'en va...

Agir ? Avec quoi ? La seule issue est dans l'emprunt. Comment au bout du compte soldera-t-on le déficit ? Et quelle politique mener sans moyens ?

À ce moment précis la bibliothèque à perruques émit une sorte de gémissement, puis un long claquement comme un ressort qui lâche et se dévide. Dans un bel ensemble, tous les tiroirs jaillirent, l'air fut environné de poudre et un air guilleret éclata, jouant sur un rythme échevelé et faux.

— Tout se détraque ce soir ! Tiens, c'est du Balbastre, votre ami !

Il donna à nouveau un coup de pied dans le meuble, ce qui lança le mécanisme à jeter deux notes ultimes.

— Monseigneur, dit Nicolas après un temps d'hésitation, laissez-moi vous dire que...

— Ne dites rien. Durant toutes ces années vous avez été... le meilleur... celui qui... proche et j'ai... quelque peine à...

La voix était à peine audible.

— ... le sentiment de n'avoir pas toujours répondu à... à...

Il se retourna vers la muraille.

— ... Allez, monsieur le marquis, serviteur. Nous nous reverrons sans doute.

Nicolas se retira en silence après un dernier regard ; il ne vit dans la grande pièce où le crépuscule jetait ses lueurs qu'une silhouette voûtée qui se découpait comme une ombre sur la lueur du foyer. Le cœur serré, il marcha longtemps dans les rues, puis sur les rives du fleuve. Il s'y revit vingt ans auparavant dans la joie d'une faveur et d'une carrière à ses prémices. Ce jour-là, il avait appris de la bouche du roi qu'il était le fils du marquis de Ranreuil. Aujourd'hui il se sentait à nouveau orphelin et mesura tout ce que, dans la balance du destin, il devait à Gabriel de Sartine. Un vent mauvais se levait, faisant tourbillonner les feuilles mortes. Sans les voir, il entendait crier les corbeaux de la terrasse des Tuileries. Une averse éclata, brutale.

De retour rue Montmartre, la bonne odeur qui sortait de la boulangerie le rasséréna. Havre de paix, l'hôtel de Noblecourt l'accueillit. Marion sommeillait près de l'âtre, Mouchette sur ses genoux, Poitevin transvasait des bouteilles de vin et Catherine surveillait un poêlon sur son potager. On entendait au premier une allègre mélodie jouée à la flûte à laquelle se mêlait, par instants, le bourdon d'un aboiement de Pluton.

La cuisinière le regarda avec attention et, lui trouvant sans doute cet air désespéré qu'elle avait observé chez tant de soldats les soirs de bataille perdue, le poussa par les épaules sur une chaise, s'agenouilla pour lui tirer ses bottes. La chose faite, elle emplit un bol du bouillon qui réduisait à petit feu et le lui tendit. Il leva les yeux vers les siens et ce qu'il y lut le réchauffa avant même que le liquide n'incendie sa poitrine. Sa pensée vola vers ceux qu'il aimait, Louis rendu à lui-même, Antoinette au milieu des périls, Naganda en fortune de mer et Aimée à la fois si proche et pourtant si insaisissable. Le bonheur n'était-il donc que quelques instants dérobés à l'absence ?

La porte de l'office gémit sous les coups de la bourrasque d'automne. À l'écurie les chevaux inquiets s'ébrouèrent. Au-dehors la nuit comme le siècle se faisait menaçante.

La Bretesche – Bissao
Octobre 2009-Avril 2010

NOTES

Prologue

1. *Hoirie* : héritage.

I.

1. *Antoinette* : Antoinette Gobelet, la Satin, mère de Louis de Ranreuil, agent double placé par Sartine auprès des services anglais.
2. *Comte de Paradès* (1752-1786) : il demeura de longs mois à la Bastille et se retira à Saint-Domingue. Dans ses Mémoires il continue à protester de son innocence.
3. Cf. *Le Noyé du Grand Canal.*
4. *Cadet de Vaux* (1743-1828) : pharmacien et hygiéniste.
5. L'heure solaire régissait le royaume.
6. *Le domestique* : entendre l'ensemble de la domesticité.
7. *Piédroit* : montant vertical sur lequel reposent les voussures d'une arcade.

II.

1. *Oresme* (1325-1382) : prélat et érudit.
2. *Butte aux Martyrs* : la butte Montmartre.

1. *Boulevert* : on jouait à la boule sur le gazon vert du rempart (en anglais *bowling-green*), d'où boulingrin et boulevard. Le peuple conservait la première forme de prononciation.

2. *Dégout* : le jus qui sort des pièces à la broche et tombe dans le lèchefrite.

3. *Liards* : monnaie de cuivre au billon.

4. *Jean-Jacques* : Jean-Jacques Rousseau.

5. *Conin* : lapin.

6. *Toise* : elle valait six pieds, soit près de deux mètres.

7. Cf. *Le Cadavre anglais*.

8. *Arbre de Cracovie* : marronnier du Palais-Royal autour duquel se réunissaient les nouvellistes.

9. *Quos ego* : Virgile, dans l'*Énéide*, décrit Neptune menaçant les vents, irrité de leur audace. Épisode popularisé par un lavis de François Boucher.

IV.

1. *Cormes* : fruits du cormier ou sorbier.

2. *Berlingot* : berline coupée à deux places.

3. Aujourd'hui ambassade de Suisse.

4. La famille Necker redoutait la décomposition des corps. Au château de Coppet, les restes de M. et Mme Necker et de leur fille Germaine de Staël reposent encore aujourd'hui dans une cuve emplie d'alcool.

5. *Bouteilles* : toilettes pour les officiers.

V.

1. Il s'échoua dans la passe et donna sans doute naissance à la plaisanterie sur « la sardine qui a bouché le port de Marseille ».

2. *Naganda* : cf. *Le Fantôme de la rue Royale*.

3. Expression familière à Louis XV.

4. *Amourettes* : moelle épinière du veau.

5. *Soule* : jeu en équipes, ancêtre du football et du rugby.

6. Du 2 au 9 juin 1780, Londres fut en proie au désordre. L'armée intervint et plusieurs centaines d'émeutiers furent tués.

7. De l'expression *faire ses caravanes*, soit mener une vie dissolue.

8. Cf. *L'Homme au ventre de plomb*.

VI.

1. *Carton découpé* : puzzle de l'époque.

VII.

1. *Heiduques* : valets vêtus à la hongroise.

2. *Mijoter* : avoir des égards pour quelqu'un.

3. *Regoulée* : dégoûtée.

4. Cf. *Le Noyé du Grand Canal*.

5. En Brie.

6. *Se faire matrasser* : être roué de coups.

7. *Faire du carillon* : produire du vacarme.

8. Cf. *L'Affaire Nicolas Le Floch*.

9. *Finance* : justificatif du paiement d'une charge au roi.

VIII.

1. *Contes à la cigogne* : récits fabuleux.

2. Cf. *Le Cadavre anglais*.

IX.

1. Cf. *Le Sang des farines*.

2. *La Raucourt* : comédienne aux mœurs décriées.

3. *Lally-Tollendal* : décapité pour haute trahison à la suite de sa capitulation à Madras.
4. Cf. *Le Noyé du Grand Canal.*
5. Ce qui fut fait quelques années plus tard.
6. Cf. *Le Noyé du Grand Canal.*

X.

1. Dit aussi « Plan de Turgot ».
2. *Rodomonts* : fanfarons.
3. *Chercher costille* : chercher querelle.
4. *Foutinasser* : travailler à contrecœur.
5. *Faire la grimace au Pont Rouge* : être pendu place de Grève face à ce pont peint en rouge qui reliait la Cité à l'Île-Saint-Louis.
6. *Monsieur de Paris* : le bourreau.

XI.

1. *Chapelle* : chapelle du Grand Châtelet consacrée à saint Nicolas.
2. *Cheminée à la Richelieu* : cheminée à plaque tournante que fit installer le duc de Richelieu pour s'introduire auprès de sa maîtresse, Mme de la Poupelinière.
3. *Cavalette* : sauterelle.
4. *Piaffe* : magnificence ostentatoire.

XII.

1. *Foutre la pelle au cul* : renvoyer violemment quelqu'un.
2. *Mettre à blanc* : percer à jour.
3. *Sabouler* : houspiller.

REMERCIEMENTS

Mon affectueuse gratitude va tout d'abord à Isa-belle Tujague qui, avec un soin exceptionnel, conti-nue à procéder à la mise au point de mon texte.

À Monique Constant, conservateur général du patrimoine, pour ses conseils et ses encouragements dans cette traversée au long cours.

À mon éditeur et à ses collaborateurs pour leur confiance, leur amitié et leur soutien.

À mes lecteurs si fidèles.

À tous merci !

TABLE

Impression réalisée par

BRODARD & TAUPIN

La Flèche (Sarthe), 66720
Dépôt légal : décembre 2011

Imprimé en France